“十四五”国家重点出版物出版规划项目

国家出版基金项目
NATIONAL PUBLICATION FOUNDATION

长江大保护与高质量发展研究系列丛书

长江保护与绿色发展研究院
江苏长江保护与高质量发展研究基地 ◎ 组织编写

综合卷

COMPREHENSIVE VOLUME

河海大学出版社
HOHAI UNIVERSITY PRESS
·南京·

图书在版编目(CIP)数据

长江大保护与高质量发展研究系列丛书. 综合卷 / 长江保护与绿色发展研究院，江苏长江保护与高质量发展研究基地组织编写. -- 南京 ：河海大学出版社，2024. 11. -- ISBN 978-7-5630-9556-8

Ⅰ. X321.25;F127.5

中国国家版本馆 CIP 数据核字第 202443VZ05 号

书　　名 长江大保护与高质量发展研究系列丛书. 综合卷
CHANGJIANG DABAOHU YU GAOZHILIANG FAZHAN YANJIU XILIE CONGSHU. ZONGHE JUAN
书　　号 ISBN 978-7-5630-9556-8
策划编辑 朱婵玲
责任编辑 吴　淼　徐倩文
特约校对 姚　力
装帧设计 林云松风
出版发行 河海大学出版社
地　　址 南京市西康路 1 号(邮编:210098)
电　　话 (025)83737852(总编室)
(025)83722833(营销部)
经　　销 江苏省新华发行集团有限公司
排　　版 南京布克文化发展有限公司
印　　刷 南京工大印务有限公司
开　　本 787 毫米×1092 毫米　1/16
印　　张 15.75
字　　数 282 千字
版　　次 2024 年 11 月第 1 版
印　　次 2024 年 11 月第 1 次印刷
定　　价 75.00 元

《长江大保护与高质量发展研究系列丛书》编委会

总序

进入21世纪以来，中国经济已由高速增长阶段转向高质量发展阶段，正处于转变发展方式、优化经济结构、转换增长动力的攻关期，由粗放型增长向高质量、绿色增长转变成为实现可持续发展的必然选择。长江是中华民族的母亲河之一，横跨东、中、西部，联通南北，成为中华民族发展的重要支撑。推动长江经济带高质量发展是以习近平同志为核心的党中央作出的重大决策，是关系国家发展全局的重大战略。共抓长江大保护，构建长江新发展格局，推动长江经济带高质量发展，是国家经济社会发展的重要组成部分，是功在当代、惠泽长远的重大决策部署，对实现"两个一百年"奋斗目标、实现中华民族伟大复兴的中国梦具有重要意义。

2014年9月，国务院印发了《关于依托黄金水道推动长江经济带发展的指导意见》，将长江经济带发展上升为国家战略。2016年9月，《长江经济带发展规划纲要》正式印发，确立了"一轴、两翼、三极、多点"的发展新格局。2016年1月，在重庆召开的推动长江经济带发展座谈会上，习近平总书记提出"共抓大保护、不搞大开发"的新理念。2017年10月，党的十九大报告又将"以共抓大保护、不搞大开发为导向推动长江经济带发展”纳入新时代实施区域协调发展战略的重要内容。2018 年 4 月，习近平总书记在武汉召开的深入推动长江经济带发展座谈会上强调，加强改革创新、战略统筹、规划引导，以长江经济带发展推动经济高质量发展。2020 年 11 月，习近平总书记在南京召开的全面推动长江经济带发展座谈会上进一步强调，要谱写生态优先绿色发展新篇章，打造区域协调发展新样板，构筑高水平对外开放新高地，塑造创新驱动发展新优势，绘就山水人城和谐相融新画卷，使长江经济带成为我国生态优先绿色发展主战场、畅通国内国际双循环主动脉、引领经济高质量发展主力军。2020 年 12 月，十三届全国人大常委会第二十四次会议表决通过《中华人民共和国长江保护法》，明确提出建立长江流域协调机制和区域协作机制，增强长江保护和发展的系统性、整体性、协同性，“共抓大保护、不搞大开发”正式写入我国法律。2021 年 11 月，《中共中央 国务院关于深入打好污染防治攻坚战的意见》印发实施，明确要求持续打好长江保护修复攻坚战，为新时期长江保护修复工作指明了方向。

围绕贯彻落实习近平总书记系列重要讲话精神和党中央、国务院关于推动长江经济带发展战略部署，2019 年 6 月，在教育部、水利部、江苏省、三峡集团的关心支持下，河海大学与南京水利科学研究院主动服务国家重大战略，发挥政产学研各方面优势，共同组建“长江保护与绿色发展研究院”。研究院聚焦国家重大战略需求，深度对接院所企业科技创新资源，整合优势创新力量，以保障长江水安全和补齐长江大保护领域重大问题短板为导向，以重大科技项目为引领，以高水平创新平台为支撑，通过建立共担科技项目、共建研发平台、共促成果转化、共用科技人才、共享科技资源，形成多元开放、优势互补、集成高效的融合发展新机制，建设一个从宏观战略到微观治理、从规划布局到技术实施、从商业模式到科技金融等全面综合的新型研究机构，为长江大保护和长江经济带发展提供有力的科技支撑和智力保障，为中国乃至全球大江大河治理保护提供智慧和方案。此外，河海大学充分发挥水利学科优势、经管文法多学科发展特色，主动融入和服务长江经济带发展，成立了江苏长江保护与高质量发展研究基地。该基地于2019年入选江苏省决策咨询研究基地，作为长江保护与绿色发展研究院的智库载体和平台，积极成为助力长江大保护和江苏长江经济带高质量发展的新型智库。

《长江大保护与高质量发展研究系列丛书》是由长江保护与绿色发展研究院、江苏长江保护与高质量发展研究基地推出的智库产品。丛书分为综合卷、经济卷、社会卷、生态卷、法治卷、政策卷和文化卷七部分，其中：综合卷系统梳理了长江经济带社会经济、科技创新和绿色低碳高质量发展总况、存在问题及对策建议；经济卷主要分析了长江经济带经济高质量发展的政策环境及面临的挑战，在对长江经济带经济发展质量进行测度评价的基础上，对典型地区的产业高质量发展实践进行了考察；社会卷立足于长江经济带生态文明建设过程中的社会形势，从社区生态文明建设、民间环保组织实践及环境政务建设三方面展开调查研究；生态卷基于长江流域生态健康评价，重点阐述了长江生态环境的现状与存在问题、长江流域生态环境保护的实践与成效以及长江流域生态环境的修复与治理对策；法治卷讨论了《中华人民共和国长江保护法》的制定背景与制度创新、法治困境及推动长江经济带高质量发展的法治建议，分析了长江大保护与高质量发展中的典型法治案例；政策卷重点介绍了长江保护政策的变迁历程、实施现状及地方探索，对长江水资源开发利用政策、水生态保护修复政策、产业绿色发展政策的实施效果进行了评价；文化卷阐述长江水利、移民、灌溉、抗洪、航运、桥梁文化的发展历程，以及长江文化的弘扬和传承之路。

呈现在读者眼前的这套丛书，是我们长江保护与高质量发展研究系列成果的一部分。我们期望这一系列的探索，能够为政府、企业、科研院所、高校的相关研究提供深入而系统的基础支持；能够成为观察长江经济社会发展新成就、新理论、新走向的重要理论高地；能够推动学界、市场与政策制定者们更加关注长江保护与绿色发展；能够为落实“长江大保护”国家战略提供智慧支持。

长江保护与绿色发展研究院（生态文明建设与流域保护研究院）
江苏长江保护与高质量发展研究基地

目录 CONTENTS

01

第一章

长江经济带高质量发展概况与措施

1.1 长江经济带高质量发展概况

长江经济带横跨我国东中西三大区域，行政区域包括上海、江苏、浙江、安徽、江西、湖北、湖南、重庆、四川、云南、贵州11省市，人口规模和经济总量约占全国一半，是我国重要的经济发达地区之一。为促进长江经济带高质量发展，习近平总书记先后四次主持召开座谈会为长江经济带发展把脉定向。2016年1月5日，在重庆召开的推动长江经济带发展座谈会上，习近平总书记强调，"当前和今后相当长一个时期，要把修复长江生态环境摆在压倒性位置，共抓大保护、不搞大开发"。2018年4月26日，在武汉召开的深入推动长江经济带发展座谈会上，习近平总书记指出，新形势下，推动长江经济带发展，关键是要正确把握整体推进和重点突破、生态环境保护和经济发展、总体谋划和久久为功、破除旧动能和培育新动能、自身发展和协同发展等关系，坚持新发展理念，坚持稳中求进工作总基调，加强改革创新、战略统筹、规划引导，使长江经济带成为引领我国经济高质量发展的生力军。2020年11月14日，在南京召开的全面推动长江经济带发展座谈会上，习近平总书记强调，"要贯彻落实党的十九大和十九届二中、三中、四中、五中全会精神，坚定不移贯彻新发展理念，推动长江经济带高质量发展，谱写生态优先绿色发展新篇章，打造区域协调发展新样板，构筑高水平对外开放新高地，塑造创新驱动发展新优势，绘就山水人城和谐相融新画卷，使长江经济带成为我国生态优先绿色发展主战场、畅通国内国际双循环主动脉、引领经济高质量发展主力军"。2023年10月12日，在南昌召开的进一步推动长江经济带高质量发展座谈会上，习近平总书记强调，"要完整、准确、全面贯彻新发展理念，坚持共抓大保护、不搞大开发，坚持生态优先、绿色发展，以科技创新为引领，统筹推进生态环境保护和经济社会发展，加强政策协同和工作协同，谋长远之势、行长久之策、建久安之基，进一步推动长江经济带高质量发展，更好支撑和服务中国式现代化"。

此外，为更好地保护长江经济带生态环境，2020年12月26日，十三届全国人民代表大会常务委员会第二十四次会议表决通过《中华人民共和国长江保护法》(以下简称《长江保护法》)；2021年1月1日，长江流域重点水域"十年禁渔"全面启动。"十三五"期间，在习近平总书记"共抓大保护、不搞大开发"的战略导向下，长江经济带基于高质量发展理念，在推动内外经济发展、提升区域创新能力、创建绿色低碳城市、改善生态环境等方面取得了显著成效。

1.2 长江经济带高质量发展措施

1.2.1 进一步推动内外经济双循环

长江经济带以水为纽带，连接我国东中西部，是国内国际双循环的主动脉。推动内外双循环发展旨在加快形成以国内大循环为主体、国内国际双循环相互促进的新发展格局。以国内大循环为主体，畅通国内大循环，联通国内国际双循环，建设更高水平的开放型经济新体制。“十三五”期间，长江经济带各省市坚持走“双循环”战略，逐步形成以国内大循环为主体、国内国际双循环相互促进的新发展格局。重庆通过修建“渝新欧”国际铁路联运大通道，连接了我国西北、中亚及欧洲等地区，加深了与“一带一路”共建国家间的经济和贸易合作；武汉凭借独特的地理位置优势，着力打造国际性综合交通枢纽，成为衔接“一带一路”和长江经济带的“战略纽扣”；上海成立了洋山特殊综合保税区，为企业提供货物贸易、跨境电商、数字贸易、金融保险、航运服务、增值服务等贸易自由化、便利化服务。通过各省市贸易的改革和探索，“十三五”期间，长江经济带各省市共建“一带一路”成果显著，累计与 138 个国家和 31 个国际组织签署了 203 份共建“一带一路”合作文件；2019 年，长江经济带货物贸易进出口总额突破 2 万亿美元；2016—2020 年，长江经济带新增了 8 个自贸试验区和 24 个综合保税区。国内经济发展方面，长江经济带各省市以国内大循环为主体，优化升级生产、分配、流通、消费体系，深化对内经济联系、增加经济纵深，增强畅通国内大循环和联通国内国际双循环的功能，以建设更高水平的开放型经济新体制。为推动“双循环”战略的实施，我国在新技术新业态建设、产业集群高质量发展、推动经济开放等方面制定了一系列政策（表 1-1）。

表 1-1 “十三五”和“十四五”期间长江经济带高质量发展政策一览表

年份	部门	政策名称
2018 年	安徽省人民政府	《加快发展现代服务业若干政策》
2018 年	江西省人民政府办公厅	《江西省传统产业优化升级行动计划（2018—2020 年）》
2018 年	重庆市人民政府	《重庆市深化“互联网+先进制造业”发展工业互联网实施方案》

续表

年份	部门	政策名称
2018 年	贵州省人民政府办公厅	《贵州省推动企业沿着“一带一路”方向“走出去”行动计划(2018—2020 年)》
2018 年	贵州省人民政府办公厅	《贵州省绿色制造三年行动计划(2018—2020 年)》
2019 年	江苏省人民政府	《江苏省推进高新技术企业高质量发展的若干政策》
2019 年	中华人民共和国工业和信息化部	《关于加快培育共享制造新模式新业态　促进制造业高质量发展的指导意见》
2020 年	浙江省人民政府办公厅	《浙江省数字赋能促进新业态新模式发展行动计划(2020—2022 年)》
2020 年	浙江省人民政府	《关于推进乡村产业高质量发展的若干意见》
2020 年	浙江省人民政府办公厅	《浙江省新型基础设施建设三年行动计划(2020—2022 年)》
2020 年	江苏省人大常委会	《江苏省优化营商环境条例》
2020 年	江西省人民政府办公厅	《关于促进建筑业转型升级高质量发展的意见》
2020 年	湖北省发展和改革委员会	《湖北省推进现代服务业与先进制造业深度融合试点工作方案》
2020 年	湖北省人民政府	《促进湖北高新技术产业开发区高质量发展若干措施》
2020 年	湖南省人民政府办公厅	《湖南省区块链发展总体规划(2020—2025 年)》
2020 年	江苏省人民政府办公厅	《江苏省“产业强链”三年行动计划(2021－2023 年)》
2020 年	重庆市人民政府办公厅	《重庆市促进软件和信息服务业高质量发展行动计划(2020—2022 年)》
2020 年	江西省数字经济创新发展领导小组办公室	《关于加快推进数字经济创新发展的若干措施》
2021 年	上海市人民政府	《“十四五”时期提升上海国际贸易中心能级规划》
2021 年	江苏省人民政府、安徽省人民政府	《南京都市圈发展规划》
2021 年	浙江省人民政府办公厅	《浙江省商务高质量发展“十四五”规划》
2021 年	湖北省人民政府办公厅	《湖北省推动多式联运高质量发展三年攻坚行动方案(2021—2023 年)》
2021 年	重庆市人民政府	《支持制造业高质量发展若干政策措施》

如表 1-1 所示,在新技术、新业态建设方面,浙江省人民政府办公厅发布《浙江省数字赋能促进新业态新模式发展行动计划(2020—2022 年)》和《浙江

省新型基础设施建设三年行动计划(2020—2022年)》等文件。其中,《浙江省新型基础设施建设三年行动计划(2020—2022年)》对5G基站,大型、超大型云数据中心等重点领域基础设施建设提出了具体的目标。重庆市人民政府发布了《重庆市深化“互联网+先进制造业”发展工业互联网实施方案》。江西省数字经济创新发展领导小组办公室发布了《关于加快推进数字经济创新发展的若干措施》。中华人民共和国工业和信息化部发布了《关于加快培育共享制造新模式新业态　促进制造业高质量发展的指导意见》,提出到2025年,共享制造发展迈上新台阶,示范引领作用全面显现,共享制造模式广泛应用,生态体系趋于完善,资源数字化水平显著提升,成为制造业高质量发展的重要驱动力量。

在产业集群高质量发展方面,2018年,安徽省人民政府发布《加快发展现代服务业若干政策》,提出聚焦现代服务业集聚发展工程重点工作任务,加快培育一批省级现代服务业集聚区、集聚示范园区和特色商业街区,加大省、市集中相关资金支持力度,进一步优化布局,形成一批高质量产业集群。湖北省发展和改革委员会发布了《湖北省推进现代服务业与先进制造业深度融合试点工作方案》,湖北省人民政府发布了《促进湖北高新技术产业开发区高质量发展若干措施》。江苏省人民政府办公厅发布了《江苏省“产业强链”三年行动计划(2021—2023年)》,提出到2023年,江苏省“产业强链”培育机制优化完善、创新引领显著增强、发展质态全面提升,争创一批具有标杆示范意义的国家级先进制造业集群。

在推动经济开放方面,上海市人民政府发布了《“十四五”时期提升上海国际贸易中心能级规划》,提出经过5年努力,实现上海国际贸易中心能级跃升,基本建成全球贸易枢纽、亚太投资门户、国际消费中心城市、亚太供应链管理中心、贸易投资制度创新高地,全面建成国际会展之都,为上海建设国内大循环中心节点、国内国际双循环战略链接提供重要支撑。江苏省人民政府和安徽省人民政府联合发布《南京都市圈发展规划》,计划到2025年,总体上消除阻碍生产要素自由流动的行政壁垒和体制机制障碍,成本分担和利益共享机制更加完善,同城化建设水平全国领先。浙江省人民政府办公厅发布了《浙江省商务高质量发展“十四五”规划》,提出到2025年,完善商务发展空间布局,健全现代商贸流通体系,提升开放平台能效,构建高水平开放平台体系。湖北省人民政府办公厅发布了《湖北省推动多式联运高质量发展三年攻坚行动方案(2021—2023年)》,到2023年,初步建成国家内陆地区多式联运中心、国家多式联运创新示范区,为湖北打造国内大循环重要节点和国内国际双循环战略链接、构建“一主引领、两翼驱动、全域协同”区域发展布局提供有力支撑。

1.2.2 提升区域整体创新能力

科技创新是地区高质量发展的新动能，提高科技投入是科技创新的重要手段和有效途径。“十三五”期间长江经济带地方财政科学技术支出、规模以上工业企业研究与试验发展(R&D)经费呈稳步增长趋势，区域整体创新能力有所提升。2019 年，长江经济带地方财政科学技术支出由 2015 年的 1 590.55 亿元增长至 2 967.03 亿元，涨幅达到 86.54%，超过全国平均水平。2019 年长江经济带规模以上工业企业 R&D 经费达到 70 919 930.1 万元，规模以上工业企业 R&D 项目数达到 332 055 个，占比均超过全国 50%。为有效提升整体创新能力，长江经济带围绕创新发展战略、创新创业、创新人才培育和成果转化等制定了系列政策(表 1-2)。

表 1-2 “十三五”和“十四五”期间长江经济带创新创业发展政策一览表

年份	部门	政策名称
2016 年	上海市科学技术委员会	《上海市优秀科技创新人才培育计划管理办法》
2017 年	安徽省人民政府	《关于进一步推进大众创业万众创新深入发展的实施意见》
2018 年	上海市经济和信息化委员会、上海市财政局	《上海市生产性服务业和服务型制造发展专项支持实施细则》
2018 年	浙江省人民政府	《关于全面加快科技创新推动高质量发展的若干意见》
2019 年	江西省工业和信息化厅	《江西省新能源产业高质量跨越式发展行动方案》
2019 年	重庆市经济和信息化委员会	《重庆市制造业创新中心建设工程实施细则(2019—2022 年)》
2020 年	上海市经济和信息化委员会、上海市财政局	《上海市促进产业高质量发展专项资金管理办法(暂行)》
2020 年	上海市国有资产监督管理委员会	《本市国资国企服务长三角一体化发展行动计划》
2021 年	上海市人民政府办公厅	《上海市促进科技成果转移转化行动方案(2021—2023 年)》
2021 年	浙江省科技厅等部门	《关于加强高校院所科技成果转化的实施意见》
2021 年	浙江省人民政府办公厅	《浙江省科技企业“双倍增”行动计划(2021—2025 年)》

如表 1-2 所示，在创新发展战略方面，依据中共中央、国务院 2016 年发布的《国家创新驱动发展战略纲要》，长江经济带各省市强化原始创新，坚持国家战略需求和科学探索目标相结合，加强对关系全局的科学问题进行研究部署，不断增强原始创新能力和提升科学发现、技术发明和产品产业创新的整体水平，以支撑产业变革和保障国家安全。

在创新创业方面，依据国务院办公厅 2016 年发布的《关于加快众创空间发展 服务实体经济转型升级的指导意见》和国家发展和改革委员会(以下简称国家发改委)2020 年发布的《国家工程研究中心管理办法》，长江经济带各省市通过打造产、学、研、用紧密结合的众创空间，促进人才、技术、资本等各类创新要素的高效配置和有效集成，加快科研成果向现实生产力转化，不断提高经济带创新创业的能力和水平。2017 年，安徽省人民政府发布《关于进一步推进大众创业万众创新深入发展的实施意见》，提出创新创业的生态环境进一步优化、创新创业的覆盖广度进一步拓展、创新创业的科技支撑进一步增强和创新创业的引领作用进一步凸显 4 个目标。2019 年，重庆市经济和信息化委员会发布《重庆市制造业创新中心建设工程实施细则(2019—2022 年)》，提出建成 15 家左右覆盖重庆市重点产业领域的市级制造业创新中心，力争创建 2～3 家国家级制造业创新中心。

在创新人才培育和成果转化方面，上海市科学技术委员会发布《上海市优秀科技创新人才培育计划管理办法》，提出设立上海市青年科技英才扬帆计划、上海市青年科技启明星计划、上海市优秀学术/技术带头人计划和上海市浦江人才计划 4 种类型计划，以项目形式资助入选者创新创业。上海市国有资产监督管理委员会发布《本市国资国企服务长三角一体化发展行动计划》，计划上海市国资国企全面实施服务长三角一体化发展“135”行动计划，推进落实 70 个重大项目，新增投资 2 000 亿元，新增信贷资金投放 1 万亿元，在区域协调、产业创新、互联互通、协同开发、体制机制等方面取得重要突破和显著成效。浙江省人民政府发布《关于全面加快科技创新推动高质量发展的若干意见》，到 2022 年，主要科技创新指标实现“五倍增、五提高”，科技创新成为实现高质量发展的强大动能，新经济成为推动高质量发展的主引擎，创新强省建设走在全国前列。

1.2.3 创建绿色低碳生态城市

近年来，在“建立健全绿色低碳循环发展的经济体系”思想指导下，我国绿色产业得到稳步发展。2020 年中国可再生能源发电量达 2.2 万亿千瓦时，占全社会用电量的29.5%,较2012年增长9.5%。2020年,中国可再生能源开发利用规模达到6.8亿吨标准煤,相当于替代煤炭近10亿吨,减少二氧化碳、二氧化硫和氮氧化物排放量分别约达17.9亿吨、86.4万吨和79.8万吨,为碳达峰、碳中和提供了坚强保障。为加快建立健全绿色低碳循环发展经济体系,各部门制定了系列政策(表1-3)。

表1-3 “十三五”和“十四五”期间长江经济带绿色低碳发展政策一览表

年份	部门	政策名称
2016年	浙江省水利厅	《浙江省生态水电示范区建设管理暂行办法》
2018年	国家发改委、国家能源局	《清洁能源消纳行动计划(2018—2020年)》
2018年	国家能源局、中华人民共和国生态环境部	《关于印发2018年各省(区、市)煤电超低排放和节能改造目标任务的通知》
2019年	国家能源局	《关于2019年风电、光伏发电项目建设有关事项的通知》
2019年	云南省人民政府办公厅	《云南省煤炭产业高质量发展三年行动计划(2019—2021年)》
2020年	中华人民共和国生态环境部	《碳排放权交易管理办法(试行)》
2020年	湖北省生态环境厅等部门	《关于开展“碳汇+”交易助推构建稳定脱贫长效机制试点工作的实施意见》
2021年	国家能源局	《关于2021年风电、光伏发电开发建设有关事项的通知》
2021年	浙江省发展和改革委员会(以下简称浙江省发改委)	《浙江省循环经济发展“十四五”规划》

如表1-3所示,在清洁能源生产和消费方面,2018年,国家发改委、国家能源局发布《清洁能源消纳行动计划(2018—2020年)》,指出要立足我国国情和发展阶段,推进能源产业结构调整、推动清洁能源消纳,贯彻“清洁低碳、安全高效”方针,切实践行“绿水青山就是金山银山”的理念。同年,国家能源局和中华人民共和国生态环境部发布《关于印发2018年各省(区、市)煤电超低排放和节能改造目标任务的通知》,指出继续加大力度推进煤电超低排放和节能改造工作。2021年,国家能源局发布《关于2021年风电、光伏发电开发建设有关事项的通知》,提出要落实碳达峰、碳中和目标,以及2030年非化石能源占一次能源消费比重达到25%左右、风电太阳能发电总装机容量达到12亿千瓦以上等任务,推动风电、光伏发电高质量跃升发展。

在建立低碳生态城市方面,浙江省发改委发布了《浙江省循环经济发展“十四五”规划》,计划到2025年,现代化循环型产业体系和废旧物资循环利用体系基本建立,资源节约集约循环利用和能源清洁低碳安全利用水平显著提升，基础设施全面绿色升级，绿色生活方式普遍推广，绿色低碳循环发展支撑体系进一步完善，基本建成绿色美丽和谐幸福的现代化大花园，努力夯实碳排放率先达峰的基础，打造全国绿色低碳循环发展新标杆。2020 年，中华人民共和国生态环境部发布《碳排放权交易管理办法（试行）》。2020 年，湖北省生态环境厅等部门联合发布了《关于开展“碳汇＋”交易助推构建稳定脱贫长效机制试点工作的实施意见》。

1.2.4 全面改善经济带生态环境

在推动长江经济带高质量发展过程中，各省市坚持“共抓大保护、不搞大开发”的原则，加大力度治理生态环境污染问题。“十三五”期间，长江经济带森林面积不断增加，水环境和空气质量得到有效改善。长江流域累计完成造林 2.2 亿亩①、森林抚育 1.2 亿亩、石漠化治理 1 560 万亩，新增水土流失治理 7.85 万平方千米。在水环境治理方面，2016—2020 年，长江经济带各省市Ⅰ～Ⅲ类水质断面占比不断提升。以上海市为例，其Ⅰ～Ⅲ类水质占比从 2015 年的 14.7％提升至 2020 年的 74.1％。在地表水水质优良比例不断提高的同时，各省市城市空气质量优良天数比例连续多年保持增长，2020 年末长江经济带各省市环境空气质量指数优良率均在 80％以上。在长江经济带生态环境治理过程中，针对水环境污染和大气污染治理、多部门和跨区域协同联动生态治理等问题，相关部门制定了系列政策，以实现长江经济带社会、经济、生态的高质量发展（表 1-4）。

表 1-4 “十三五”和“十四五”期间长江经济带生态环境治理政策一览表

年份	部门	政策名称
2015 年	安徽省人民政府	《安徽省水污染防治工作方案》
2016 年	云南省人民政府	《云南省水污染防治工作方案》
2017 年	中华人民共和国环境保护部等部门	《长江经济带生态环境保护规划》
2017 年	中华人民共和国环境保护部等部门	《重点流域水污染防治规划（2016—2020 年）》
2017 年	中华人民共和国交通运输部	《关于推进长江经济带绿色航运发展的指导意见》

① 亩：面积单位，1 亩≈666.67 平方米。

续表

年份	部门	政策名称
2017 年	江苏省人民政府	《江苏省生态河湖行动计划(2017—2020 年)》
2017 年	浙江省发改委、浙江省环境保护厅	《浙江省大气污染防治“十三五”规划》
2017 年	湖北省环境保护厅、湖北省发展和改革委员会(以下简称湖北省发改委)	《湖北省生态保护红线优化工作实施方案》
2017 年	湖北省水利厅	《湖北省水土保持规划(2016—2030 年)》
2017 年	四川省人民政府办公厅	《四川省湿地保护修复制度实施方案》
2017 年	湖南省人民政府办公厅	《湖南省湿地保护修复制度工作方案》
2018 年	江苏省人大常委会	《江苏省长江水污染防治条例》
2018 年	湖北省发改委等部门	《湖北省耕地河湖草地休养生息总体方案(2016—2030 年)》
2018 年	湖北省人民政府办公厅	《关于建立健全生态保护补偿机制的实施意见》
2018 年	湖北省人民政府	《湖北长江经济带绿色发展十大战略性举措分工方案》
2018 年	中华人民共和国生态环境部、国家发改委	《长江保护修复攻坚战行动计划》
2018 年	安徽省人民政府办公厅	《关于加强长江(安徽)水生生物保护工作的实施意见》
2019 年	中华人民共和国生态环境部等十部门及上海市、江苏省、浙江省、安徽省人民政府	《长三角地区 2019—2020 年秋冬季大气污染综合治理攻坚行动方案》
2019 年	贵州省生态环境厅、贵州省发展和改革委员会(以下简称贵州省发改委)	《贵州省开展长江珠江上游生态屏障保护修复攻坚行动方案》
2019 年	湖北省生态环境厅、湖北省发改委	《湖北省长江保护修复攻坚战工作方案》
2019 年	重庆市生态环境局	《关于深化工业大气污染防治打赢蓝天保卫战的通知》
2020 年	国家发改委	《长江经济带绿色发展专项中央预算内投资管理暂行办法》
2020 年	国家发改委、中华人民共和国自然资源部	《全国重要生态系统保护和修复重大工程总体规划(2021—2035 年)》
2020 年	湖北省水利厅	《关于开展碧水保卫战“攻坚行动”的命令》

续表

年份	部门	政策名称
2020 年	湖南省人民政府办公厅	《关于建立长株潭城市群生态绿心地区生态补偿机制的实施意见》
2020 年	湖南省人民政府办公厅	《湖南省沿江化工企业搬迁改造实施方案》
2020 年	重庆市人民政府办公厅	《长江重庆段"两岸青山·千里林带"规划建设实施方案》
2020 年	武汉市人民政府办公厅	《武汉市推进长江江豚重返武汉城区江段工作实施方案》
2021 年	上海市绿化和市容管理局、上海市规划和自然资源局	《上海市生态空间专项规划(2021—2035)》
2021 年	推进长三角一体化发展领导小组办公室	《长江三角洲区域生态环境共同保护规划》
2021 年	国家发展和改革委员会等部门	《关于"十四五"大宗固体废弃物综合利用的指导意见》

如表 1-4 所示,针对水环境污染问题,云南省人民政府发布了《云南省水污染防治工作方案》,计划到 2030 年,全省水环境质量总体改善,水生态系统功能初步恢复。湖北省水利厅发布了《关于开展碧水保卫战"攻坚行动"的命令》。安徽省人民政府发布了《安徽省水污染防治工作方案》。江苏省人民政府发布了《江苏省生态河湖行动计划(2017—2020 年)》,通过全面推进生态河湖行动,实现重点河湖水功能区水质达标率在 82%以上,国考断面水质达到或优于Ⅲ类比例达到 70.2%以上,基本消除设区市及太湖流域县(市)城市建成区黑臭水体。

在大气污染治理方面,中华人民共和国生态环境部等十部门及上海市、江苏省、浙江省、安徽省人民政府发布了《长三角地区 2019—2020 年秋冬季大气污染综合治理攻坚行动方案》,指出长三角地区秋冬季期间大气环境形势依然严峻,细颗粒物($PM_{2.5}$)平均浓度是其他季节的 1.8 倍,长三角地区(2019—2020 年)秋冬季期间,$PM_{2.5}$ 平均浓度同比下降 14.9%,重度及以上污染天数同比减少 39%。浙江省发改委、浙江省环境保护厅发布了《浙江省大气污染防治"十三五"规划》。重庆市生态环境局和人民政府办公厅分别发布了《关于深化工业大气污染防治打赢蓝天保卫战的通知》和《长江重庆段"两岸青山·千里林带"规划建设实施方案》。

在多部门和跨区域协同联动生态治理方面,2017 年,中华人民共和国环境保护部等部门发布《长江经济带生态环境保护规划》,指出建立健全长江生态环境协同保护机制，共抓大保护，不搞大开发，确保生态功能不退化、水土资源不超载、排放总量不突破、准入门槛不降低、环境安全不失控，努力把长江经济带建设成为水清地绿天蓝的绿色生态廊道和生态文明建设的先行示范带。2018 年，中华人民共和国生态环境部和国家发改委发布《长江保护修复攻坚战行动计划》，指出通过创新体制机制，强化监督执法，落实各方责任，着力解决突出生态环境问题，确保长江生态功能逐步恢复，环境质量持续改善。2020 年，国家发改委、中华人民共和国自然资源部发布《全国重要生态系统保护和修复重大工程总体规划（2021—2035 年）》，提出到 2035 年，通过大力实施重要生态系统保护和修复重大工程，全国森林、草原、荒漠、河湖、湿地、海洋等自然生态系统状况实现根本好转，国家生态安全屏障体系基本建成。四川省人民政府办公厅发布了《四川省湿地保护修复制度实施方案》。贵州省生态环境厅、贵州省发改委发布了《贵州省开展长江珠江上游生态屏障保护修复攻坚行动方案》。湖北省环境保护厅、湖北省发改委发布了《湖北省生态保护红线优化工作实施方案》，湖北省水利厅发布了《湖北省水土保持规划（2016—2030 年）》。推进长三角一体化发展领导小组办公室发布了《长江三角洲区域生态环境共同保护规划》，指出到 2025 年，长三角一体化保护取得实质性进展，生态环境共保联治能力显著提升；到 2035 年，生态环境质量实现根本好转，绿色发展达到世界先进水平，区域生态环境一体化保护治理机制健全，长三角生态绿色一体化发展示范区成为我国展示生态文明建设成果的重要窗口。

02

第二章

社会经济高质量发展总况

2.1 经济保持平稳增长，三次产业发展强劲

2.1.1 长江经济带经济增长情况

国内生产总值(GDP)是一个国家(或地区)所有常住单位在一定时期内生产活动的最终成果，是衡量一个国家或地区经济状况和发展水平的重要指标。2011—2020年长江经济带各省市经济持续增长，地区生产总值占全国的比重从2016年的43.79%提高到2020年的47.24%。2020年长江经济带各省市地区生产总值均呈稳定上涨趋势。其中，上海、江苏和浙江地区生产总值较高，约占长江经济带地区生产总值的42.96%，贵州和云南地区生产总值较低，分别占长江经济带地区生产总值的3.60%和5.11%。东中西部经济虽然保持平稳增长，但是区域差异仍然较为明显(表2-1)。

地区生产总值指数是反映某个时期内该地区生产总值变动趋势与程度的相对数。从2011—2020年长江经济带各省市地区生产总值指数(表2-2)来看，相较于"十二五"期间，"十三五"期间的地区生产总值指数增长有所放缓。2020年，受疫情影响，长江经济带各省市地区生产总值指数增长均低于2019年。但是，总体上，除湖北省出现负增长外，其他地区生产总值仍保持增长态势，表明长江经济带各省市具有较好的经济恢复能力和较高的经济抗风险能力。

2.1.2 长江经济带第三产业发展情况

第三产业包括信息传输、批发和零售、金融、房地产、科学研究、社会保障等行业。第三产业不仅对国民经济具有重要的贡献，而且在促进市场体系的发展和完善、调节生产和消费、促进其他产业的发展和解决劳动力就业方面具有重要的作用。"十三五"期间，长江经济带第三产业增加值总体呈上升趋势。2016年长江经济带第三产业占比为50%，低于全国平均水平。"十三五"期间，通过产业结构调整升级，2020年长江经济带的第三产业占比达到54%，与全国平均水平持平。从区域空间分布来看，2020年上海市第三产业占比最高，其增加值占上海市生产总值达到73%；浙江省占比为56%，超过长江经济带平均水平；江苏省、重庆市占比均为53%，接近经济带平均水平；其他地区占比低于长江经济带平均水平(表2-3)。

表 2-1　2011—2020 年长江经济带各省市地区生产总值及占比

单位:亿元

地区	2011 年	2012 年	2013 年	2014 年	2015 年	2016 年	2017 年	2018 年	2019 年	2020 年
上海	19 196	20 182	21 602	23 561	25 123	27 466	32 680	32 679	38 155	38 701
江苏	49 571	54 058	59 162	65 088	70 116	76 086	85 870	92 595	99 031	102 896
浙江	32 319	34 665	37 568	40 154	42 886	46 485	51 768	56 197	62 352	64 613
安徽	15 301	17 212	19 039	20 849	22 006	24 418	27 108	30 068	37 114	43 018
江西	11 700	12 949	14 339	15 715	16 724	18 449	20 096	21 985	24 758	25 697
湖北	19 632	22 250	24 668	27 379	29 550	32 298	35 748	39 367	45 828	43 443
湖南	19 670	22 154	24 502	27 037	28 902	31 245	33 903	36 426	39 752	41 288
重庆	10 011	11 410	12 657	14 263	15 720	17 559	19 425	20 363	23 606	25 003
四川	21 026	23 873	26 261	28 537	30 103	32 681	36 980	40 678	46 616	53 502
贵州	5 702	6 852	8 007	9 266	10 503	11 734	13 541	14 806	16 769	17 287
云南	8 893	10 309	11 721	12 815	13 718	14 870	16 376	17 881	23 224	24 521
长江经济带	213 021	235 914	259 526	284 664	305 351	333 291	373 495	403 045	457 205	479 969
全国	495 708	547 511	603 660	655 783	702 512	761 193	847 383	936 010	990 865	1 015 986
占比	42. 97	43. 09	42. 99	43. 41	43. 47	43. 79	44. 08	43. 06	46. 14	47. 24

资料来源:历年《中国统计年鉴》。

注:①因数据四舍五入,计算结果有偏差,下同。

②表中"全国"数据未包括香港特别行政区、澳门特别行政区和台湾地区数据,下同。

表 2-2　2011—2020 年长江经济带各省市地区生产总值指数(上年=100)

地区	2011 年	2012 年	2013 年	2014 年	2015 年	2016 年	2017 年	2018 年	2019 年	2020 年
上海	108.3	107.5	107.9	107.1	107.0	106.9	107.0	106.8	106.0	101.7
江苏	111.0	110.2	109.7	108.6	108.6	107.8	107.2	106.7	105.9	103.7
浙江	109.0	108.1	108.3	107.7	108.0	107.5	107.8	107.1	106.8	103.6
安徽	113.4	112.1	110.3	109.2	108.7	108.8	108.6	108.0	107.3	103.9
江西	112.4	111.0	110.1	109.7	109.1	109.0	108.8	108.7	107.9	103.8
湖北	114.1	112.1	110.2	109.7	108.6	108.1	107.8	107.8	107.3	95.0
湖南	112.8	111.4	110.1	109.5	108.5	108.0	108.0	107.8	107.6	103.8
重庆	116.4	113.6	112.3	110.9	111.0	110.7	109.3	106.0	106.3	103.9
四川	115.0	111.7	110.0	108.5	107.9	107.8	108.1	108.0	107.4	103.8
贵州	115.4	113.0	112.4	110.8	110.7	110.5	110.2	109.1	108.3	104.5
云南	113.7	112.0	112.2	108.1	108.7	108.7	109.5	108.9	108.1	104.0

资料来源:历年《中国统计年鉴》。

表 2-3 “十三五”期间长江经济带第三产业增加值及占比

地区	2016 年第三产业增加值(亿元)	2016 年第三产业增加值占地区生产总值比重(%)	2020 年第三产业增加值(亿元)	2020 年第三产业增加值占地区生产总值比重(%)
上海	21 202.40	71	28 307.50	73
江苏	38 269.60	49	53 955.80	53
浙江	23 792.40	50	36 032.10	56
安徽	12 300.50	47	19 824.30	51
江西	7 862.00	43	12 365.10	48
湖北	15 419.50	46	22 287.60	51
湖南	14 995.90	49	21 603.40	52
重庆	9 020.70	50	13 207.30	53
四川	15 787.80	48	25 471.10	52
贵州	5 461.80	46	9 075.10	51
云南	8 396.10	51	12 635.50	52
长江经济带	172 508.70	50	254 763.90	54
全国	390 828.10	52	553 976.80	54

资料来源:历年《中国统计年鉴》。

以 2019 年为例,长江经济带第三产业中,以信息传输、计算机服务和软件业为代表的其他行业在第三产业增加值中占比最高,达到 42%;其次是批发和零售业的增加值,占比为 19%;房地产业和金融业的增加值均占第三产业增加值的 14%(图 2-1)。

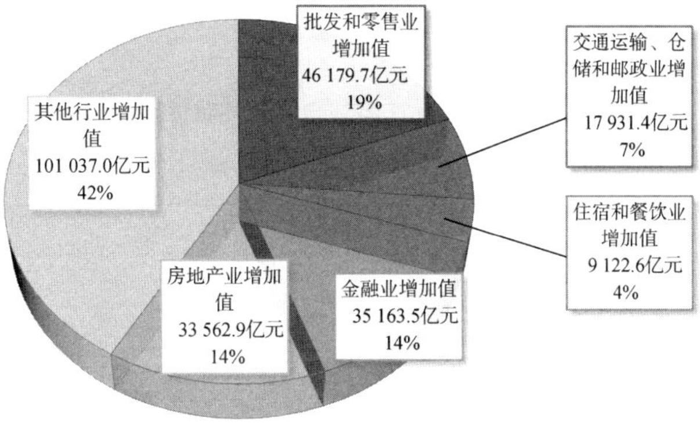

图 2-1 2019 年长江经济带第三产业增加值行业分布图

科学研究和技术服务业从业人员是地区创新发展的驱动力，是第三产业发展和产业结构升级的智力支撑。“十三五”期间，长江经济带各省市科学研究和技术服务业城镇单位就业人员呈上升趋势，其中上海市增加人数最多，贵州省增加人数最少(图 2-2)。高等学校在校学生数可以反映一个地区的创新发展潜力，与 2016 年相比，2019 年长江经济带 11 省市的高等学校在校学生数均有增加。其中，江苏省高等学校在校学生人数最多，四川省排名第二。

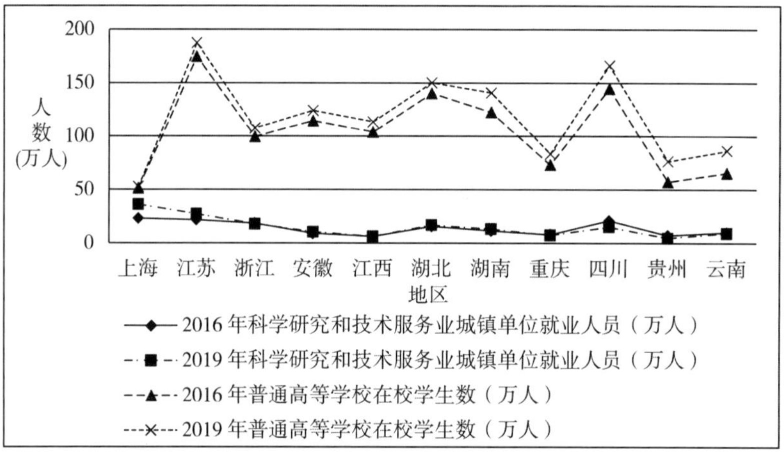

图 2-2 “十三五”期间长江经济带科技从业人员和高校学生数变化

新兴产业集群是第三产业结构升级的重要组成部分，能够有效地推动区域经济的高质量发展。2020 年长江经济带微型电子计算机和集成电路产量均超过全国总产量的 50%(表 2-4)。在区域分布上，西部地区的重庆、四川、贵州和云南的移动通信手持机产量之和与微型电子计算机产量之和均占长江经济带总产量的 50%以上；东部地区的上海、江苏、浙江和安徽集成电路总产量占长江经济带总产量的 87.93%。

表 2-4 2020 年长江经济带各省市高技术制造业产量

单位：万台

地区	移动通信手持机产量	微型电子计算机产量	集成电路
上海	3 686.58	1 799.51	2 886 702.70
江苏	5 527.48	5 029.46	8 348 694.90
浙江	3 704.59	139.21	1 741 019.70
安徽	91.35	3 097.13	91 790.70

续表

地区	移动通信手持机产量	微型电子计算机产量	集成电路
江西	5 649.09	2 188.45	33 073.00
湖北	2 667.01	1 720.01	5 693.10
湖南	2 369.20	184.51	178 476.50
重庆	13 450.47	9 130.26	454 899.70
四川	13 319.83	7 527.01	1 063 659.00
贵州	1 352.91	0.07	6 912.70
云南	574.74	82.57	51 471.80
长江经济带	52 393.25	30 898.19	14 862 393.80
全国	146 961.80	37 800.40	26 147 000.00

资料来源:历年《中国统计年鉴》。

“十三五”期间,长江经济带信息技术服务业彰显了强劲的增长潜力和发展韧性。从时间趋势看,2020 年长江经济带信息技术服务业总收入相比 2015 年实现翻倍;从空间分布特征看,信息技术服务业收入呈现明显的区域特征,东部地区领先优势明显,江浙沪地区 2020 年的信息技术服务业收入占据长江经济带总收入的 72.03%(表 2-5)。

表 2-5　2014—2020 年长江经济带各省市信息技术服务业收入

单位:亿元

地区	2014 年	2015 年	2016 年	2017 年	2018 年	2019 年	2020 年
上海	1 720.2	2 015.8	2 438.6	2 814.8	3 610.7	4 144.4	5 192.1
江苏	2 281.3	2 838.7	3 745.6	3 873.3	5 344.2	5 360.6	6 219.9
浙江	1 446.8	1 827.5	2 189.4	2 862.3	3 690.1	3 733.7	4 848.0
安徽	52.3	106.1	148.9	168.3	181.6	285.8	360.6
江西	53.4	55.3	52.1	68.8	67.1	67.7	101.3
湖北	357.6	425.1	572.1	718.6	906.4	1 098.7	1 130.7
湖南	88.1	100.1	228.4	277.2	191.7	309.7	538.6
重庆	510.0	539.8	659.6	783.1	878.3	1 037.0	1 239.7
四川	1 168.2	1 282.1	1 448.7	1 668.7	1 772.9	2 165.3	2 618.3
贵州	51.9	65.9	76.8	102.7	143.9	182.8	228.9
云南	35.4	32.6	37.8	59.3	66.8	74.5	94.6
长江经济带	7 765.2	9 289.1	11 596.9	13 397.0	16 853.7	18 460.1	22 573.2

续表

地区	2014年	2015年	2016年	2017年	2018年	2019年	2020年
全国	18 711.0	22 210.0	26 090.0	30 603.0	37 563.0	43 580.0	52 588.0

资料来源：历年《中国统计年鉴》。

金融业是现代服务业的重要组成部分，“十三五”期间我国采取了一系列金融监管改革措施，有力地提升了金融服务业发展水平。2016年，长江经济带金融业增加值为25 011.0亿元，2020年为38 909.7亿元，增长了55.57%，在全国金融业增加值中的占比从41.71%提升到46.53%（表2-6）。其中，东部地区的江苏、浙江和上海两省一市2020年的金融业增加值占长江经济带金融业总增加值的50%以上，是长江经济带金融增长中心与辐射中心；中西部的安徽省、江西省、湖南省、贵州省、云南省的金融业发展水平则相对滞后。

社会消费品零售总额反映了一定时期内社会商品购买力和零售市场的规模。2011—2020年，长江经济带社会消费品零售总额占全国社会消费品零售总额的40%以上，且保持不断上升的趋势，2019年长江经济带社会消费品零售总额超过了全国社会消费品零售总额的50%（表2-7）。从空间分布看，长江经济带各省市之间的社会消费品零售总额差异较大，2020年江苏省社会消费品零售总额为37 086.1亿元，贵州省的社会消费品零售总额仅为7 833.4亿元。

2.2 投资规模持续增长，对外开放水平提升

2.2.1 长江经济带投资增长情况

2011—2020年，长江经济带各省市外商投资企业投资总额呈上升趋势。上海、江苏、浙江、江西、湖北、湖南、重庆、四川、贵州、云南10省市外商投资企业投资总额连续10年增加，安徽外商投资企业投资总额在2015年激增之后，虽然2016年、2017年节奏放缓，但总体来看仍然呈增加趋势。2020年长江经济带11省市外商投资企业投资总额均值达4 133.0亿美元，与2016年相比增长83.66%。其中，江苏外商投资企业投资总额最高，达13 697.3亿美元；贵州最低，为835.7亿美元；上海、江苏、浙江、安徽4省市2020年外商投资企业投资总额远高于江西、湖北、湖南、重庆、四川、贵州和云南7省市，如表2-8所示。

表 2-6　2011—2020 年长江经济带各省市金融业增加值

单位:亿元

地区	2011 年	2012 年	2013 年	2014 年	2015 年	2016 年	2017 年	2018 年	2019 年	2020 年
上海	2 237.0	2 423.0	2 787.0	3 365.0	4 090.0	4 698.0	5 335.0	5 901.9	6 535.0	7 166.3
江苏	2 540.0	3 047.0	3 819.0	4 484.0	4 915.0	5 545.0	6 216.0	6 846.9	7 436.0	8 405.8
浙江	2 572.0	2 698.0	2 787.0	2 824.0	2 956.0	3 230.0	3 771.0	4 506.3	4 904.0	5 590.6
安徽	502.9	615.7	910.8	1 049.0	1 237.0	1 446.0	1 683.0	2 142.5	2 341.0	2 553.9
江西	357.4	413.1	542.8	739.7	861.7	1 012.0	1 100.0	1 422.6	1 583.0	1 808.6
湖北	602.7	769.1	1 033.0	1 196.0	1 589.0	1 975.0	2 255.0	2 554.0	2 784.0	3 027.4
湖南	502.1	580.8	763.1	962.7	1 210.0	1 340.0	1 702.0	1 809.9	1 939.0	2 126.4
重庆	768.0	927.4	1 070.0	1 210.0	1 387.0	1 594.0	1 738.0	1 876.0	2 088.0	2 212.8
四川	792.6	1 176.0	1 530.0	1 622.0	1 879.0	2 313.0	2 721.0	2 922.4	3 102.0	3 375.8
贵州	335.5	412.1	507.1	575.3	642.5	736.1	874.5	992.3	1 060.0	1 141.7
云南	458.8	547.4	737.1	881.3	1 001.0	1 121.0	1 246.0	1 312.6	1 393.0	1 500.4
长江经济带	11 669.0	13 608.0	16 487.0	18 910.0	21 767.0	25 011.0	28 640.0	32 287.4	35 164.0	38 909.7
全国	30 747.0	35 272.0	41 293.0	46 853.0	56 300.0	59 964.0	64 844.0	70 610.3	76 251.0	83 617.7

资料来源:历年《中国统计年鉴》。

表 2-7　2011—2020 年长江经济带各省市社会消费品零售总额

单位:亿元

地区	2011 年	2012 年	2013 年	2014 年	2015 年	2016 年	2017 年	2018 年	2019 年	2020 年
上海	7 185.8	7 840.4	8 557.0	9 303.5	11 605.7	12 588.2	13 699.5	14 874.8	15 847.6	15 932.5
江苏	16 058.3	18 411.1	20 878.2	23 458.1	26 710.1	29 612.5	32 818.2	35 472.6	37 672.5	37 086.1
浙江	12 532.8	14 199.6	15 970.8	17 835.3	18 910.7	20 916.7	23 121.3	25 161.9	27 343.8	26 629.8
安徽	5 288.2	6 142.8	7 044.7	7 957.0	11 190.8	12 662.5	14 328.8	16 156.2	17 862.1	18 334.0
江西	3 560.5	4 123.3	4 696.1	5 292.6	6 419.8	7 198.5	8 118.0	9 045.7	10 068.1	10 371.8
湖北	8 363.3	9 682.4	11 035.9	12 449.3	14 847.9	16 601.9	18 519.7	20 598.2	22 722.3	17 984.9
湖南	7 209.0	8 318.7	9 509.5	10 723.5	11 241.4	12 500.0	13 793.7	15 134.3	16 683.9	16 258.1
重庆	3 782.3	4 403.0	5 055.8	5 710.7	7 667.6	8 728.4	9 769.4	10 705.2	11 631.7	11 787.2
四川	8 290.8	9 622.0	11 001.0	12 393.0	13 834.4	15 519.7	17 404.4	19 340.7	21 343.0	20 824.9
贵州	1 899.9	2 266.3	2 602.1	2 936.9	4 925.2	5 651.9	6 449.4	7 105.0	7 468.2	7 833.4
云南	3 105.9	3 597.9	4 112.6	4 632.9	6 390.8	7 222.7	8 194.8	9 197.3	10 158.2	9 792.9
长江经济带	77 276.8	88 607.5	100 463.7	112 693.0	133 744.0	149 203.0	166 217.0	182 792.0	198 801.4	192 836.0
全国	179 804.0	205 517.0	232 253.0	259 487.0	286 588.0	315 806.0	347 327.0	377 783.0	391 981.0	408 017.0

资料来源:历年《中国统计年鉴》。

表 2-8　2011—2020 年长江经济带各省市外商投资企业投资总额

单位:亿美元

地区	2011 年	2012 年	2013 年	2014 年	2015 年	2016 年	2017 年	2018 年	2019 年	2020 年
上海	3 773.5	4 137.7	4 579.3	5 304.7	6 612.7	7 342.5	7 982.4	8 849.1	9 552.3	10 334.0
江苏	5 728.5	6 250.0	6 663.8	7 181.3	7 821.5	8 798.7	9 658.2	10 560.4	11 735.2	13 697.3
浙江	2 019.2	2 178.1	2 404.1	2 628.8	2 918.1	3 198.7	3 734.2	4 457.9	5 006.9	5 892.6
安徽	328.8	399.6	416.1	480.3	1 064.9	672.6	866.4	1 129.8	1 656.4	3 227.0
江西	490.8	538.6	587.7	670.3	725.8	777.4	808.0	877.2	1 009.9	1 330.9
湖北	519.0	582.7	653.6	776.7	892.3	993.2	1 151.0	1 422.8	1 864.4	2 370.7
湖南	349.6	383.8	404.9	463.1	521.5	580.0	1 633.9	1 831.9	1 841.3	2 149.1
重庆	451.9	536.9	588.4	675.2	788.5	880.7	945.6	1 106.9	1 110.7	1 239.0
四川	574.2	640.5	724.9	827.5	884.1	941.9	1 128.0	1 255.6	2 890.6	2 962.8
贵州	56.8	76.7	118.6	154.7	181.5	237.2	312.5	453.0	487.2	835.7
云南	206.4	225.6	241.0	252.5	327.2	330.1	373.8	543.7	671.0	1 424.3

资料来源:历年《中国统计年鉴》。

2.2.2 长江经济带进出口情况

长江经济带是我国最早实施对外开放的地区，“十三五”期间，长江经济带各省市通过贸易创新发展和培育内陆开放新高地，对外开放水平和质量不断提升。2016—2020 年，长江经济带新增 8 个自贸试验区、24 个综合保税区。上海、江苏、浙江等地无论是利用外资、对外投资还是进出口贸易，在全国都起到很好的引领作用，是我国对外开放的高地。内陆一些省市一直采取措施扩大开放，努力打造内陆开放高地，也取得了较明显的进步。但总体上看，长江经济带的东中西部地区，对外开放水平仍存在明显的梯度落差。

外商投资企业货物进出口总额和外商投资企业投资总额可以反映一国或地区在对外贸易方面的总规模。2011—2020 年，长江经济带多数省市外商投资企业货物进出口总额总体呈不断上升趋势。其中，2020 年，上海、安徽、重庆、四川 4 省市外商投资企业货物进出口总额较 2011 年显著增长，其他省市外商投资企业货物进出口总额基本稳定；东部地区的外商投资企业货物进出口总额始终领先中西部地区。2020 年长江经济带 11 省市外商投资企业货物进出口总额均值达 866.9 亿美元，与 2016 年相比增长 20.0%。2020 年，江苏和上海外商投资企业货物进出口总额远高于其他省市，四川和浙江次之，贵州和云南较低，如表 2-9 所示。

在新的历史时期，长江经济带沿线各省市要在国内国际双循环相互促进的新发展格局中找准各自定位，主动向全球开放市场，培育更多的内陆对外开放高地，推动中国对外开放向纵深发展，形成更高水平和更多层次的均衡化对外开放新格局。长江经济带各省市在提高对外开放水平的同时，要把握好开放和安全的关系，在对外开放的同时保证经济安全和社会安全。

2.3 城乡差异不断缩小，省际差异仍然存在

2.3.1 长江经济带城乡居民消费支出对比

居民人均可支配收入是影响消费开支的重要因素之一，常被用来衡量一个国家生活水平的变化情况。2013—2020 年，长江经济带居民人均可支配收入稳定增长。2020 年长江经济带的人均可支配收入为 34 894 元，相比较 2015

表 2-9　2011—2020 年长江经济带各省市外商投资企业货物进出口总额

单位：亿美元

地区	2011 年	2012 年	2013 年	2014 年	2015 年	2016 年	2017 年	2018 年	2019 年	2020 年
上海	2 923.3	2 899.1	2 885.6	3 102.1	3 007.0	2 862.6	3 173.6	3 326.1	3 166.9	3 252.9
江苏	3 853.1	3 577.8	3 393.3	3 498.0	3 373.0	3 259.6	3 768.0	4 082.1	3 753.7	3 611.3
浙江	1 079.3	1 031.9	997.7	967.7	841.4	752.9	808.5	869.9	825.7	784.4
安徽	102.9	99.7	119.5	139.4	127.7	131.7	169.8	194.3	195.5	224.0
江西	135.3	133.0	127.7	131.6	127.7	116.4	129.1	141.4	134.5	130.8
湖北	141.0	138.3	140.2	145.3	122.9	106.4	121.8	136.1	134.9	123.5
湖南	45.5	62.8	63.6	67.5	62.4	62.8	82.4	91.1	79.3	77.9
重庆	134.3	249.5	376.4	431.0	360.9	333.3	388.4	446.5	484.4	504.7
四川	233.5	302.0	313.5	343.4	267.4	312.3	463.9	588.8	661.9	826.7
贵州	2.2	1.9	2.2	1.9	2.7	3.0	25.8	22.0	6.9	3.6
云南	7.5	6.2	8.4	6.5	5.0	4.9	4.4	5.9	7.9	7.4

资料来源：历年《中国统计年鉴》。

年的人均可支配收入 23 394 元，增长 49.16%。在地区分布上，2020 年上海、江苏和浙江人均可支配收入虽仍高于长江经济带平均人均可支配收入，但是高出的比例总体呈下降趋势；其他省市人均可支配收入虽仍低于长江经济带平均水平，但差距不断缩小。与全国人均可支配收入相比较，长江经济带的人均可支配收入一直处于领先状态，且领先幅度稳定增长，从 2015 年的 6.50%增长到 2020 年的 8.40%(表 2-10)。

居民人均消费支出是拉动经济增长的直接因素，能够体现居民的生活水平和质量。“十三五”期间长江经济带 11 省市居民人均消费支出整体呈上升趋势(表 2-11)。受疫情影响，2020 年上海、江苏、浙江、安徽、湖北 5 省市的居民人均消费支出相较于 2019 年出现下降；整个长江经济带的居民人均消费支出相较于 2019 年下降 1.41%，但其仍高于全国居民人均消费支出。

城乡居民收入差异系数和城乡居民消费差异系数是反映城乡差距的重要指标。如图 2-3 所示，2020 年长江经济带城镇居民人均可支配收入为 45 499.6 元，农村居民人均可支配收入为 19 482.3 元，城镇居民人均可支配收入为农村居民人均可支配收入的 2.34 倍。从地区城乡居民收入差异系数来看，2020 年贵州城乡居民收入差异系数最高，达到 3.10；其次为云南，达到 2.92；浙江城乡居民收入差异系数最低，为 1.96。2020 年长江经济带城镇居民人均消费支出为 27 560.8 元，农村居民人均消费支出为 15 427.4 元。从地区城乡居民消费差异系数来看，2020 年云南城乡居民消费差异系数最高，达到 2.22；其次为上海，达到 2.03；安徽城乡居民消费差异系数最低，为 1.51。总体而言，2013—2020 年长江经济带 11 省市城乡居民收入差异系数和城乡居民消费差异系数均逐渐降低，表明城乡居民贫富差距逐渐缩小，农村居民的生活水平逐渐提高。

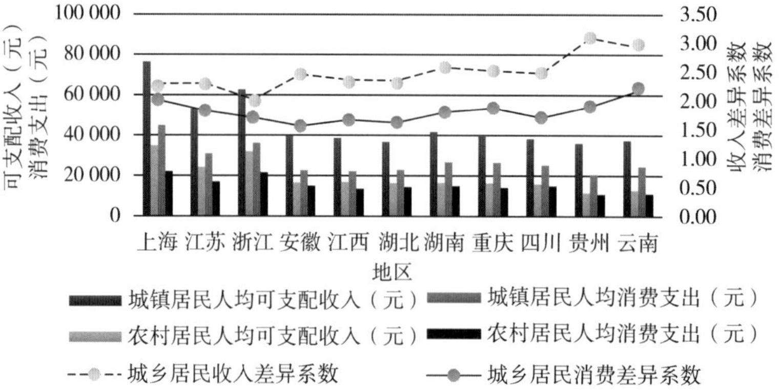

图 2-3　2020 年长江经济带各省市城乡居民收入支出情况

表 2-10　2013—2020 年长江经济带各省市居民人均可支配收入

单位:元

地区	2013 年	2014 年	2015 年	2016 年	2017 年	2018 年	2019 年	2020 年
上海	42 174	45 966	49 867	54 305	58 988	64 183	69 442	72 232
江苏	24 776	27 173	29 539	32 070	35 024	38 096	41 400	43 390
浙江	29 775	32 658	35 537	38 529	42 046	45 840	49 899	52 397
安徽	15 154	16 796	18 363	19 998	21 863	23 984	26 415	28 103
江西	15 100	16 734	18 437	20 110	22 031	24 080	26 262	28 017
湖北	16 472	18 283	20 026	21 787	23 757	25 815	28 319	27 881
湖南	16 005	17 622	19 317	21 115	23 103	25 241	27 680	29 380
重庆	16 569	18 352	20 110	22 034	24 153	26 386	28 920	30 824
四川	14 231	15 749	17 221	18 808	20 580	22 461	24 703	26 522
贵州	11 083	12 371	13 697	15 121	16 704	18 430	20 397	21 795
云南	12 578	13 772	15 223	16 720	18 348	20 084	22 082	23 295
长江经济带	19 447	21 407	23 394	25 509	27 872	30 418	33 229	34 894
全国	18 311	20 167	21 966	23 821	25 974	28 228	30 733	32 189

资料来源:历年《中国统计年鉴》。

表 2-11　2013—2020 年长江经济带各省市居民人均消费支出

单位:元

地区	2013 年	2014 年	2015 年	2016 年	2017 年	2018 年	2019 年	2020 年
上海	30 400	33 065	34 784	37 458	39 792	43 351	45 605	42 536
江苏	17 926	19 164	20 556	22 130	23 469	25 007	26 697	26 225
浙江	20 610	22 552	24 117	25 527	27 079	29 471	32 026	31 295
安徽	10 544	11 727	12 840	14 712	15 752	17 045	19 137	18 877
江西	10 053	11 089	12 403	13 259	14 459	15 792	17 650	17 955
湖北	11 761	12 928	14 316	15 889	16 938	19 538	21 567	19 246
湖南	11 946	13 289	14 267	15 750	17 160	18 808	20 479	20 998
重庆	12 600	13 811	15 140	16 385	17 898	19 248	20 774	21 678
四川	11 055	12 368	13 632	14 839	16 180	17 664	19 338	19 783
贵州	8 288	9 303	10 414	11 932	12 970	13 798	14 780	14 874
云南	8 824	9 870	11 005	11 769	12 658	14 250	15 780	16 792
长江经济带	14 001	15 379	16 679	18 150	19 487	21 270	23 076	22 751
全国	13 220	14 491	15 712	17 111	18 322	19 853	21 559	21 210

资料来源:历年《中国统计年鉴》。

2.3.2 长江经济带城乡居民生活保障对比

最低生活保障是国家对家庭人均收入低于当地政府公告的最低生活标准的人口给予一定资助，以保证该家庭成员基本生活所需的社会保障制度。城市居民最低生活保障人数指报告期末城市家庭平均收入在当地规定的最低生活保障线以下的城镇居民数。城市居民最低生活保障人数包括“三无”对象，失业人员和在职、下岗、退休人员等。如表 2-12 所示，2011—2020 年长江经济带各省市城市居民最低生活保障人数除贵州省外均有所减少。其中，2020 年江西城市居民最低生活保障人数相比较 2016 年减少了 62.50%，下降幅度最大。

农村居民最低生活保障人数指报告期末在建立农村最低生活保障制度的地区，得到当地政府或集体给予最低生活保障的农业人口家庭人数。如表 2-13 所示，2011—2020 年长江经济带各省市农村居民最低生活保障人数整体呈减少趋势；与 2016 年相比，2020 年湖南农村居民最低生活保障人数减少了 48.48%，减少幅度最大。

从城乡居民最低生活保障人数比例来看，上海 2020 年城乡居民最低生活保障人数占比最大，其城市居民最低生活保障人数是农村居民最低生活保障人数的 4.77 倍。上海是我国最早建立城乡居民最低生活保障制度的地区之一。到 2020 年，上海建立了广覆盖、有梯度、相衔接的现代社会救助体系，确立了以最低生活保障、特困人员供养为基础，支出型贫困家庭生活救助、受灾人员救助和临时救助为补充，医疗救助、教育救助、住房救助、就业救助等专项救助相配套的制度体系。浙江 2020 年城乡居民最低生活保障人数占比最小，其城市居民最低生活保障人数是农村居民最低生活保障人数的 0.11。

2.3.3 长江经济带城乡居民医疗设施对比

城乡每万人拥有卫生技术人员数和城乡每万人医疗机构床位数可以体现城乡间的医疗保障水平差距。如图 2-4 所示，从城乡每万人拥有卫生技术人员数看，长江经济带各省市间差距较大。2019 年上海城市每万人拥有卫生技术人员为 145 人，高于安徽 74.70%；同样地，上海农村每万人拥有卫生技术人员为 77 人，高于安徽 113.89%。从城乡每万人医疗机构床位数看，长江经济带各省市差距仍然较大。2019 年湖南城市每万人医疗机构床位数最多，为 126.62 张，高于安徽 70.26%；2019 年重庆农村每万人医疗机构床位数最多，为 60.26 张，高于浙江 63.17%。从城乡每万人拥有卫生技术人员数和每万人

表 2-12　2011—2020 年长江经济带各省市城市居民最低生活保障人数

单位：万人

地区	2011 年	2012 年	2013 年	2014 年	2015 年	2016 年	2017 年	2018 年	2019 年	2020 年
上海	32.4	22.3	20.5	18.7	17.6	16.8	15.7	15.4	14.8	14.3
江苏	40.9	37.0	33.8	30.7	28.0	24.8	20.5	14.5	12.3	11.0
浙江	8.8	7.8	7.2	6.4	7.3	10.9	22.2	22.0	19.4	6.2
安徽	84.2	81.9	78.3	72.4	64.7	54.4	47.9	42.7	36.7	34.4
江西	98.1	98.0	97.8	98.3	92.4	89.6	83.3	69.0	35.9	33.6
湖北	137.2	129.5	125.9	107.1	84.6	55.3	45.9	37.8	31.8	30.7
湖南	145.1	145.6	143.5	134.0	127.2	111.8	76.7	59.7	50.7	44.6
重庆	56.9	51.5	45.8	41.0	37.5	34.8	34.0	31.1	28.1	26.5
四川	189.3	186.4	183.6	173.4	156.4	134.5	118.4	93.7	76.8	67.7
贵州	54.3	53.0	51.3	47.6	40.2	35.8	31.5	34.1	48.8	64.4
云南	93.1	93.6	104.1	100.9	98.1	89.7	70.9	48.3	43.8	41.0

资料来源：历年《中国统计年鉴》。

表 2-13　2011—2020 年长江经济带各省市农村居民最低生活保障人数

单位:万人

地区	2011 年	2012 年	2013 年	2014 年	2015 年	2016 年	2017 年	2018 年	2019 年	2020 年
上海	6.7	3.4	3.3	3.0	3.1	3.4	3.5	3.5	3.1	3.0
江苏	141.7	138.1	130.1	119.1	114.8	109.9	97.2	74.8	68.9	66.6
浙江	58.1	56.7	55.1	50.8	56.8	71.4	59.2	50.6	46.1	55.2
安徽	216.6	214.6	216.1	208.9	196.3	149.8	155.5	180.6	178.4	183.7
江西	150.1	150.3	160.7	170.1	169.3	180.1	175.7	167.8	142.3	146.9
湖北	230.1	230.7	235.7	221.6	159.5	138.2	137.9	133.8	139.3	144.6
湖南	260.6	277.4	289.3	316.0	317.9	290.2	124.9	126.8	134.2	149.5
重庆	101.3	74.3	62.7	50.2	50.3	59.0	60.2	58.1	57.9	62.3
四川	425.1	434.5	439.5	425.3	405.5	356.7	366.3	339.9	353.7	373.3
贵州	530.9	513.0	477.1	416.8	332.7	304.8	260.0	226.8	207.3	210.9
云南	403.4	437.5	466.5	458.9	455.3	422.9	329.9	254.9	251.1	244.9

资料来源:历年《中国统计年鉴》。

医疗机构床位数对比来看,差距仍较大。上海 2019 年城市每万人拥有卫生技术人员数是农村的 1.88 倍;湖南 2019 年城市每万人医疗机构床位数是农村的 2.7 倍。虽然"十三五"以来,长江经济带各省市全面推进乡村振兴,消除了绝对贫困,城乡差距不断缩小。然而,我国城乡之间仍然存在发展势差,如何缩小城乡收入、医疗和社会保障等方面的差距,仍然是当前政府、社会和市场共同面临的挑战。

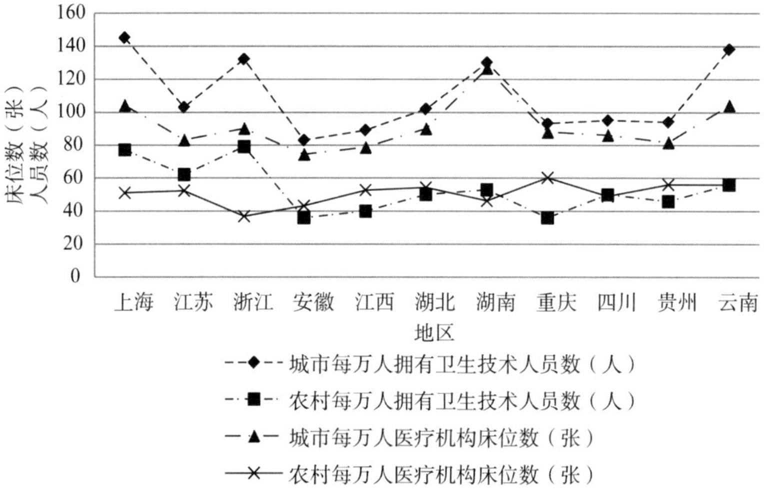

图 2-4　2019 年长江经济带各省市医疗保障情况

2.4　公共服务水平提高,公民幸福指数提升

2.4.1　长江经济带居民社会保障状况

自习近平总书记提出"健康中国"的发展战略后,我国已经构建了多层次的社会保障体系,包括社会福利、社会保险和社会救济等。2011—2020 年,长江经济带 11 省市卫生、社会保障和社会福利业法人单位数不断增长。其中,江苏的增长数量最为明显,从 2011 年的 10 821 个增加到 2020 年的 32 095 个,增长了 1.97 倍;其他省市数量变化虽有所波动,但整体仍呈增长趋势。另外,省市间差距仍较大,江苏、四川、浙江、湖北、湖南和安徽卫生、社会保障和社会福利业法人单位数远大于其他省市(表 2-14)。

表 2-14　2011—2020 年长江经济带各省市卫生、社会保障和社会福利业法人单位数

单位:个

地区	2011 年	2012 年	2013 年	2014 年	2015 年	2016 年	2017 年	2018 年	2019 年	2020 年
上海	2 818	2 983	3 118	3 289	3 325	3 338	3 407	4 933	4 895	5 046
江苏	10 821	11 288	14 231	16 153	17 487	20 120	23 266	30 041	30 846	32 095
浙江	6 921	7 144	7 375	8 041	8 873	9 787	11 551	12 391	14 637	16 690
安徽	6 207	5 458	8 574	8 994	9 301	9 484	10 105	11 564	11 490	12 244
江西	7 095	7 351	9 845	10 130	10 167	10 410	10 627	8 524	8 166	8 687
湖北	11 107	11 243	11 427	12 353	12 415	12 794	13 545	12 539	12 768	13 404
湖南	8 291	8 263	16 035	16 014	16 082	16 435	16 501	11 858	11 804	12 511
重庆	5 933	6 409	5 337	5 744	5 972	6 395	6 915	6 476	6 750	6 694
四川	14 169	14 881	17 582	18 868	18 357	18 697	17 699	16 751	16 899	17 507
贵州	4 049	4 159	3 998	4 537	4 955	5 225	5 522	5 569	5 621	5 964
云南	4 435	4 517	5 171	5 376	5 575	5 713	5 956	5 887	6 005	6 964

资料来源:历年《中国统计年鉴》。

社会保险主要包括社会养老保险和基本医疗保险。“十三五”期间，长江经济带各省市城乡居民基本养老保险参保人数无较大变化。2020 年长江经济带 11 省市城乡居民基本养老保险参保总人数为 23 774.0 万人，与 2016 年的 22 592.0 万人相比增长了 5.23%(表 2-15)。其中，江西、湖南、贵州、云南四省城乡居民基本养老保险参保人数从 2016 年开始实现连续 5 年增长；而上海和浙江呈现下降趋势。

2011—2019 年，长江经济带城镇居民基本医疗保险年末参保人数呈增长趋势。2016—2018 年，除重庆、上海和浙江外，其他省市基本医疗保险参保人数大幅增长(图 2-5)。在社会保障和养老服务方面，“十三五”时期，长江经济带各省市的医疗、养老、失业、工伤、生育五类保险覆盖率越来越高。为有效地提高基本医疗服务水平，上海推出“长护险”服务模式；江苏不断完善市级统筹社保服务体系和制度建设；湖南基本消除卫生室“空白村”；云南和贵州不断补齐养老服务和社区服务短板。总体上，“十三五”期间，长江经济带各省市基本医疗保险得到有效推广，社会保障体系日渐完善。

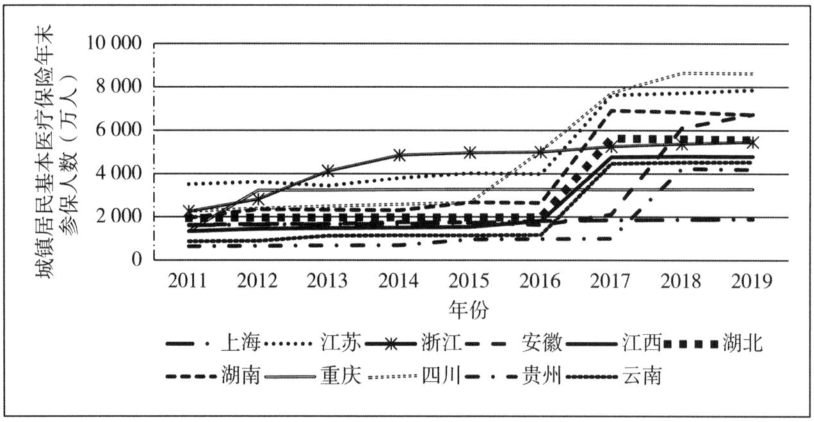

图 2-5　2011—2019 年长江经济带各省市城镇居民基本医疗保险年末参保人数

“十三五”期间，长江经济带 11 省市每万人拥有卫生技术人员数普遍有所增长。其中，浙江省每万人拥有卫生技术人员数从 2015 年的 73 人增加到 2020 年的 85 人，增加了 16.44%；安徽和江西每万人拥有卫生技术人员数相对其他省市较低，但增长速度较快，从 2015 年的 46 人分别增加到 2020 年的 68 人和 63 人，分别增加了 47.83%和 36.96%(表 2-16)。

表 2-15　2016—2020 年长江经济带各省市城乡居民基本养老保险参保人数

单位:万人

地区	2016 年	2017 年	2018 年	2019 年	2020 年
上海	79.5	78.8	78.7	77.1	76.2
江苏	2 335.3	2 338.2	2 325.4	2 336.9	2 400.4
浙江	1 233.1	1 200.7	1 197.8	1 199.4	1 143.9
安徽	3 431.9	3 429.5	3 487.8	3 501.7	3 490.1
江西	1 844.1	1 870.0	1 884.1	1 888.9	2 078.0
湖北	2 219.7	2 214.6	2 282.8	2 345.4	2 368.6
湖南	3 320.5	3 322.0	3 405.0	3 413.6	3 471.1
重庆	1 115.8	1 109.0	1 119.6	1 162.7	1 166.8
四川	3 052.4	3 074.9	3 222.4	3 368.7	3 224.2
贵州	1 702.2	1 748.5	1 802.7	1 855.8	1 904.5
云南	2 257.5	2 258.9	2 361.0	2 410.0	2 450.2

资料来源:历年《中国统计年鉴》。

表 2-16　2011—2020 年长江经济带各省市每万人拥有卫生技术人员数

单位:人

地区	2011 年	2012 年	2013 年	2014 年	2015 年	2016 年	2017 年	2018 年	2019 年	2020 年
上海	99	62	110	68	70	74	77	81	84	86
江苏	47	50	56	58	61	65	68	73	78	79
浙江	64	60	73	68	73	77	81	85	89	85
安徽	32	39	37	44	46	47	50	53	57	68
江西	35	40	39	44	46	48	51	53	57	63
湖北	43	50	50	58	63	65	68	69	70	74
湖南	40	45	45	51	55	58	61	63	73	75
重庆	36	45	42	52	55	59	62	67	72	74
四川	39	48	47	56	58	60	64	67	72	76
贵州	27	37	36	48	53	58	63	68	74	75
云南	33	36	42	44	48	52	59	62	70	78

资料来源:历年《中国统计年鉴》。

2011—2020 年，在每万人拥有卫生技术人员数量不断增长的同时，长江经济带 11 省市每万人医疗机构床位数也呈不断增长的趋势。2015—2020 年，四川每万人医疗机构床位数从 60 张增加到 78 张；安徽每万人医疗机构床位数从 44 张增加到 67 张(表 2-17)。2020 年末，长江经济带每万人平均医疗机构床位数为 68 张。其中，上海、江苏、浙江、安徽、江西每万人医疗机构床位数低于长江经济带平均水平；湖北、湖南、重庆、四川、贵州和云南每万人医疗机构床位数均高于长江经济带平均水平。

2.4.2 长江经济带生态环境改善状况

“十三五”期间，长江经济带以绿色发展为引领，以“绿水青山就是金山银山”为指导思想，大力推进生态经济建设，长江经济带水环境和大气环境得到大幅改善。2015—2020 年，长江经济带各省市Ⅰ～Ⅲ类水质断面占比逐年增长。2020 年贵州Ⅰ～Ⅲ类水质断面占比最高，达到 99.3%；上海、安徽、云南和江苏的Ⅰ～Ⅲ类水质断面占比较低，地表水环境质量存在较大提升空间(图 2-6)。

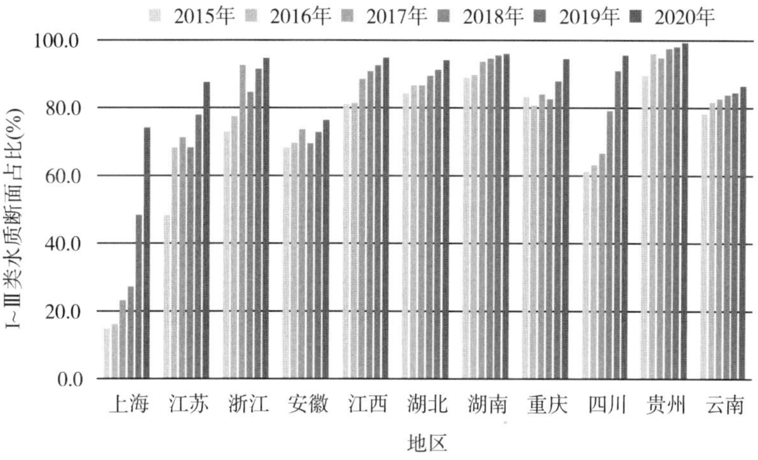

图 2-6 长江经济带各省市Ⅰ～Ⅲ类水质断面占比变化情况

2020 年长江经济带的浙江、江西、湖北、湖南、重庆、四川、贵州等地的水质达到或优于地表水环境质量Ⅲ类标准的断面超过了 90%，而安徽、云南、江苏、上海等地的水质断面达到或优于地表水环境质量Ⅲ类标准的断面低于 90%(表 2-18)。其中，上海、江苏和四川Ⅰ～Ⅲ类水质断面占比增长尤为明显。上海市从 2015 年的 14.7%增长到 2020 年的 74.1%，江苏从 2015 年的 48.2%增长到 2020 年的 87.5%，四川从 2015 年的 61.3%增长到 2020 年的 95.4%，

表 2-17　2011—2020 年长江经济带各省市每万人医疗机构床位数

单位:张

地区	2011 年	2012 年	2013 年	2014 年	2015 年	2016 年	2017 年	2018 年	2019 年	2020 年
上海	75	46	47	48	51	53	56	57	60	61
江苏	39	42	46	49	52	55	58	61	64	63
浙江	41	39	42	45	49	52	55	58	60	56
安徽	30	37	39	41	44	45	49	52	55	67
江西	29	36	39	41	43	46	51	54	57	63
湖北	36	44	50	55	59	61	64	67	68	71
湖南	36	43	47	53	59	62	66	70	73	78
重庆	35	44	50	54	59	63	67	71	74	73
四川	37	48	53	56	60	63	68	72	75	78
贵州	28	40	48	52	56	59	65	68	73	72
云南	38	42	45	48	50	53	57	60	64	69

资料来源:历年《中国统计年鉴》。

表 2-18　2015—2020 年长江经济带各省市Ⅰ～Ⅲ类水质断面占比

单位：%

地区	2015 年	2016 年	2017 年	2018 年	2019 年	2020 年
上海	14.7	16.2	23.2	27.2	48.3	74.1
江苏	48.2	68.3	71.2	68.3	77.9	87.5
浙江	72.9	77.4	92.4	84.6	91.4	94.6
安徽	68.3	69.6	73.6	69.5	72.8	76.3
江西	81.0	81.4	88.5	90.7	92.4	94.7
湖北	84.2	86.6	86.6	89.4	91.1	93.9
湖南	88.8	89.7	93.6	94.5	95.4	95.9
重庆	83.2	80.6	83.9	82.5	87.8	94.4
四川	61.3	63.2	66.7	79.1	90.8	95.4
贵州	89.4	96.0	94.7	97.4	98.0	99.3
云南	78.3	81.7	82.6	83.8	84.5	86.4

资料来源：历年《中国生态环境状况公报》。

增长率分别为 404.08%、81.54%和 55.63%。

“十三五”期间，在绿色发展理念引领下，长江经济带地表水水质优良比例不断提高的同时，各省市城市空气质量优良天数比例连续多年保持增长（表 2-19）。

2015—2020 年长江经济带各省市环境空气质量指数总体呈增长态势。贵州和云南空气质量变化较为稳定，历年均处于领先水平。2020 年贵州、云南、四川、重庆、江西、湖南和浙江空气质量指数均超过了 90%；湖北和上海空气质量指数分别为 88.4%和 87.2%；安徽和江苏空气质量与长江经济带其他省市相比较差，分别为 82.9%和 81.0%，两地区需要加强对空气质量的治理以提升大气环境水平（图 2-7）。

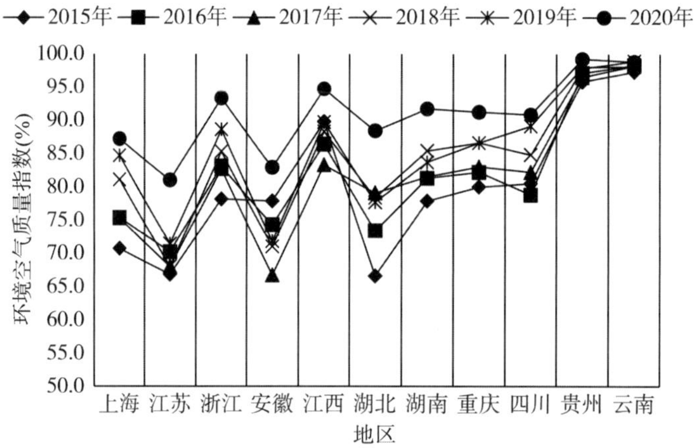

图 2-7　长江经济带各省市环境空气质量指数变化情况

“十三五”期间，长江经济带各省市可吸入颗粒物（PM_{10}）、二氧化硫、二氧化氮、细颗粒物（$PM_{2.5}$）、臭氧均有不同程度下降，从空间分布来看，东中部空气质量相对较差，2020 年，江苏、安徽、湖北、湖南四省细颗粒物年日均值相对较高。（图 2-8）

可吸入颗粒物年日均值（图 2-9）和细颗粒物年日均值（图 2-8）数值变动趋势较为一致。2016—2020 年，上海、江苏、浙江、湖北、湖南、重庆、四川、贵州 8 个省市 PM_{10} 呈逐年下降趋势。2020 年，江苏、安徽和湖北 PM_{10} 较高，分别达到 59 微克/米^3、61 微克/米^3、57 微克/米^3；贵州和云南较低，均约为 30 微克/米^3。

表 2-19　2015—2020 年长江经济带各省市环境空气质量指数(AQI)

单位:%

地区	2015 年	2016 年	2017 年	2018 年	2019 年	2020 年
上海	70.7	75.4	75.3	81.1	84.7	87.2
江苏	66.8	70.2	68.0	68.0	71.4	81.0
浙江	78.2	83.1	82.7	85.3	88.6	93.3
安徽	77.9	74.3	66.7	71.0	71.8	82.9
江西	89.8	86.4	83.3	88.3	89.7	94.7
湖北	66.6	73.4	79.1	78.4	77.7	88.4
湖南	77.9	81.3	81.5	85.4	83.7	91.7
重庆	80.0	82.2	83.0	86.6	86.6	91.2
四川	80.5	78.8	82.2	84.8	89.1	90.8
贵州	95.8	97.1	96.5	97.8	98.0	99.2
云南	97.3	98.3	98.2	98.9	98.1	98.8

资料来源:历年《中国生态环境状况公报》。

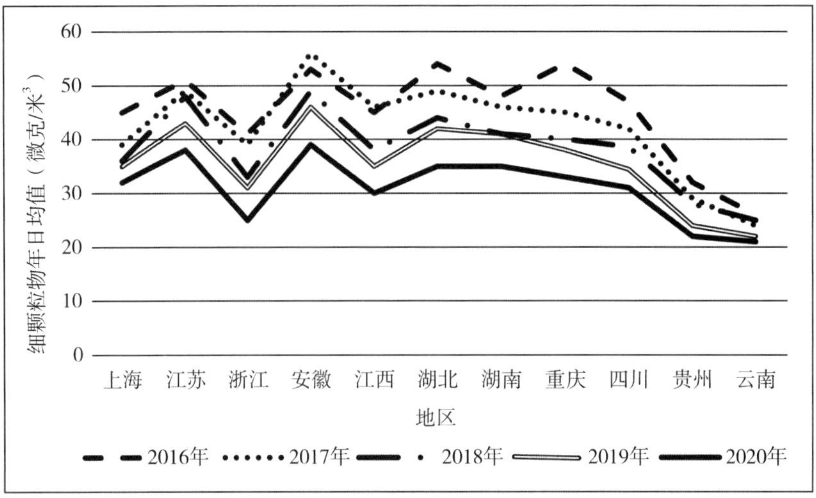

图 2-8 “十三五”期间长江经济带各省市细颗粒物（$PM_{2.5}$）年日均值变化情况

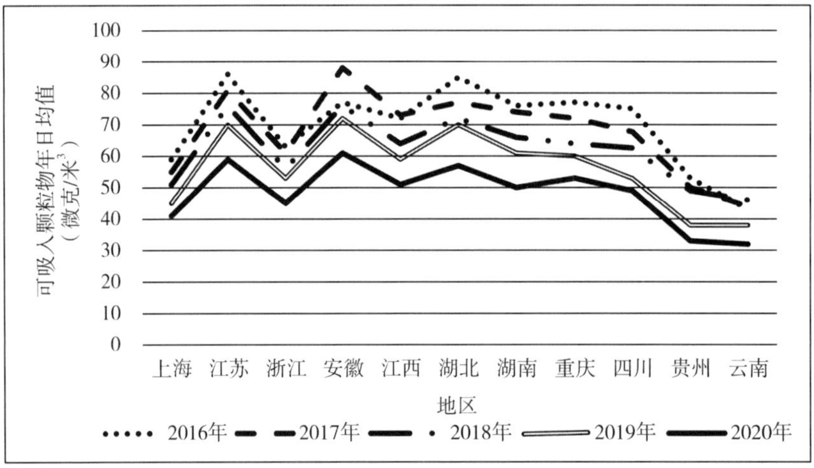

图 2-9 “十三五”期间长江经济带各省市可吸入颗粒物（PM_{10}）年日均值变化情况

2016—2020 年长江经济带除重庆市外，其他省市二氧化硫年日均值呈不断下降趋势。2020 年，上海和浙江二氧化硫年日均值相对较低，为 6 微克/米^3；江苏、安徽、湖北、湖南、重庆、四川、云南等省市的二氧化硫年日均值稳定在 10 微克/米^3 以下；但江西二氧化硫年日均值数值较高，为 13 微克/米^3（图 2-10）。

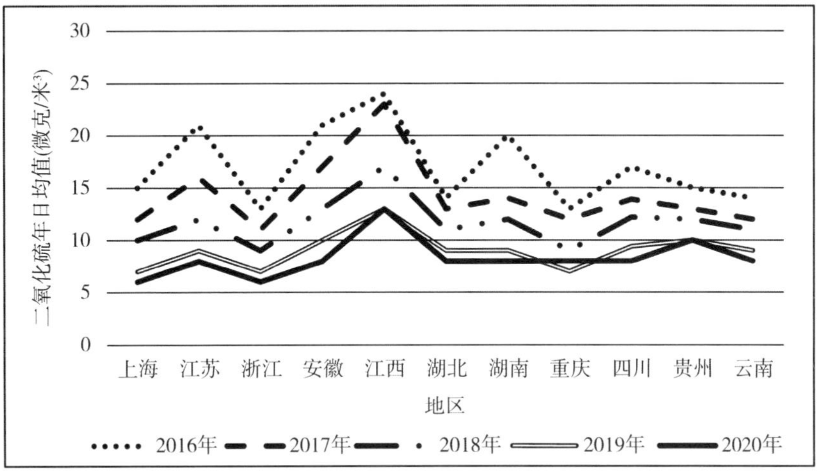

图 2-10 “十三五”期间长江经济带各省市二氧化硫年日均值变化情况

2016—2020 年，浙江、安徽、江西、湖南、重庆、贵州等二氧化氮年日均值逐年下降。2020 年，贵州和云南二氧化氮年日均值数值较低，均为 15 微克/米^3；但上海和重庆二氧化氮年日均值仍较高，分别达到 37 微克/米^3 和 39 微克/米^3（图 2-11）。为有效改善长江经济带空气质量，需要根据各个省市的实际情况，有针对性地采取排放管控措施。

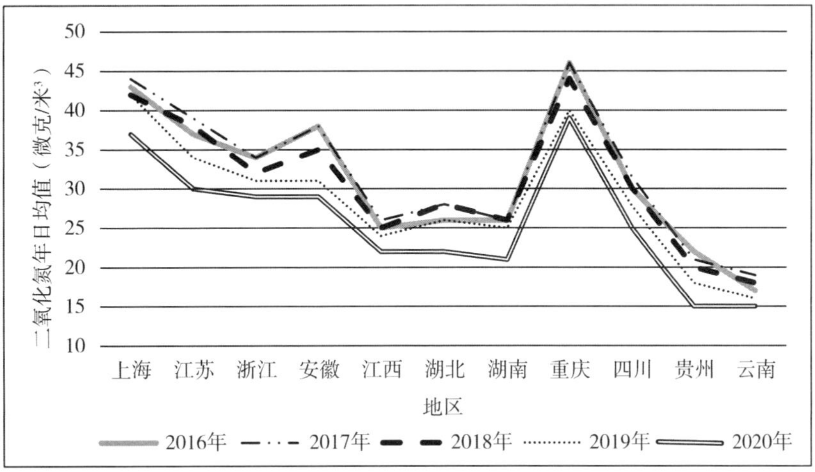

图 2-11 “十三五”期间长江经济带各省市二氧化氮年日均值变化情况

提高生活垃圾无害化处理水平，能够切实改善人居环境，有助于实现长江经济带绿色发展。2011—2020 年，除重庆生活垃圾无害化处理率不增反降外，大部分城市生活垃圾无害化处理率大幅提高。2020 年，上海、江苏、浙江、安徽、江西、湖北、湖南、四川、云南生活垃圾无害化处理率达到 100%，贵州为 97.8%，重庆为 93.8%（表 2-20）。

“十三五”期间，“共抓大保护、不搞大开发”的指导思想贯穿长江经济带生态环境治理过程。2019 年，长江经济带 11 省市治理废水项目完成投资 28 430 万元，治理废气项目完成投资 112 860 万元，城镇生活污水垃圾处理能力显著提升。2020 年，长江岸线整治全面推进，一大批高污染高耗能企业被关停取缔，两岸绿色生态廊道逐步形成。2011—2020 年，长江经济带 11 省市城市污水日处理能力从 2011 年的 519.2 万立方米增长至 2020 年的 784.6 万立方米，与 2016 年的 632.2 万立方米相比增加了 24.11%。江苏和浙江的城市污水日处理能力遥遥领先，显著高于长江经济带平均水平，江西、贵州和云南城市污水日处理能力有待提升，如表 2-21 所示。

2.4.3 长江经济带基础设施发展状况

2011—2020 年，长江经济带基础设施网络布局进一步完善，运输服务能力和效率明显提高，初步形成横贯东西、纵贯南北的综合立体交通走廊，为长江经济带经济社会发展提供了有力支撑和保障。2011—2020 年长江经济带 11 省市交通运输、仓储和邮政业增加值稳步增长，年均增速 7.13%，与全国平均值基本持平。

如图 2-12 所示，在铁路营业里程方面，与 2018 年相比，2019 年湖北省同比增长 20.93%，江苏同比增长 16.13%，江西同比增长 13.95%。在公路运营里程方面，与 2018 年相比，2019 年长江经济带 11 省市除上海外普遍增长。其中江西公路运营里程同比增长 29.15%，重庆公路运营里程同比增长 10.67%。在内河航道运营里程方面，2019 年长江经济带 11 省市除安徽、贵州和云南轻微增长外，其他省市基本不变。

随着长江经济带航道整治以及铁路和公路运营里程的增加，2011—2020 年长江经济带各省市年货运量大幅提高，2020 年安徽货运量达到 374 503 万吨，浙江货运量达到 300 276 万吨（表 2-23）。

表 2-20　2011—2020 年长江经济带各省市生活垃圾无害化处理率

单位:%

地区	2011 年	2012 年	2013 年	2014 年	2015 年	2016 年	2017 年	2018 年	2019 年	2020 年
上海	61.0	83.6	90.6	100.0	100.0	100.0	100.0	100.0	100.0	100.0
江苏	93.8	95.9	97.4	98.1	100.0	99.9	100.0	100.0	100.0	100.0
浙江	96.4	99.0	99.4	100.0	99.2	100.0	100.0	100.0	100.0	100.0
安徽	87.0	91.1	98.8	99.5	99.6	99.9	99.9	100.0	100.0	100.0
江西	88.3	89.1	93.3	93.1	94.5	95.0	97.6	100.0	100.0	100.0
湖北	61.0	71.5	85.4	90.2	91.5	95.8	99.9	100.0	100.0	100.0
湖南	86.3	95.0	96.0	99.7	99.8	99.9	99.8	100.0	100.0	100.0
重庆	99.5	99.3	99.4	99.2	98.6	100.0	99.4	100.0	88.8	93.8
四川	88.4	88.3	95.0	95.4	96.8	98.6	98.5	99.3	99.8	100.0
贵州	88.6	91.9	92.2	93.3	93.8	94.7	95.2	96.1	96.6	97.8
云南	74.1	82.7	87.6	92.5	90.0	93.0	92.7	98.2	99.8	100.0

资料来源:历年《中国统计年鉴》。

表 2-21 2011—2020 年长江经济带各省市城市污水日处理能力

单位：万立方米

地区	2011 年	2012 年	2013 年	2014 年	2015 年	2016 年	2017 年	2018 年	2019 年	2020 年
上海	694.3	701.3	784.6	788.0	785.0	806.9	821.0	813.0	834.3	840.3
江苏	1 555.5	1 564.5	1 606.5	1 622.4	1 673.2	1 742.9	1 773.6	1 870.9	1 942.1	1 854.7
浙江	662.6	691.1	802.6	838.5	882.1	1 001.8	1 007.2	1 128.3	1 185.1	1 187.3
安徽	490.8	511.4	600.2	616.2	646.2	507.7	544.2	611.9	704.7	779.3
江西	226.0	226.0	230.4	242.4	272.9	259.9	278.1	289.8	332.8	366.1
湖北	561.8	557.0	581.9	610.4	656.0	687.7	697.1	691.0	809.4	928.2
湖南	555.0	575.3	499.2	551.3	586.7	613.1	566.0	637.7	691.8	766.6
重庆	219.7	238.4	253.8	257.8	273.8	289.7	319.0	367.1	394.1	414.8
四川	391.0	403.1	444.0	527.6	565.9	609.5	670.5	708.8	755.8	829.4
贵州	122.8	124.8	188.5	140.8	144.0	183.9	201.6	253.6	280.1	345.5
云南	231.3	229.7	233.7	233.5	245.2	250.9	254.7	252.8	299.0	318.9

资料来源：历年《中国统计年鉴》。

表 2-22　2011—2020 年长江经济带各省市交通运输、仓储和邮政业增加值

单位：亿元

地区	2011 年	2012 年	2013 年	2014 年	2015 年	2016 年	2017 年	2018 年	2019 年	2020 年
上海	868.9	903.4	945.0	1 060.0	1 143.0	1 255.0	1 382.0	1 616.5	1 650.4	1 474.8
江苏	2 128.0	2 353.0	2 426.0	2 592.0	2 435.0	2 536.0	2 743.0	2 964.4	3 170.0	3 239.9
浙江	1 157.0	1 229.0	1 303.0	1 384.0	1 500.0	1 606.0	1 743.0	1 852.8	1 980.1	1 967.9
安徽	966.6	1 080.0	1 233.0	1 351.0	1 375.0	1 462.0	1 591.0	1 865.4	1 951.5	1 970.8
江西	508.6	631.8	679.5	710.9	754.1	821.4	895.8	1 022.5	1 106.7	1 104.9
湖北	1 006.0	1 101.0	1 296.0	1 454.0	1 548.0	1 653.0	1 877.0	2 031.0	2 234.0	1 780.7
湖南	899.4	1 017.0	1 103.0	1 185.0	1 251.0	1 310.0	1 441.0	1 516.2	1 578.0	1 561.0
重庆	580.2	591.2	642.6	680.9	726.1	777.2	828.0	899.4	977.1	952.9
四川	545.0	591.7	617.9	864.7	941.9	1 119.0	1 206.0	1 401.7	1 473.1	1 472.3
贵州	297.9	335.6	383.1	421.9	454.7	503.3	576.3	655.3	709.9	725.4
云南	378.8	454.2	528.8	591.6	650.5	740.2	888.1	1 041.2	1 101.0	1 109.8
长江经济带	9 337.0	10 288.0	11 158.0	12 296.0	12 780.0	13 782.0	15 170.0	16 866.4	17 931.8	17 360.4
全国	21 842.0	23 763.0	26 043.0	28 534.0	30 520.0	33 029.0	37 122.0	40 337.2	42 466.3	40 582.9

资料来源：历年《中国统计年鉴》。

表 2-23　2011—2020 年长江经济带各省市年货运量

单位：万吨

地区	2011 年	2012 年	2013 年	2014 年	2015 年	2016 年	2017 年	2018 年	2019 年	2020 年
上海	92 962	94 038	84 305	89 980	90 893	88 324	96 850	106 983	121 124	138 839
江苏	202 528	220 007	181 775	196 153	198 998	202 070	220 532	233 157	262 749	275 209
浙江	186 376	191 817	188 679	194 250	201 231	215 558	242 504	269 083	289 011	300 276
安徽	268 413	312 437	396 391	434 298	345 756	364 567	403 426	406 761	368 248	374 503
江西	111 851	127 196	135 172	151 878	130 349	138 118	154 437	174 285	150 950	157 149
湖北	106 913	122 945	131 000	150 762	153 904	162 460	188 107	204 307	188 133	160 422
湖南	168 516	191 052	184 535	203 053	199 716	206 527	225 551	229 957	189 740	200 878
重庆	96 771	86 474	87 241	97 377	103 833	107 966	115 536	128 491	112 970	121 692
四川	155 310	174 349	167 759	159 034	154 597	160 970	172 922	187 385	177 283	171 896
贵州	44 890	52 655	72 703	85 672	84 540	89 526	96 242	102 537	83 402	86 444
云南	60 170	68 735	104 329	108 544	107 608	115 505	129 298	140 670	122 727	121 058

资料来源：历年《中国统计年鉴》。

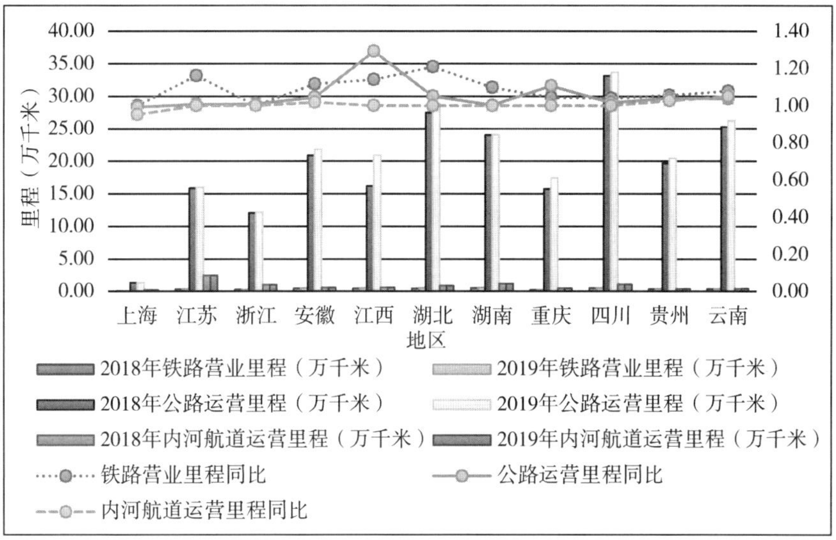

图 2-12　2018—2019 年长江经济带 11 省市铁路、公路、内河航道运营里程变化情况

相比较 2019 年，2020 年长江经济带各省市铁路、公路、水路货运量均有所增加(图 2-13)。2020 年重庆铁路货运量同比增长 14.81%，江苏、安徽、江西和湖北铁路货运量略有减小。重庆公路货运量同比增长 10.80%，上海、湖北、四川和云南公路货运量均略有减小。上海水路货运量显著增大，增幅达 31.89%。

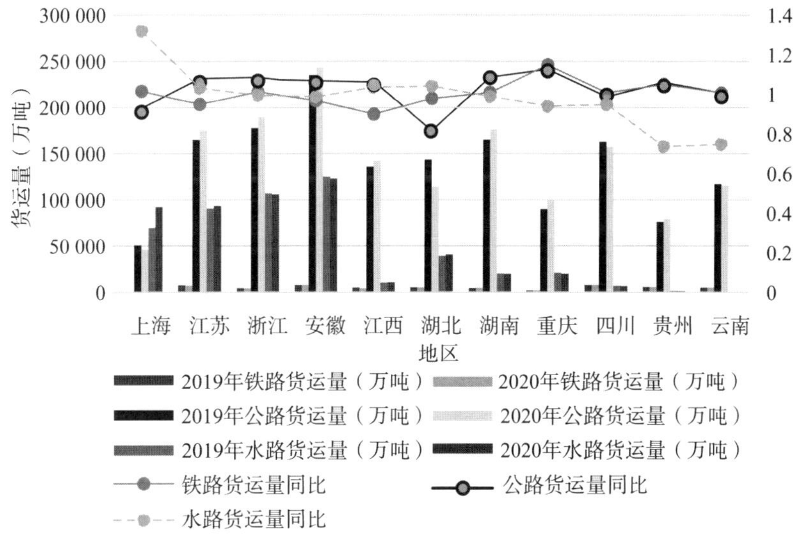

图 2-13　2019—2020 年长江经济带 11 省市铁路、公路、水路货运量变化情况

2.5 社会经济高质量发展存在的问题

2.5.1 经济转型升级任务艰巨，发展不平衡问题仍存在

长江经济带是我国重要的工业走廊，集中了大量的硫酸、化纤、机械、冶金、服装加工等产业，各省市之间产业结构趋同现象明显，导致经济带内产业同质化竞争，影响了区域间的协作效率。就产业布局来看，东部地区（浙江、上海等地）以资本和技术密集型产业为主，如新材料、集成电路、现代金融等产业；中西部地区（湖北、重庆、云南、贵州、四川等地）以劳动和资源密集型产业为主，如汽车制造、生物医药、航天航空等产业。

近年来，长江经济带内开始进行产业结构转型升级，东部地区的一些高耗能、高污染企业逐渐向中西部地区转移。但在实践过程中，中西部地区由于缺少必要的技术和人才支撑，容易诱发环境污染和生态破坏事故，东部地区虽有环境保护的意识和能力，但是缺乏对西部地区进行转移支付的动力。整个长江经济带产业转型升级任务艰巨，在后续的发展过程中，东部地区仍需增强产业发展内生动力，加快发展金融、物流、信息等现代服务业；中部地区需加大汽车、装备制造、轻工、纺织服装等产业的国际竞争能力；西部地区需加快发展电子信息、航空航天、汽车、装备制造、生物医药等产业。

“十三五”期间，长江经济带各省市经济明显增长，但是地区差异仍明显。如图 2-14 所示，2020 年长江经济带的人均可支配收入为 34 894 元，但地区间

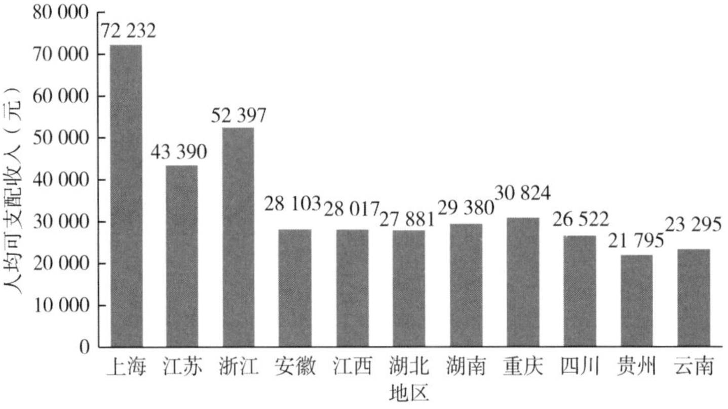

图 2-14　2020 年长江经济带各省市人均可支配收入

差异较大，上海、江苏和浙江人均可支配收入远高于经济带人均可支配收入。上海人均可支配收入 72 232 元，是长江经济带人均可支配收入的 2.07 倍、是四川的 2.72 倍、是贵州的 3.31 倍。除上海、江苏、浙江外，其他省市地区人均可支配收入均低于长江经济带的人均可支配收入。贵州人均可支配收入 21 795 元，只占长江经济带人均可支配收入的 62.46%。在地区经济发展存在不平衡的同时，城乡差距问题仍然存在。部分农村仍然存在基础设施建设滞后、基本公共服务供给不足、生活条件差、水污染严重、水产养殖污染严重、农村生态环境污染加剧等问题。

此外，长江经济带各省市对外开放水平差异较大。上海、江苏、浙江等地在利用外资、对外投资和进出口方面起到了良好的带动作用。2020 年上海和江苏的外商投资企业货物进出口总额分别是 3 248.3 亿美元和 3 611.0 亿美元，贵州和云南分别只有 3.5 亿美元和 7.4 亿美元，地区之间差异巨大（图 2-15）。重庆、成都、武汉等城市采取扩大对外开放的措施，虽然取得了明显的进步，但与上海、江苏相比差距还很大。总体而言，长江三角洲率先开放发展，但中部崛起战略尚未取得显著成效，西部地区发展滞后于中部地区，东中西部经济发展缺乏联动性。在今后的发展过程中，长江经济带须统筹考虑传统欧美市场和新兴东盟市场，深化“一带一路”合作，积极谋求出口产品、技术与服务的市场转换空间，以市场空间的多元化逐步降低对欧美出口市场的依赖性。

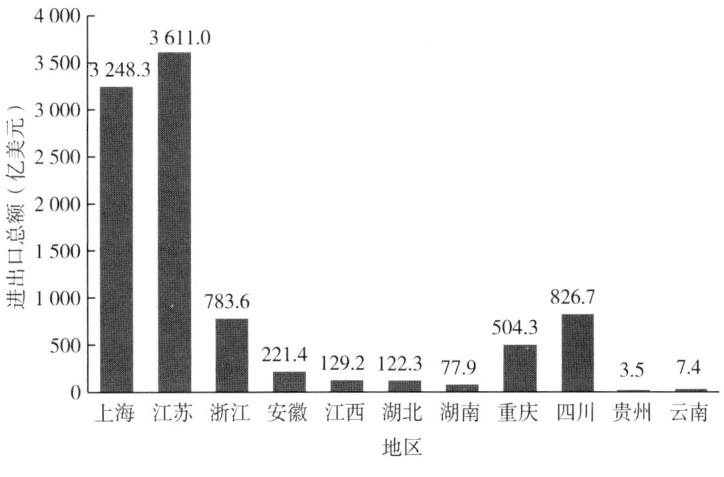

图 2-15　2020 年长江经济带各省市外商投资企业货物进出口总额

2.5.2 能源利用效率偏低，社会劳动生产率有待提高

长江经济带具有人口密度大、经济体量大、生态资源丰富、发展潜力强等特点，对协调区域发展、培育经济增长动力具有重要的战略支撑作用。但国家科技图书文献中心(NSTL)发布的《长江经济带 11 省(市)绿色增长态势监测与评估》报告显示，长江经济带仍然面临着资源、能源开发强度过大的风险以及利用效率提升的挑战。2020 年长江经济带电力消耗总量为 28 570.7 亿千瓦时，其中，江苏和浙江电力消耗量分别占长江经济带电力总消耗量的 22.31%和 16.90%(表 2-24)。

在单位 GDP 能耗方面，2019 年长江经济带单位 GDP 能耗为 0.36 吨标准煤/万元，低于全国平均水平 0.49 吨标准煤/万元(图 2-16)。上海和江苏单位 GDP 能耗较低，分别为 0.31 吨标准煤/万元和 0.33 吨标准煤/万元；安徽、江西、湖北、湖南、重庆、四川单位 GDP 能耗均高于长江经济带平均水平；贵州与云南的单位 GDP 能耗较高，分别为 0.62 吨标准煤/万元和 0.52 吨标准煤/万元，高于全国单位 GDP 能耗。

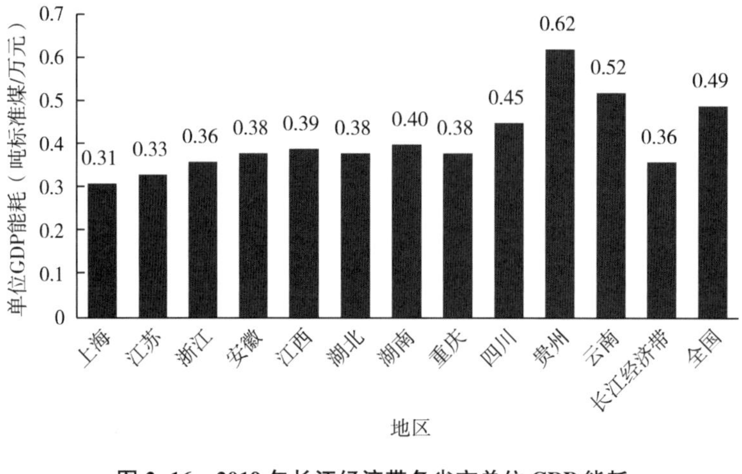

图 2-16 2019 年长江经济带各省市单位 GDP 能耗

2.5.3 生态环境管理体制不够完善，一体化水平有待提高

“十三五”以来，长江经济带生态环境治理初见成效，但水环境和水生态问题仍然存在。水环境方面，截至 2019 年 11 月底，富民大桥、神定河口等 12 个劣Ⅴ类断面尚未完全消除，滇池、洞庭湖等湖库依然不能达到《地表水环境质

表 2-24　2011—2020 年长江经济带各省市电力消耗量

单位:亿千瓦时

地区	2011 年	2012 年	2013 年	2014 年	2015 年	2016 年	2017 年	2018 年	2019 年	2020 年
上海	1 339.6	1 353.4	1 410.6	1 369.0	1 405.6	1 486.0	1 526.8	1 566.7	1 568.6	1 576.0
江苏	4 281.6	4 580.9	4 956.6	5 012.5	5 114.7	5 459.0	5 807.9	6 128.3	6 264.4	6 373.7
浙江	3 116.9	3 210.6	3 453.1	3 506.4	3 553.9	3 873.2	4 192.6	4 532.8	4 706.2	4 829.7
安徽	1 222.1	1 361.1	1 528.1	1 585.2	1 639.8	1 795.0	1 921.5	2 135.1	2 300.7	2 427.5
江西	835.1	867.7	947.1	1 018.5	1 087.3	1 182.5	1 294.0	1 428.8	1 535.7	1 626.8
湖北	1 450.8	1 507.9	1 629.8	1 656.5	1 665.2	1 763.1	1 869.0	2 071.4	2 214.3	2 144.2
湖南	1 293.4	1 346.5	1 423.1	1 430.9	1 447.6	1 495.7	1 581.5	1 745.2	1 864.3	1 929.3
重庆	717.0	723.5	813.3	867.2	875.4	924.9	996.6	1 118.8	1 160.3	1 186.5
四川	1 751.4	1 830.7	1 949.0	2 014.8	1 992.4	2 101.0	2 205.2	2 459.5	2 635.8	2 865.2
贵州	944.1	1 046.7	1 126.3	1 173.7	1 174.2	1 241.8	1 384.9	1 482.1	1 540.7	1 586.1
云南	1 204.1	1 315.9	1 459.8	1 529.4	1 438.6	1 410.5	1 538.1	1 679.1	1 812.3	2 025.7

资料来源:历年《中国统计年鉴》。

量标准》(GB 3838—2002)湖库Ⅲ类标准,仍有超过10%的黑臭水体还没有消除。水生态方面,工业污染、农业面源污染物排放基数大、治理难度高,特有鱼种数量持续下降,受威胁鱼类占鱼类总数的27.6%,三峡库区支流亚健康及水体富营养化状况仍然存在。

此外,在生态环境管理体制方面,长江经济带各省市生态环境协同治理机制尚不完善,尤其是省级层面的长江中下游和长江上游生态补偿机制依然不健全,生态环境管理和治理缺乏统一的统筹协调规划机制和一体化的管理体制与评价机制,导致生态环境保护和管理主体不清晰,上游地区生态屏障区建设滞后,中下游地区关停或整改流域污染企业困难较大。同时,生态环境补偿机制由于标准不一、保护者和受益者之间的经济和生态效益分配标准难以确定,导致流域内各个省市之间补偿标准和补偿归属等问题难以确定。所以,当前亟须提高长江经济带一体化水平,调整各相关利益方之间的利益分配关系,构建城乡间、区域间和群体间的公平和可持续发展的生态补偿机制。

2.5.4 区域发展阶段不平衡,发展成果需巩固

近年来,在脱贫攻坚、乡村振兴和全面建成小康社会的思想指导下,长江经济带社会经济发展取得了明显的进步。城乡居民人均可支配收入不断提高,社会消费品零售总额逐年增长,市场主体的活力不断得到释放,经济社会发展势头良好。但是区域发展不平衡、城乡发展不平衡问题仍然存在。在长江三角洲地区,江苏、浙江和上海社会经济各方面相对成熟,但安徽地区受限于自身地理位置和地形地貌,整体上稍逊于其他三地。江苏和浙江省内不同城市发展水平也参差不齐,甚至各地的发展水平都有进一步分化的趋势,而这也是国家致力于打造长三角一体化示范区、推动中小城镇全面协同发展的原因之一。在中部地区,以武汉为核心的城市群不断向外延伸,将更多中小城市纳入其中,推动经济社会协同发展。但是,以省域为核心的资源配置方式对于这种放射状的空间辐射将造成一些不可预知的干扰,增加了区域协同发展的建设成本。随着成都和重庆两地经济的快速发展,西部地区迎来了重大机遇期,成渝两地吸纳了周边众多的劳动力。但是成渝城市边界的快速扩张和开发建设,导致教育、医疗、养老等公共服务需求出现爆发式增长,增加了城市治理的难度,给城市公共服务发展造成了一定的压力。在后续发展过程中,长江经济带各省市亟须在巩固现有发展成果的同时,根据自身特色,寻找适合自身发展的路径。

03

第三章

科技创新高质量发展总况

3.1 创新产业加速成长，创新企业不断增多

3.1.1 长江经济带科技创新企业分布状况

我国高新技术产业主要包含信息技术、生物工程、新材料等使用现今高精尖技术进行研发生产的产业，其发展速度快、渗透能力强、研究开发投入高、研究开发人员比重大，是国际经济和科技竞争的重要阵地，对推动产业结构升级、提高劳动生产率和经济效益具有不可替代的作用，其相关指标能够很好地反映区域创新水平。我国高新技术产业主要包括医药制造业、航空航天器及设备制造业、电子及通信设备制造业、计算机及办公设备制造业、信息化学品制造业，下面对长江经济带高新技术产业相关企业情况进行分析。

如图 3-1 所示，2015—2019 年长江经济带高新技术企业数量持续增长，2019 年长江经济带高新技术企业总计 89 998 家，占全国总高新技术企业数的 41.18%。企业总量相比于 2018 年增长 32.75%，相比于 2015 年增长 144%，但其全国占比却在持续下降(2019 年占比相较于 2018 年稍有提升)，2015—2019 年下降 7.24%，原因在于 2015—2019 年相较于长江经济带沿途省份，广东等省份高新技术企业数增长速度更为迅速，5 年内增长 3 348 家。

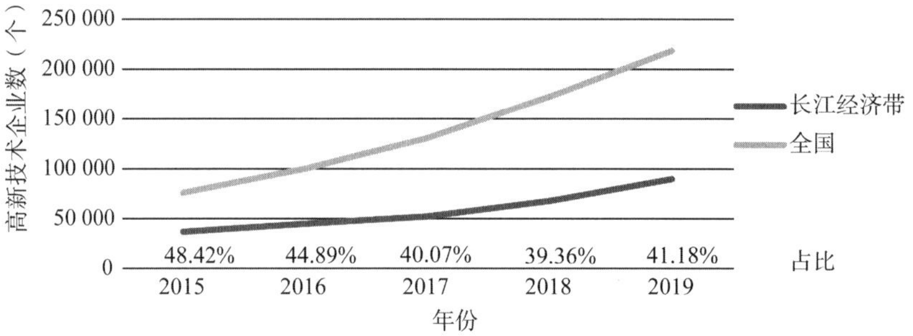

图 3-1　2015—2019 年长江经济带高新技术企业数变化及全国占比

如图 3-2 所示，2019 年长江经济带各地区高新技术企业占比情况，东部地区占 58.58%、中部地区占 28.34%、西部地区占 13.08%，其中江苏省高新技术企业数占比最大，达到 27%，是贵州、云南占比的 13 倍，省份之间企业创新能力存在巨大差距。从地区占比的时间跨度变化中可以看出，近年来国家西部

开发东部崛起的政策使得长江经济带东中西部地区高新技术企业数差异有所减小，体现在东部占比的减小和中部占比的提高上，西部占比变化并不大，说明国家政策在长江经济带中部的实施效果明显优于西部，但是东部地区在高新技术企业吸引能力上依旧处于绝对领先地位，区位投资的差异连锁反应导致高新技术企业选址集中于东部地区，历史地理影响依旧显著存在。

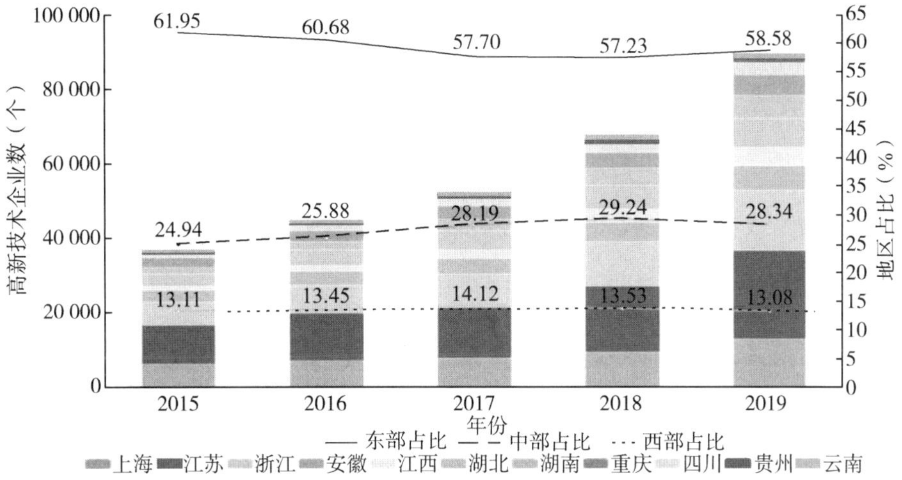

图 3-2　2015—2019 年长江经济带各省市高新技术企业数及地区占比

3.1.2　长江经济带科技创新产业成长状况

2019 年全国工业总产值 386 165.30 亿元，其中高新技术产业工业总产值 324 137.38 亿元，占比 83.94%。区域上，长江经济带高新技术产业工业总产值 153 317.17 亿元，占全国高新技术产业工业总产值的 47.30%，总产值相对于 2018 年增长 12.11%，相比 2015 年增长 56.48%，科技创新产业成长迅速。全国占比波动下降，2015 至 2019 年下降了 4.33%，这一结果与高新技术企业数占比有关，如图 3-3 所示。

如图 3-4 所示，2019 年长江经济带各地区高新技术产业工业总产值东部地区占 56.63%、中部地区占 31.22%、西部地区占 12.15%。其中江苏高新技术产业工业总产值占比依旧最大，达到 29%，在东部地区中占比超过 50%，云南高新技术产业工业总产值仅占 1%，主要受到高新技术企业数量占比影响。从地区占比的时间跨度变化中可以看出，2015—2019 年，长江经济带高新技术产业总产值东部占比呈先下降后增长总体增长态势，中部占比呈先增长后下降再增长的整体增长态势，西部占比呈先增长后下降整体下降态势，区域差距未有明显缩小。虽然东中西部高新技术产业工业总产值都在快速增长，但东中部增长速度高于西部，导致区域差异未有缩小。

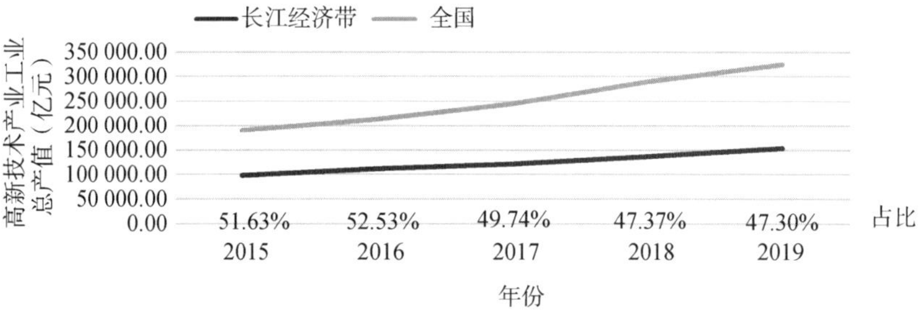

图 3-3 2015—2019 年长江经济带高新技术产业工业总产值及全国占比

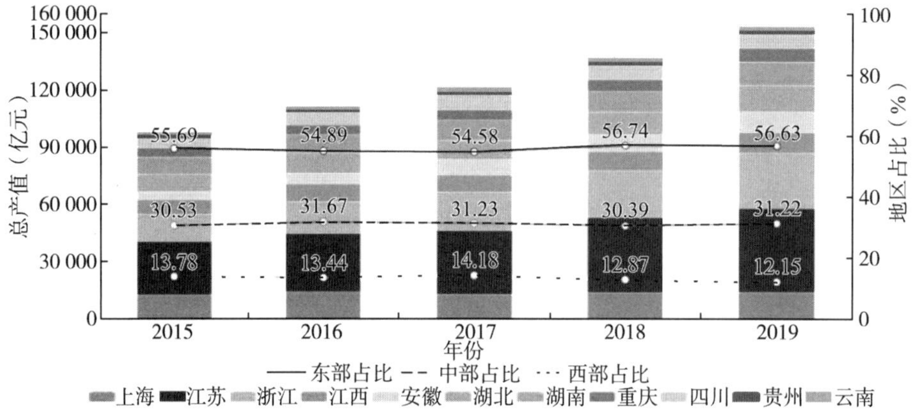

图 3-4 2015—2019 年长江经济带各省市高新技术产业工业总产值及地区占比

2019 年长江经济带高新技术产业营业收入 205 657.8 亿元，占全国的 45.60%，相对于 2018 年增长了 15.61%，相比 2015 年增长了 85.08%，全国占比持续下降，2015 到 2019 年下降 4.40%，此下降与高新技术企业数占比有关，如图 3-5 所示。

如图 3-6 所示，2019 年长江经济带各省市高新技术产业营业收入占比，东部地区占 56.22%、中部地区占 30.79%、西部地区占 12.99%，东部地区中上海、江苏、浙江分别占比 15%、24%、18%，其中江苏占比是云南占比的 24 倍，省份间差距巨大，与高新技术企业数、产业工业总产值占比分布相一致，属于连锁效应。从地区占比的时间跨度变化中可以看出，高新技术产业营业收入指标东中部差距略微缩小，但西部与东中部差距增大。

对比图 3-2、图 3-4、图 3-6 可以看出，无论是高新技术企业的分布、高新技术产业产值还是营业收入，长江经济带东部区域现状都明显优于中西部区域，数量占比、贡献占比差异巨大，自东向西呈现由强到弱、由密到疏的梯度空间格局特征。从省域层面来看，长江流域下游长三角地区的上海、江苏、浙江 3 省市呈现以上海为领导的多极创新发展态势，层次结构较为丰富。其中，上海作为长江经济带创新驱动发展的领军城市，拥有大量研发投入与优质地理、人才资源，优势巨大；江苏在创新体量上高于上海，源于其优良的工业基础，总体来说创新驱动力的配置格局较合理。长江中游安徽、江西、湖北、湖南 4 省科技创新分布相似，但都呈现以各自省会城市为中心的“单极突进”空间模式，创新资源集聚明显，中心城市辐射能力有限，难以有效带动周边城市的创新发展，湖

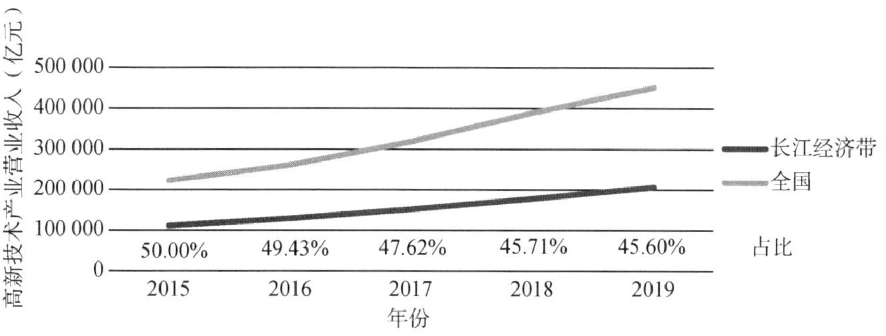

图 3-5　2015—2019 年长江经济带高新技术产业营业收入及其全国占比

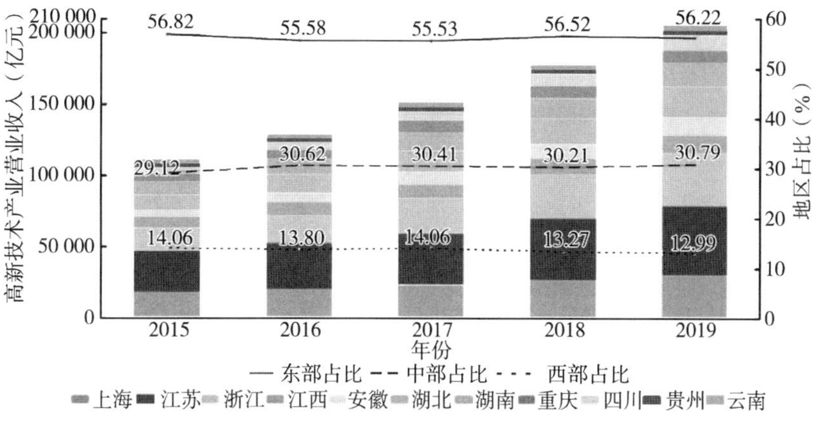

图 3-6　2015—2019 年长江经济带各省市高新技术产业营业收入及地区占比

南、湖北经济基础雄厚,创新驱动力强劲。长江上游重庆、四川、贵州、云南4省市依旧存在省内城市间的创新联系较弱的情况,省内"一强众弱"格局明显,并且区域内部创新能力差距明显,重庆、四川两省市吸引科技创新要素集聚,创新驱动力良好,但贵州、云南两省经济基础相对薄弱,创新发展较多依靠政策引导支持。

3.2 创新投入逐步增长,创新人才不断增加

3.2.1 长江经济带科技创新机构分布状况

高校是区域发展中的科技创新重要节点,高校协同创新、"产学研"结合发展有效地推动着地区创新环境的优化和合作研究的应用,对此,应对长江经济带高校分布情况进行分析。如表3-1所示,2019年,长江经济带覆盖省市普通高校数量总计1 159所,占全国的43.12%,2015—2019年共增加58所,全国占比处于稳步上升阶段,其中江苏5所、浙江3所、安徽1所、江西6所、湖北2所、湖南1所、重庆1所、四川17所、贵州13所、云南12所,可以看出长江经济带西部地区高校增速远超东中部地区。在高校区域分布上,2019年长江经济带东部占比29.25%,中部占比41.07%,西部占比29.68%,为了满足区域教育需求,受到国家政策调控的影响,长江经济带高校区域分布相对差距较小,但各区域内省份间高校数差距较大,东部高校最多的为江苏,占比14%,中西部区域的湖北、湖南、四川三省作为人口大省,高校占比都超过10%。从地区占比的时间跨度变化中可以看出,长江经济带东中西部高校数占比差距逐渐缩小。

表3-1 2015—2019年长江经济带普通高校数及占比

年份	2015	2016	2017	2018	2019
上海	67	64	64	64	64
江苏	162	166	167	167	167
浙江	105	107	107	108	108
安徽	119	119	119	119	120
江西	97	98	100	102	103
湖北	126	128	129	128	128

续表

年份	2015	2016	2017	2018	2019
湖南	124	123	124	124	125
重庆	64	65	65	65	65
四川	109	109	109	119	126
贵州	59	64	70	72	72
云南	69	72	77	79	81
区域总计	1 101	1 115	1 131	1 147	1 159
在全国占比	43.01%	42.95%	42.99%	43.07%	43.12%
在东部占比	30.34%	30.22%	29.89%	29.56%	29.25%
在中部占比	42.33%	41.97%	41.73%	41.24%	41.07%
在西部占比	27.34%	27.80%	28.38%	29.21%	29.68%

除高校外，科技创新机构还包括综合性国家科学中心、国家级自主创新示范区、国家高新技术产业开发区、国家重点实验室等。长江经济带内包含两个综合性国家科学中心：上海市张江综合性国家科学中心以及安徽省合肥综合性国家科学中心。其中，张江综合性国家科学中心是高度集聚的重大科技基础设施群，建设有国际影响力的创新型和研究型大学，汇聚了全球顶尖科研机构和一流研究团队，内部组织开展多学科交叉前沿研究，建设有上海光源二期、蛋白质科学设施、软X射线自由电子激光、转化医学等大型设施，主要聚焦生命、材料、环境、能源、物质等科学领域，集聚了10万余家科技企业、9 000余家高新技术企业，在刻蚀机、大硅片、光刻胶、清洗机等细分领域打破国际垄断。合肥综合性国家科学中心是国家创新体系的基础平台，聚焦信息、能源、健康、环境四大领域，是国家创新体系的基础平台、科学研究的制高点、经济发展的原动力、创新驱动发展先行区，实施量子调控与量子信息、大科学装置前沿研究等国家科技重大专项、重点研发计划、自然科学基金等项目1 000多项，获批经费近18亿元，在量子信息、热核聚变、人工智能等前沿领域取得了一批重大原创性突破。除此之外，长江经济带内包含10个国家级自主创新示范区，分别为武汉东湖国家自主创新示范区、上海张江国家自主创新示范区、苏南国家自主创新示范区、长株潭国家自主创新示范区、成都国家自主创新示范区、杭州国家自主创新示范区、合芜蚌国家自主创新示范区、重庆国家自主创新示范区、宁波温州国家自主创新示范区、鄱阳湖国家自主创新示范区。经济带内

含国家高新技术产业开发区 79 个、国家重点实验室 161 个，占据了全国的近一半。

3.2.2 长江经济带科技创新资金投入状况

2019 年国家财政科技拨款 10 717.4 亿元，占国家公共财政支出的 4.49%，包括国家自然科学基金、国家重点研发计划、技术创新引导专项（基金）、国家重点实验室引导专项、国家重点实验室等主要科技计划以及国家杰出青年科学基金、优秀青年科学基金、国家重大科研仪器设备研制专项等自然科学基金资助项目。

除此之外，中央和地方相关研究与开发机构、高校、企业也投入大量研究与试验发展课题资金，如图 3-7 所示，2019 年长江经济带研究与开发机构 R&D 课题投入经费 898.41 亿元，相比于 2018 年增长 8.31%，相比于 2015 年增长 48.69%，全国占比呈先上升后下降态势，总体增长 2.47%；地方部门属研究与开发机构 R&D 课题投入经费 78.86 亿元，相比于 2018 年增长 2%，相比于 2015 年增长 37.57%，全国占比稳步上升，总体增长 5.05%；相比之下地方部门属研究机构增长较为迅速。2019 年长江经济带高等学校 R&D 课题投入经费 510.79 亿元，占全国的 44.26%，相比于 2018 年增长 23.79%，相比于 2015 年增长 51.51%，全国占比呈先下降后上升态势，总体增长 0.23%。2019

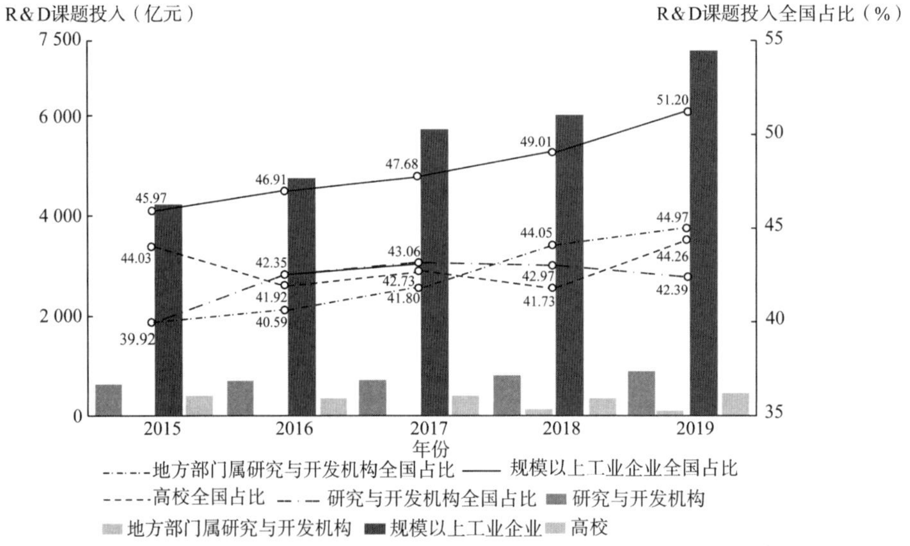

图 3-7　2015—2019 年长江经济带各类组织 R&D 课题投入经费及全国占比

年长江经济带规模以上工业企业 R&D 项目经费支出 7 288.89 亿元，占全国的 51.20%，相比于 2018 年增长 20.57%，相比于 2015 年增长 73.33%，全国占比缓步增长，2015—2019 年增长 5.23%。

如图 3-8 所示，2019 年中央研究与开发机构 R&D 课题投入省份占比差距较大，东部地区投入重点为上海、江苏两省市，各占比 33%、17%，中部地区湖北占比最高为 9%，西部地区四川作为区域经济增长极，受到最多关注，投入占比达到 23%，超过江苏成为占比第二的省份。根据区域占比的时间跨度变化分析，东部地区与西部地区占比波动性下降，中部地区占比持续上升，西部与中部占比差距逐步减小。受到区域基础创新机构数量影响，中央在区域 R&D 课题经费投入上并没有做到区域间的均衡发展，但可以看出，西部地区的投入占比超过中部地区，体现了中央对西部地区创新发展的强大支持力度。

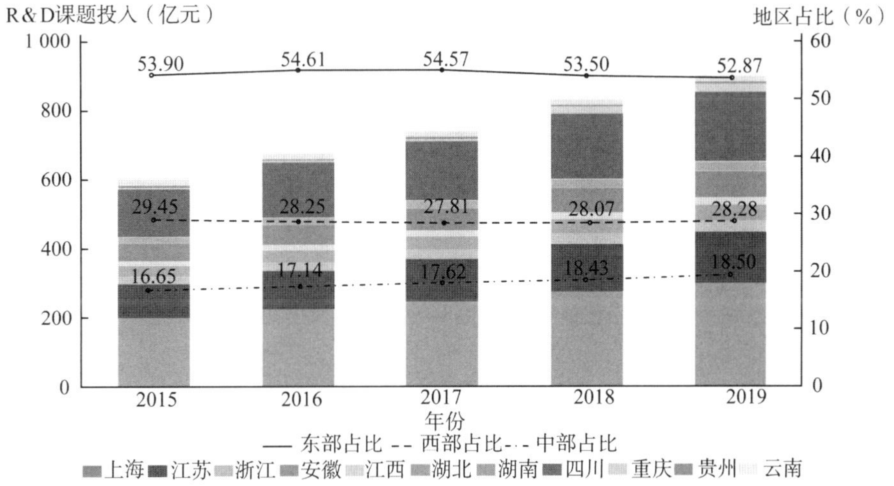

图 3-8 2015—2019 年长江经济带各省市中央研究与开发机构 R&D 课题投入经费及占比

如图 3-9 所示，2019 年地方部门属研究与开发机构 R&D 课题投入占比最大的为江苏，东部地区总占比超过 50%，表明东部地区本身创新实力强劲，地方政府基础实力优越，中部地区投入占比最大的为湖南，西部地区投入占比最大的为重庆。地方部门投入的中西部差距相较于中央投入较小，但依旧呈现西部地区的投入占比总体上升的态势，说明地方部门在 R&D 课题投入强度方面跟随中央方针，2015—2019 年，地方部门 R&D 课题投入地区差异呈现不稳定的波动状态，无明显趋势变化。

对比表 3-1、图 3-10 分析，长江经济带各省高校 R&D 课题投入经费占比基本上受到高校数占比的影响，江苏省由于高校数占比占优，在 R&D 课题经费投入方面占比也最大，各省市高校 R&D 课题经费投入差距依旧存在且较大，而区域占比则明显呈东多西少态势，其中东部地区占比超过 50%，中西部投入比较突出的省份分别为湖北、四川，分别占比 12%、11%，在一定程度上受到区域"产学研"水平影响，东部地区高新技术企业占比较高，"产学研"能力较好，因此高校课题投入吸引能力较强，对应在中西部"产学研"能力较强的湖北、四川等地。从地区占比的时间跨度变化中可以看出，相较于 2015 年，2019 年东部地区与中部地区差异增大，中部地区与西部地区差异减小。

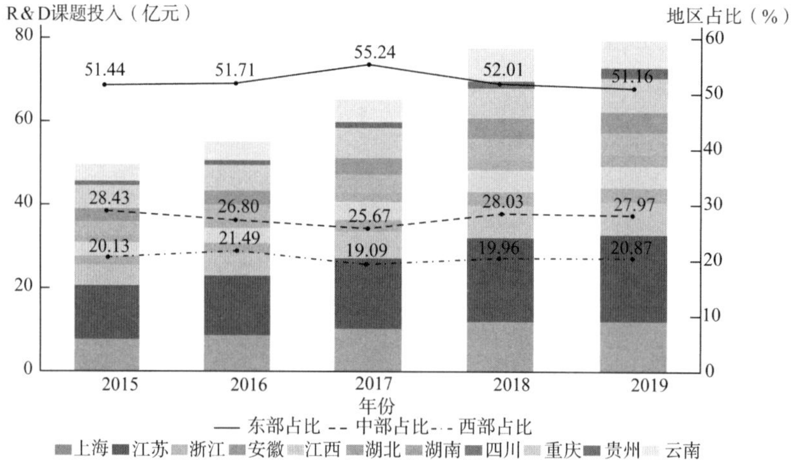

图 3-9　2015—2019 年长江经济带各省市地方部门属研究与开发机构 R&D 课题投入经费及占比

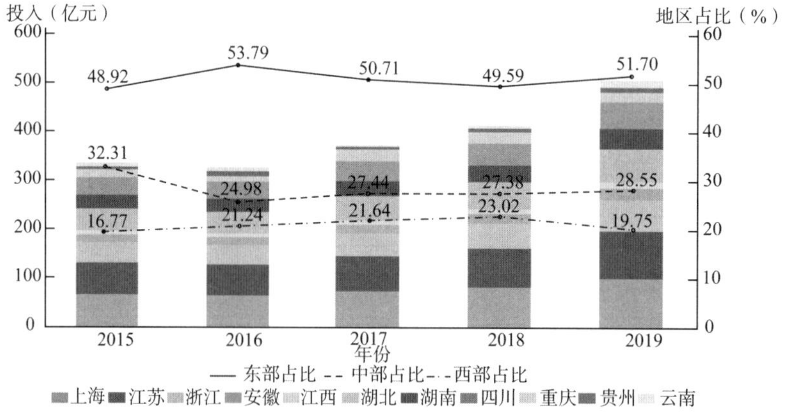

图 3-10　2015—2019 年长江经济带各省市高等学校 R&D 课题投入经费及占比

如图 3-11 所示，2019 年长江经济带规模以上工业企业 R&D 项目经费投入在区域上呈现东高西低态势，东部占比 57.33%，西部仅占 13.02%。受到区域规模以上工业企业基础数量影响，作为传统工业强势省份，江苏省投入占比最大，而云南、贵州两省占比极低。从区域占比的时间跨度变化中可以看出，2015 到 2019 年长江经济带东部地区占比逐年下降，总降幅 6.36%，中部及西部地区占比逐年上升，总增幅分别为 4.28%和 2.08%，区域间差距逐步缩小。

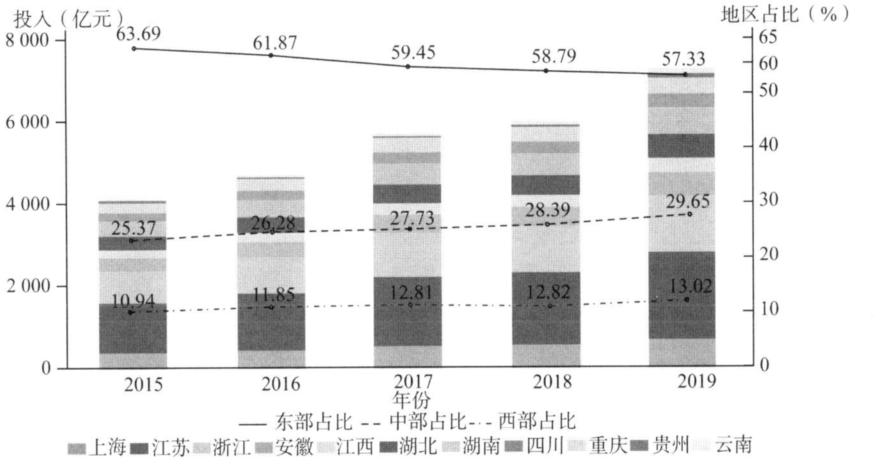

图 3-11　2015—2019 年长江经济带各省市规模以上工业企业 R&D 项目经费投入及占比

3.2.3　长江经济带科技创新人才资源状况

创新是引领发展的第一动力，人才是支撑创新发展的第一资源，如图 3-12 所示，2019 年长江经济带内 R&D 人员全时当量 2 348 460 人年，相比于 2018 年增长 3.29%，相比于 2015 年增长 35.85%，全国占比由 2015 年的 45.99%增长至 2019 年的 48.92%，呈现稳步增长的态势。

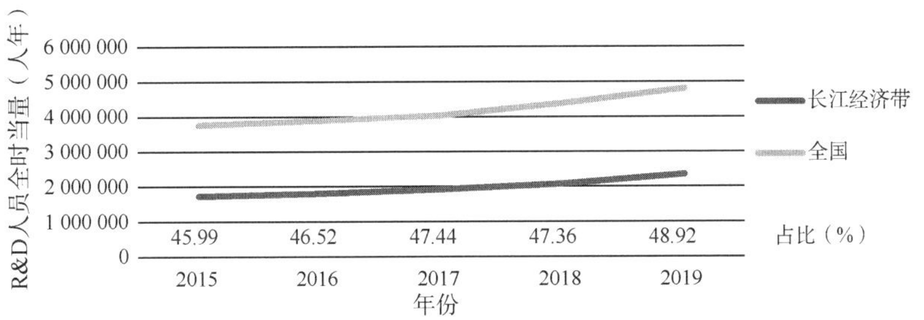

图 3-12　2015—2019 年长江经济带 R&D 人员全时当量及全国占比

这些研究人员分别从事基础研究、应用研究及试验发展等创新项目。由图 3-13 可以看出，长江经济带人才储备东西部差距较大，东部上海、江苏、浙江共占比 58%，将近是西部 4 省的 4 倍，虽然国家在人才培养设置上寻求区域平衡，但由于东部地区的传统区位与经济发展优势，以及逐渐放开的人才落户政策，使得中西部地区人才流失严重，对此部分劣势省份如贵州，设置了“黔归人才计划”，动员吸引国外、省外黔籍优秀人才，回黔投资兴业、创新创业、回乡就业。从区域占比的时间跨度变化中可以看出，相关人才回流政策是有一定效果的，2015—2019 年长江经济带东部地区 R&D 人员占比总体呈下降趋势，总降幅 2.85%，中部及西部地区占比则总体呈上升趋势，总增幅分别为 1.35%和 1.50%，区域间差距逐步缩小。

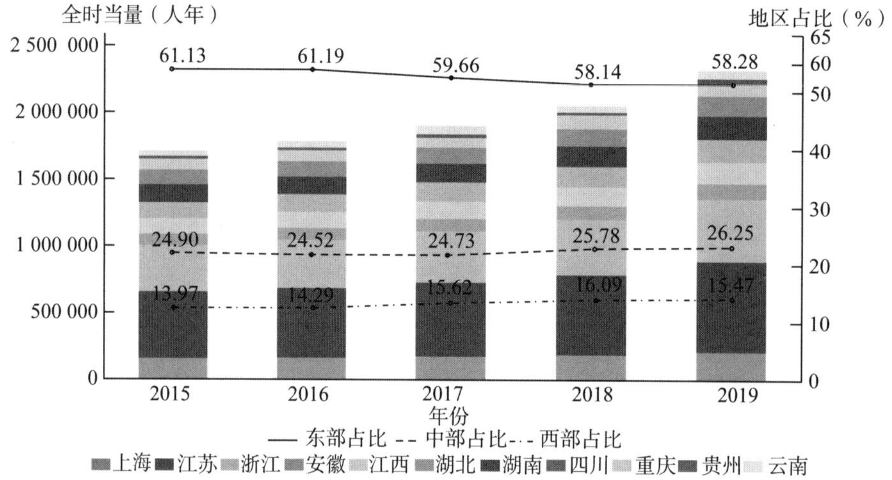

图 3-13　2015—2019 年长江经济带各省市 R&D 人员全时当量及占比

如图 3-14 所示，分组织类型进行分析：2019 年长江经济带研究与开发机构 R&D 人员相比于 2018 年增长 23.86%，相比于 2015 年增长 48.18%，全国占比由 2015 年的 45.99%增长至 2019 年的 48.92%，总体处于波动增长状态，总增幅 2.93%。2019 年长江经济带规模以上工业企业 R&D 人员共 2 333 282 人，相比于 2018 年增长 9.47%，相比于 2015 年增长 32.16%，全国占比由 2015 年的 48.42%增长至 2019 年的 52.54%，总体处于波动增长状态，总增幅 4.12%。2019 年长江经济带高等学校 R&D 人员共 182 124 人，相比于 2018 年增长 4.07%，相比于 2015 年增长 11%，全国占比 2015 年为 37.61%，2019 年为 37.53%，在此期间略有波动，但总体较为平稳。高等学校 R&D 人员增长较为缓慢，相比之下，规模以上工业企业及研究与开发机构 R&D 人员增长较为迅速。

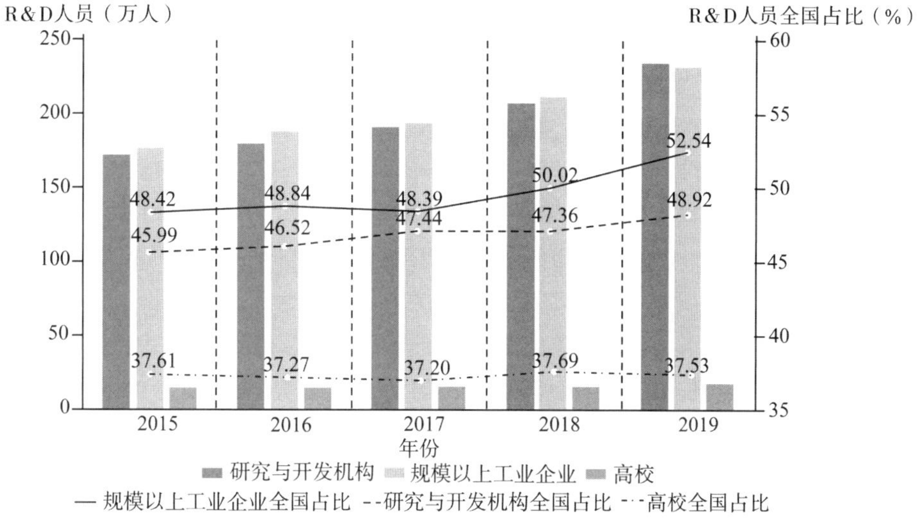

图 3-14　2015—2019 年长江经济带各类组织 R&D 人员及全国占比

如图 3-15 所示，2019 年长江经济带规模以上工业企业 R&D 人员占比呈现东多西少状态，东部占比 59.21%，超过中西部占比之和，其中受到规模以上工业企业地理分布的影响，江苏占比最高；中部占比 27.53%，各省市占比相对均衡；西部占比 13.26%，贵州、云南两省占比极少。从区域占比的时间跨度变

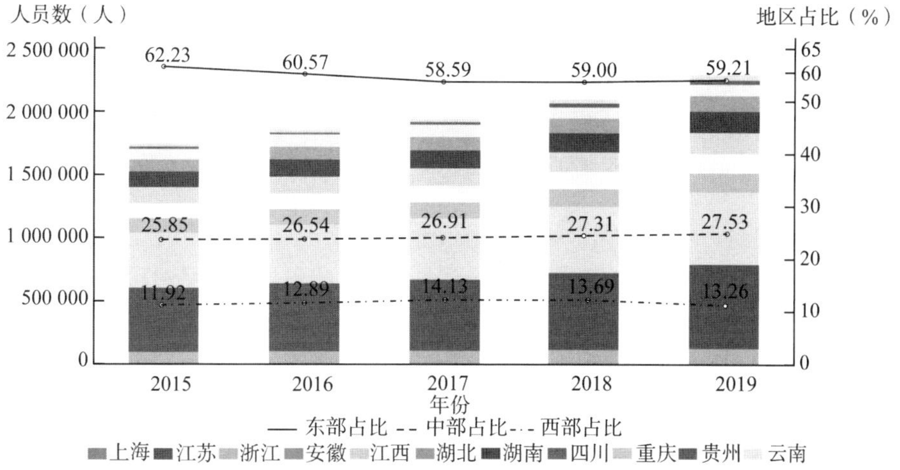

图 3-15　2015—2019 年长江经济带各省市规模以上工业企业 R&D 人员及占比

化中可以看出，2015—2019 年长江经济带东部地区规模以上工业企业 R&D 人员占比呈下降趋势，总降幅 3.02%，中部及西部地区占比则总体呈上升趋势，总增幅分别为 1.68%和 1.34%，东中西部差距逐步缩小。

如图 3-16 所示，2019 年研究与开发机构的 R&D 人员东中西部占比差距相对于规模以上工业企业较小，东部占比 42.04%，中部占比 21.97%，西部占比 35.99%，与规模以上工业企业占比不同的是，西部占比高于中部占比，体现国家西部开发政策拉动作用，其中研究与开发机构 R&D 人员占比前三省市分别为上海、江苏、四川，与 R&D 课题投入经费占比一致，四川作为川渝地区创新发展重要增长极，在研究机构架设方面受到重视，吸引了大量 R&D 人员，是拉动西部 R&D 人员聚集的主要力量。从区域占比的时间跨度变化中可以看出，2015—2019 年长江经济带东部地区研究与开发机构 R&D 人员占比呈波动上升趋势，总增幅 0.69%，西部地区占比呈逐步上升趋势，总增幅 3.07%，中部地区占比呈逐步下降趋势，总降幅 3.77%，东西部差异缩小。

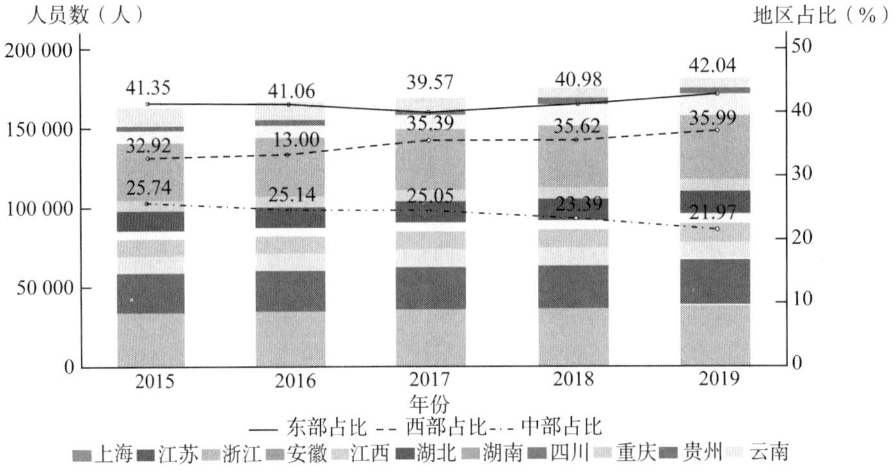

图 3-16 2015—2019 年长江经济带各省市研究与开发机构 R&D 人员及占比

如图 3-17 所示，2019 年长江经济带高校 R&D 人员占比，东部占 43.79%、中部占 31.83%、西部占 24.38%，可以看出占比主要受到高校地理分布影响，省市中占比最多的为江苏，达到 18%。区域占比的时间跨度变化与高校 R&D 投入占比相似，东中部地区占比呈波动上升态势，总增幅分别为 2.26%和 1.20%，西部地区占比呈波动下降态势，总降幅 3.46%。

长江经济带人才资源丰富，处于国内领先位置，周边省市也陆续出台资金资助、技术培养、住房补贴等针对人才引进巩固的相关政策及计划。但从数据上可以看出，人才资源的区域分布极不平衡，大部分聚集在东部沿海地区，大体上呈沿长江流域下游至上游逐步减少的趋势，但在成渝经济圈有所回升。

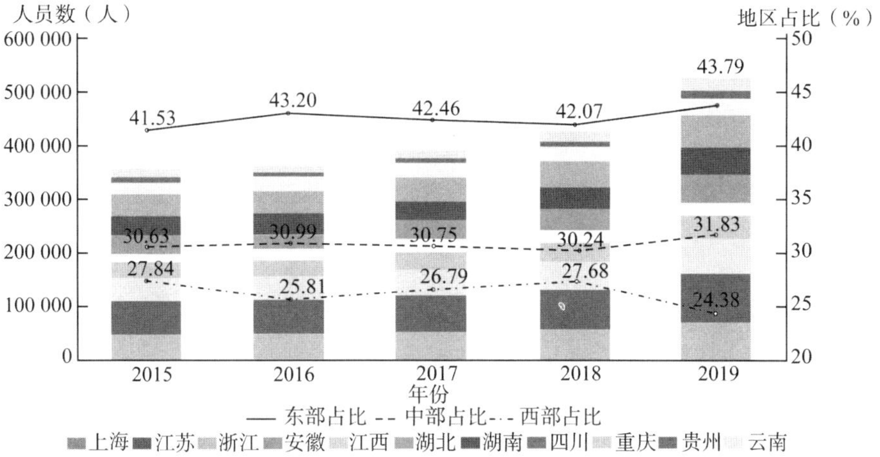

图 3-17　2015—2019 年长江经济带各省市高校 R&D 人员及占比

3.3　创新成效开始显现，创新成果持续增加

3.3.1　长江经济带科技创新成果产出状况

如图 3-18 所示，2019 年长江经济带有效发明专利数共 84.49 万项，相比于 2018 年增长 16.53%，相比于 2015 年增长 118.17%，增长势头迅猛，有效发明专利数总量全国占比从 2015 年的 42.01%到 2019 年的 43.87%，呈逐步上升态势。2019 年区域占比情况为东部占比 63.10%、中部占比 22.98%、西部占比 13.92%，差距较大，受到区域研究与开发机构、高等学校、规模以上工业企业数占比的综合影响。从区域占比的时间跨度变化看，2015—2019 年长江经济带东部地区有效发明专利占比呈逐年下降趋势，总降幅 2.52%；中部地区占比呈逐年上升趋势，总增幅 2.69%；西部地区占比呈波动下降趋势，总降幅 0.17%，东西部差异并未随时间变化缩小。分组织类型进行分析：长江经济带有效发明专利数主要来源于规模以上工业企业、研究与开发机构和高等学校，其中规模以上工业企业占比最高，2019 年获得 53.18 万项，相比 2015 年增长 112.76%；其次是高等学校，2019 年获得 19.58 万项，相比 2015 年增长

113.16%；占比最小为研究与开发机构，2019 年获得 5.2 万项，相比 2015 年增长 94.53%。

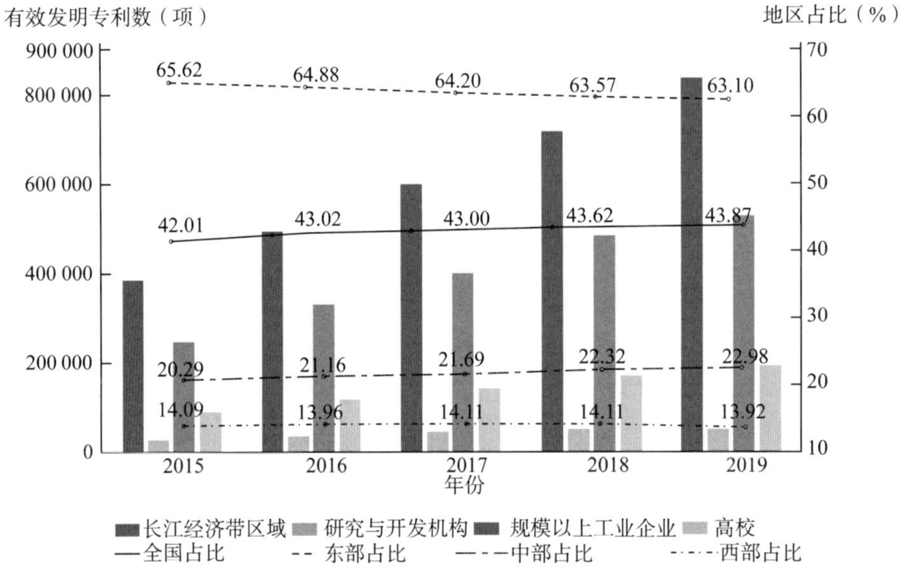

图 3-18　2015—2019 年长江经济带区域及各组织有效发明专利数及地区占比

如表 3-2 所示，以新产品开发项目数及销售收入体现规模以上工业企业创新成果产出，2019 年长江经济带规模以上工业企业共开发 355 917 项新产品，相比 2015 年增加 95.40%，2019 年全国占比 52.98%，超过一半。虽然长江经济带规模以上工业企业研发投入占比在上升，但新产品开发项目数全国占比波动下降，与 2015 年相比总降幅 2.85%，说明长江经济带规模以上工业企业研发投入的转化能力近年来有所下降，侧面表明全国其余地区工业企业研发能力的增强。从区域占比的时间跨度变化中可以看出，2015—2019 年长江经济带东部地区新产品开发项目数占比呈下降趋势，中部及西部地区占比则总体呈上升趋势，特别是中部地区，总增幅达 4.25%，东中西部创新产出差距逐步缩小。2019 年长江经济带规模以上工业企业新产品销售收入 110 517.6 亿元，相比 2015 年增长 38.02%，增长幅度较产品开发项目数小，说明新产品开发边际收入减少，同时受到项目数占比影响，销售收入全国占比也呈现波动下降态势。从区域占比的时间跨度变化中可以看出，新产品销售收入的东中部差距在逐年缩小，特别体现在中部地区，2015—2019 年总增幅达 4.44%。相比较而言，西部地区开发新产品的盈利能力没有中部地区强，在开发产品数占比上升的情况下，5 年来销售收入区域占比反而呈波动下降态势，导致中西部区域差距增加。

表 3-2 2015—2019 年长江经济带规模以上工业企业创新产出情况

年份	2015	2016	2017	2018	2019
新产品开发项目数(项)	182 150	212 726	244 669	292 385	355 917
在全国占比(%)	55.83	54.28	51.20	52.37	52.98
在东部占比(%)	69.56	66.85	64.52	63.83	63.69
在中部占比(%)	20.31	21.80	23.40	24.53	24.56
在西部占比(%)	10.13	11.35	12.08	11.64	11.75
新产品销售收入(亿元)	80 076.17	93 047.23	99 026.72	101 521.79	110 517.60
在全国占比(%)	53.08	53.29	51.69	51.51	52.12
在东部占比(%)	63.41	62.89	60.39	60.61	60.03
在中部占比(%)	26.18	27.16	29.09	30.07	30.62
在西部占比(%)	10.41	9.95	10.52	9.33	9.35

如表 3-3 所示，2019 年长江经济带研究与开发机构发表科技论文 57 741 篇，5 年增长 8.45%，2015—2019 年全国占比呈逐年上升趋势。同年科技著作数 1 488 本，5 年增长 16.71%，2015—2019 年全国占比呈波动上升趋势。从区域占比的时间跨度变化中可以看出，2015—2019 年长江经济带研究与开发机构两项产出指标区域变化相似，都呈现东西部占比波动上升、中部占比波动下降的态势，此趋势受到不同组织 R&D 人员数区域占比变化影响。

表 3-3 2015—2019 年长江经济带研究与开发机构创新产出情况

年份	2015	2016	2017	2018	2019
科技论文数(篇)	53 241	55 018	56 073	56 103	57 741
在全国占比(%)	31.32	31.41	31.58	31.88	31.91
在东部占比(%)	46.50	46.37	45.84	46.24	47.98
在中部占比(%)	26.26	24.38	25.34	25.13	23.55
在西部占比(%)	27.25	29.25	28.82	28.63	28.47
科技著作数(本)	1 275	1 401	1 455	1 490	1 488
在全国占比(%)	22.52	24.52	26.65	26.04	27.21

续表

年份	2015	2016	2017	2018	2019
在东部占比(%)	41.33	45.25	39.18	43.76	42.47
在中部占比(%)	27.06	22.77	25.57	22.82	23.25
在西部占比(%)	31.61	31.98	35.26	33.42	34.27

如表3-4所示，2019年长江经济带高等学校发表科技论文664 075篇，5年增长19.59%，增长幅度相比研究与开发机构高，2015—2019年全国占比呈波动上升态势；出版科技著作19 222本，5年增长3.41%，增长幅度相比研究与开发机构低，2015—2019年全国占比呈波动上升态势，可以看出论文为高校的创新产出主力。从区域占比的时间跨度变化中可以看出，相较于规模以上工业企业，长江经济带研究与开发机构、高等学校的创新产出区域差距较小。其中高校科技论文产出东部占比增加，中西部占比减少，区域差距增大；科技著作数东部占比减少，中西部占比增加，区域差距减小。

表3-4　2015—2019年长江经济带高等学校创新产出情况

年份	2015	2016	2017	2018	2019
科技论文数(篇)	555 277	571 883	594 099	629 533	664 075
在全国占比(%)	45.50	45.11	45.42	45.29	45.88
在东部占比(%)	42.50	42.51	43.74	43.86	44.72
在中部占比(%)	32.60	32.85	32.95	32.38	31.41
在西部占比(%)	24.90	24.64	23.32	23.76	23.87
科技著作数(本)	18 589	19 138	19 670	20 086	19 222
在全国占比(%)	43.09	42.99	43.14	44.84	44.36
在东部占比(%)	42.69	41.05	38.13	37.49	39.84
在中部占比(%)	32.95	34.65	35.97	35.08	33.11
在西部占比(%)	24.36	24.30	25.90	27.43	27.05

3.3.2　长江经济带科技创新成果市场转化状况

创新成果对于区域经济的推动并不仅仅停留于成果的产出，企业、研究与研发机构、高校需要将研究成果带入市场，完成创新成果的市场转化才能使得研究成果真正影响到区域经济发展。采用创新成果所有权转让及许可数、所有权转让及许可收入，以及区域技术市场输出合同数、金额表示相关区域机构创新成果市场转化情况，如表 3-5 所示。2019 年长江经济带研究与开发机构创新成果所有权转让及许可数 730 项，而 2015 年达到 2 831 项，其中江苏省统计 2 511 项，可能存在因统计标准变化导致的统计数据异常，从 2016 年至 2019 年基本呈现波动上升态势，在全国占比中由于京津冀、粤港澳等地区占比的上升而呈现波动下降态势，5 年内区域占比东部下降、中西部明显上升，区域差距明显缩小。对比转让及许可收入与数量可以看出，长江经济带研究与开发机构所有权转让及许可数量全国占比与所有权转让及许可收入全国占比差距较大，相应所有权价值不高，且转让及许可收入东部与中西部占比差距较大，5 年来区域差距未有明显改善。相比较而言，高等学校创新成果市场转化情况较为稳定，2015—2019 年所有权转让及许可数量与收入都呈现逐年上升态势，全国占比也波动上升，总增幅分别达到 3.29％和 9.30％。从区域占比变化上看，东中西部差距依旧存在，其中收入区域占比受到当年研发项目及效率影响而波动较大。2015—2019 年技术市场合同输出数及金额逐年增长，合同输出数全国占比波动上升，合同金额全国占比逐年上升。从区域占比变化上看，长江经济带东部地区及西部地区合同数占比波动下降，但合同金额占比波动上升；中部地区合同数占比波动上升，但合同金额占比波动下降，说明长江经济带东部及西部地区技术合同成交价格上升，市场技术创新产出价值上升，中西部占比差距缩小。

表 3-5　2015—2019 年长江经济带创新成果市场转化情况汇总

年份	2015	2016	2017	2018	2019
研究与开发机构情况					
所有权转让及许可数(项)	2 831	522	564	778	730
在全国占比(％)	79.37	30.30	26.99	39.71	24.80
在东部占比(％)	95.13	73.18	70.21	69.79	59.86
在中部占比(％)	3.50	13.22	14.54	15.30	27.12
在西部占比(％)	1.38	13.60	15.25	14.91	13.01
所有权转让及许可收入(万元)	30 679	25 301	29 501	27 298	50 622
在全国占比(％)	42.35	29.32	33.25	27.69	25.96
在东部占比(％)	85.25	87.37	69.96	83.67	81.77

续表

年份	2015	2016	2017	2018	2019
在中部占比(%)	11.86	4.95	3.25	5.30	9.03
在西部占比(%)	2.89	7.68	26.79	11.03	9.20
高等学校情况					
所有权转让及许可数(项)	1 685	2 913	3 605	3 997	5 950
在全国占比(%)	60.48	60.20	60.67	63.80	63.77
在东部占比(%)	67.48	73.77	72.51	68.68	67.19
在中部占比(%)	19.58	13.70	16.17	20.52	18.92
在西部占比(%)	12.94	12.53	11.32	10.81	13.88
所有权转让及许可收入(万元)	28 479	42 177	62 903	75 266	80 871
在全国占比(%)	42.54	34.70	32.03	39.68	51.84
在东部占比(%)	44.89	74.52	64.08	72.78	58.22
在中部占比(%)	37.06	17.65	19.81	22.47	18.80
在西部占比(%)	18.06	7.82	16.10	4.75	22.98
技术市场情况					
输出合同数(项)	122 943	125 173	144 321	162 062	197 823
在全国占比(%)	40.03	39.06	39.26	39.34	40.87
在东部占比(%)	53.60	51.99	50.02	49.17	52.64
在中部占比(%)	32.42	34.27	35.19	35.68	35.64
在西部占比(%)	13.98	13.74	14.79	15.16	11.72
输出合同金额(亿元)	2 901.87	3 446.04	4 118.51	6 175.78	7 879.12
在全国占比(%)	29.50	30.21	30.68	34.90	35.18
在东部占比(%)	46.00	46.87	46.47	45.46	48.00
在中部占比(%)	39.62	37.89	38.41	31.14	31.97
在西部占比(%)	14.38	15.24	15.12	23.41	20.03

综合分析可以看出，长江经济带创新成果转化还存在一定问题，其中最严重的是研究所、高校等创新机构科技创新成果与市场、企业的脱钩。由于这些创新机构的科研工作目标更加宏观长远，不像企业以盈利最大化为目标，同时

技术人员单位和企业存在天然的屏障，科研人员普遍追求科研成果的数量，而较少关注科研成果转化成功与否，阻碍了双方的有效沟通，使得企业从科研机构购买的相关专利及科研成果出现市场价值不高的情况，也无法很好地转化为满足市场需求的产品。

3.3.3 长江经济带科技创新经济社会效益状况

长江经济带创新发展为我国带来经济社会效益，包含经济效益及社会效益两部分。经济效益方面，如图 3-19 所示，2020 年长江经济带高新技术产业营业收入 83 206 亿元，相比于 2018 年增长 13.91%，相比于 2015 年增长 28.59%，6 年来增长迅速，全国占比由 2015 年的 46.23%波动上升至 2020 年的 47.65%。从区域占比变化看，2015—2020 年（不含 2017 年）长江经济带东部区域占比由 63.41%下降至 54.38%，中部、西部区域占比均呈上升趋势，总增幅分别达到 3.32%和 5.71%，区域差距明显缩小。2020 年长江经济带高新技术产业营业利润率达到 6.90%，2015—2020 年（不含 2017 年）波动增长，由此看出长江经济带创新能力和水平保持持续提升，创新环境不断优化，创新投入继续增加，创新产出较快增长，创新成效进一步显现。

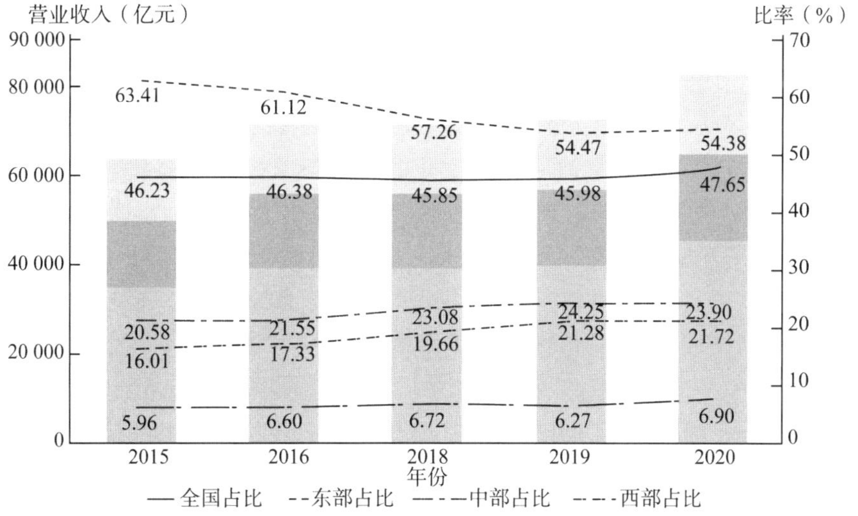

图 3-19 2015、2016、2018、2019、2020 年长江经济带高新技术产业营业收入占比及利润率变化

社会效益方面，2019 年长江经济带万元生产总值能源消费量 0.36 吨，相较于 2018 年减少 0.03 吨，相较于 2015 年减少 0.13 吨，相较于 2010 年减少 0.42 吨，在能源利用效率方面大幅提升，说明工业绿色技术改造效果明显。2019 年长江经济带 R&D 就业人员 345.32 万人，相较于 2015 年增长 37.33%，相较于 2010 年增长 126.93%，促进区域就业人数增长，明显提升区域人才质量。2019 年长江经济带人均可支配收入 33 229 元，相比 2015 年增加 42.04%，区域人民生活质量显著提高。同时长江经济带通过创新发展与应用，用改革创新的办法抓长江生态保护，依托长江水道，自觉推动绿色循环低碳发展，努力形成节约能源资源和保护生态环境的产业结构、增长方式、消费模式，推动黄金水道产生黄金效益。

3.4 科技创新高质量发展存在的问题

3.4.1 长江经济带科技创新国内经验借鉴

(1) 与京津冀比较

京津冀指中国"首都经济圈"，包括北京市、天津市和河北省的 11 个地级市以及 2 个省直管市，整体定位是"以首都为核心的世界级城市群、区域整体协同发展改革引领区、全国创新驱动经济增长新引擎、生态修复环境改善示范区"。其中，北京市定位为"全国政治中心、文化中心、国际交往中心、科技创新中心"；天津市定位为"全国先进制造研发基地、北方国际航运核心区、金融创新运营示范区、改革开放先行区"；河北省定位为"全国现代商贸物流重要基地、产业转型升级试验区、新型城镇化与城乡统筹示范区、京津冀生态环境支撑区"。在科技创新领域，京津冀地区在总体区域面积不大的情况下一直走在全国前列。

如表 3-6 对比所示，由于长江经济带占地广阔，资源丰富，相关技术创新指标优于京津冀地区，但京津冀经济圈创新资源集中度极高。京津冀经济圈内拥有北京怀柔综合性国家科学中心，重点工作聚焦于系统推进重点科学领域跨越发展、推进国家重大科技基础设施集群发展、科学布局前沿交叉研究平台等方面，已经建成投入使用 10 余个研发实验平台，29 个科学设施平台，高能同步辐射光源、综合极端条件实验装置、多模态跨尺度生物医学成像设施、地球系统数值模拟装置、空间环境地基综合监测网 5 个国家重大科技基础设施，11

个科教基础设施,13 个交叉研究平台。经济圈内国家级自主创新示范区 2 个,分别是中关村国家自主创新示范区和天津国家自主创新示范区,国家高新技术产业开发区 7 个,国家重点实验室 171 个,超越长江经济带国家重点实验室总数。2019 年经济圈 R&D 人员全时当量 51.83 万人年,是长江经济带总数的 22.07%。2019 年经济圈内研究与开发机构 R&D 课题数达到 40 990 项,是同年长江经济带总量的 93.88%。经济圈内普通高校 271 所,本科院校 159 所,其中"985"院校 12 所,"211"院校 33 所,2019 年高校 R&D 课题数 172 173 项,普通高校数是长江经济带的 23.38%,而高校课题数是长江经济带的 31.42%。经济圈内有效发明专利数是长江经济带的 41.17%,国外收录科技论文数达到长江经济带总数的 46.14%,将近一半。

表 3-6　2019 年长江经济带与京津冀主要指标对比

指标	长江经济带	京津冀地区
国家科学中心(个)	2	1
国家级自主创新示范区(个)	10	2
国家高新技术产业开发区(个)	79	7
国家重点实验室(个)	161	171
R&D 人员全时当量(万人年)	234.85	51.83
R&D 经费内部支出(亿元)	10 562.5	3 263.29
规模以上工业企业 R&D 项目(项)	332 055	31 836
研究与开发机构 R&D 课题数(项)	43 662	40 990
普通高校数(所)	1 159	271
高等学校 R&D 课题数(项)	547 921	172 173
有效发明专利数(个)	844 912	347 882
国外收录科技论文数(篇)	343 207	158 344

继 2015 年中共中央、国务院印发《京津冀协同发展规划纲要》后,京津冀出台了相关发展推进政策。2016 年 6 月,国务院同意国家发改委、科技部,北京市、天津市、河北省人民政府报送的《京津冀系统推进全面创新改革试验方案》,以深化科技体制改革为动力,充分发挥北京全国科技创新中心的辐射带动作用,依托京津冀各创新产业示范区,进一步促进三地创新链、产业链、资金链、政策链深度融合。2016 年 12 月,京津冀三地共同发布《京津冀大数据综合试验区建设方案》,为京津冀大数据产业的未来发展勾画出路线图。2021 年 5

月，京津冀三方签署《关于打造京津冀工业互联网协同发展示范区的框架合作协议》。除此之外，三地还在交通、商贸、教育、人才资源、医疗、生态保护等方面达成了多份协议，建立健全区域创新体系，推动形成京津冀协同创新共同体。

目前看来，京津冀经济圈的主要优势是天津优越的地理位置以及北京的自主创新能力：研发能力较强、高新技术产业比重高、第三产业发达。天津则利用滨海新区的开放开发机遇，充分利用国家政策支持，具有吸引外资能力强劲的后发优势。但相较于长江经济带，其发展动力仍然较弱，地理体量小是前置原因，除此之外，虽然京津冀经济圈有稳固的工业基础和教育人才资源，其发展主要目标依旧是疏解非首都核心功能、解决北京"大城市病"。由于原本存在的三大区域间壁垒，京津冀地区区域协同能力依旧较差，科技创新能力存在极化现象，主要还是依靠北京的推动作用，各机构、企业间联动合作效应还未充分发挥，高技术产业园区的集聚效应也未凸显，产业集聚的功能不强，不利于高技术产业技术创新的升级。近年来随着长三角、珠三角、川渝经济圈的发展，京津冀人才流失，人才吸引力也有所下降。

(2) 与粤港澳大湾区比较

粤港澳大湾区包括香港特别行政区、澳门特别行政区和广东省 9 个地级市，总面积 5.6 万平方公里，是中国开放程度最高、经济活力最强的区域之一，在国家发展大局中具有重要战略地位。粤港澳大湾区以香港、澳门、广州、深圳四大中心城市作为区域发展的核心引擎，不仅是充满活力的世界级城市群，还是国际科技创新中心、"一带一路"倡议的重要支撑、内地与港澳深度合作示范区。

如表 3-7 所示，由于区域面积体量差距客观存在，长江经济带在创新方面各指标状况优于粤港澳大湾区，但区域占全国土地面积不足 1%的粤港澳大湾区依旧汇聚大量区域创新资源，粤港澳大湾区内含综合性国家科学中心 1 个，位于广州南沙科学城，以建设世界一流海洋科学与工程创新中心为主线，聚焦海洋、能源、信息、生命、空天等领域布局，建设重大科技基础设施集群和前沿交叉研究平台。除此之外，大湾区内含国家级自主创新示范区 2 个，分别为深圳国家自主创新示范区和珠三角国家自主创新示范区，国家高新技术产业开发区 14 个，国家重点实验室 27 个，2019 年共产出有效发明专利数 295 869 个，R&D 人员全时当量 80.32 万人年，是长江经济带总量的 34.20%，超过京津冀地区。规模以上工业企业 R&D 项目 106 340 项，达到长江经济带区域总量的 32.02%。粤港澳大湾区内有普通高校 154 所，本科院校 67 所，其中 985 院校 3

所，211院校5所，还包括香港大学、澳门大学等国际综合性大学，2019年高校R&D课题数91 361项，教育资源优秀。

表3-7 2019年长江经济带与粤港澳大湾区主要指标对比

指标	长江经济带	粤港澳大湾区
国家科学中心(个)	2	1
国家级自主创新示范区(个)	10	2
国家高新技术产业开发区(个)	79	14
国家重点实验室(个)	161	27
R&D人员全时当量(万人年)	234.85	80.32
R&D经费内部支出(亿元)	10 562.5	3 098.49
规模以上工业企业R&D项目(项)	332 055	106 340
研究与开发机构R&D课题数(项)	43 662	7 947
普通高校数(所)	1 159	154
高等学校R&D课题数(项)	547 921	91 361
有效发明专利数(个)	844 912	295 869
国外收录科技论文数(篇)	343 207	50 150

2019年2月中共中央、国务院印发《粤港澳大湾区发展规划纲要》，目标是打造具有全球影响力的国际科技创新中心，同年7月广东省人民政府出台了贯彻落实该纲要的相关实施意见，同时广东省推进粤港澳大湾区建设领导小组印发了《广东省推进粤港澳大湾区建设三年行动计划(2018—2020年)》；2020年，教育部、广东省人民政府联合印发《推进粤港澳大湾区高等教育合作发展规划》，进一步强化粤港澳高等教育互联互通的体制机制创新；2021年2月，广东省人民政府印发《广东省进一步推动竞争政策在粤港澳大湾区先行落地的实施方案》，厘清政府和市场、政府和社会的关系，改善营商环境，激发各类市场主体活力，提升政府治理能力，打造具有全球竞争力的营商环境，建设一流湾区。

改革开放40多年以来，粤港澳大湾区作为经济特区的所在地一直处于国家开放创新的前沿，在国内区域发展领域走在长江经济带之前。区域占全国土地面积不足1%，人口不足全国总人口的5%，却创造了全国GDP的13%，产业体系完备，工业生产能力强大，近年来区域制造业不断转型，向信息化、智能化发展，高中低端制造业进一步聚集，生产能力也进一步增强。“一国、两制、三关"的多元体系，注定其成为外向型经济特征明显、国际化程度高的区域，可以作为国家领导新型全球化的试验平台辐射 50%的共建"一带一路"地区。同时，粤港澳大湾区可以在更高的起点上借鉴国际上成熟湾区的经验和教训，而长江经济带可借鉴的条件有限。总的来说，粤港澳区域经济发展水平较高，经济实力总体较强，产业结构、三次产业比重更为合理，第三产业比重接近第二产业比重，经济发展进入全面工业化并向成熟工业化阶段演进。但其土地资源稀缺，受国际贸易影响更为严重，面临着更多的国际贸易壁垒和摩擦。相比较而言，长江经济带面向国内的科技创新优势更大。

（3）与台湾新竹比较

台湾新竹科学工业园区位于中国台湾省新竹市，是台湾省第一个科技园，有"台湾硅谷"之称，辖属 6 个卫星园区，分别是新竹、竹南、铜锣、龙潭、宜兰与新竹生物医学园区，总开发面积 1 375 公顷，目前所有卫星科学园区已有厂商进驻并开始营运。2020 年营业额增长 13.95%，突破 2 883 亿元人民币，出口额 3 141 亿元人民币，促进 156 389 人投入就业市场。

园区产业共分六大类：集成电路产业、计算机及周边产业、通信产业、光电产业、精密机械产业及生物技术产业。其中集成电路产业产值占园区总产值七成，为园区第一大产业，光电产业营业额占园区总产值近两成，为园区第二大产业。新竹园区为主园区，主攻精密机械、集成电路、光电、通信、计算机及周边、生物技术等产业，园区内包含台湾高速网络与计算中心、台湾太空中心、台湾半导体研究中心、台湾仪器科技研究中心；竹南园区主要支援光电产业、太阳能产业，以及 LED 相关产业的上、下游厂商，园区紧邻台湾卫生研究院与农业科技研究院动物科技研究所；铜锣园区地处新竹与中彰投枢纽地带，支援新竹半导体产业，配合中部地区精密机械、工具机与自动化技术的发展，以及全球发展电动车趋势，陆续发展为智慧机械与车用电子等产业聚落；新竹生物医学园区内设有生物医学科技与产品研发中心、产业育成中心、台大医院新竹生物医学分院及特色医疗专区三大核心设施，并整合生物医学产业发展所需要的研发、试制、临床试验、专利转移，以及厂商育成等；龙潭园区除光电产业外，还涵盖半导体、生物技术制药等多元产业；宜兰园区集结当地丰富的人文、地理环境优势，发展通信知识服务、数位创意等新兴产业。2020 年，新竹科学工业园开放精密机械、生物科技、绿能、通信及光电元件系统 5 大产业进驻并得以量产。新竹科学工业园周边环立台湾中华大学、玄奘大学、元培医事科技大学等高校，为园区提供充沛的人力资源、在职训练及合作研究资源。2020 年新竹科学工业园区新兴产业专题人才培训计划、专业技术人才培训计划、宜兰园区人才培训计划、生物医学技术人才培训计划等共培育相关科技人才 9 029 名。

作为 1980 年就开办的科技园区，台湾新竹科学工业园区的园区模式、相关政策都值得大陆科技园区学习。首先，政府在园区的开发建设中起主导作用，规划完备的设施和厂房、5 年免税优惠政策、完整的咨询网络服务系统，以及大量科技奖项、科技基金使政府成为园区创新网络的重要节点，在充分发挥政府力量的同时，并不对园区企业进行直接的行政干预，从而实现了政府力量与市场力量的有机结合。其次，大量的中介机构促进园区企业及机构间的协同发展。最后，为了有效地管理整个园区，园区管理者先后制定了一系列政策措施和规章制度，使园区管理逐渐走上科学化、规范化轨道。但台湾新竹科学工业园区近年来也面临转型困境，首先，台湾省内部需求低，生产的产品过于依赖外部市场，一旦外部市场有起落，则园区内部企业会受到极大打击。其次，随着台湾省土地价格的快速上涨，园区发展最基础的工业用地成了稀缺资源，不再是政策“低洼地带”的新竹科技工业园虹吸效应递减。2020 年，台湾新竹科学工业园区管理局积极规划产学合作计划创新转型，鼓励厂商跨界合作，并有效推动 AI、IoT 与 5G 等核心技能课程，以激励厂商抢先布局后疫情时代蓝图，厚植新兴科技人才。2020 年总共投入新台币 7 740 万元用于研发补助，让园区持续保有丰富的研发能量。对此，大陆的科技园和创新区域也该认真审视自身的创新产业持续发展能力。

3.4.2 长江经济带科技创新国际经验借鉴

(1) 加州硅谷

美国加州硅谷是美国高新技术的摇篮，已成为世界各国高科技聚集区的代名词。创新是硅谷经济的驱动力，也是区域竞争优势的重要来源。它将新颖的想法转化为创造和扩大商机的产品、流程和服务，创业精神也是硅谷创新体系的重要组成部分。2020 年硅谷地区生产总值 3 510 亿美元，拥有 114 家独角兽公司(占美国所有独角兽企业的 25%)，注册专利 20 640 项，占美国总份额的 47%，在各地区中排名第一。硅谷风投融资在 2020 年创下历史新高，达到 264 亿美元，其中互联网公司获得风险投资资金的 42%。硅谷居民的整体教育水平非常高，2020 年硅谷成人受教育程度中，硕士学位以上达到 25%，学士学位占 28%，低于高中学位人口只占 11%，受过高等教育的当地劳动力是产生创新想法、产品和服务的宝贵资源。2020 年硅谷总就业人数当中，创新科技劳动力就占 29.6%，共 458 874 人，其中 38%在 15 个大型科技公司，62%在其他科技公司。从当地从事科技职业的总人数、从事科技工作的人员比例以及 5 年的增长率来看，硅谷仍然是美国顶尖的科技人才中心。

在结构上，硅谷以高新技术中小公司群为基础，同时拥有谷歌、脸书(Facebook)、惠普、英特尔、苹果、思科、英伟达、甲骨文、特斯拉、雅虎等大公司，融科学、技术、生产为一体，计算机公司数量已经发展到大约 1 500 家。硅谷将一些具有雄厚科研力量的美国顶尖大学作为依托，主要包括斯坦福大学、圣塔克拉拉大学、圣何塞州立大学、卡内基梅隆大学，以及不位于硅谷内但作为研究资源和毕业生来源的加利福尼亚大学伯克利分校、加利福尼亚大学戴维斯分校、加利福尼亚大学圣克鲁斯分校、加州州立大学东湾分校和加州州立大学海沃德分校。其中斯坦福大学为硅谷的创新发展贡献最多，不仅是知识、技术、人才的重要供给者，还直接参与了知识的生产、传播和应用，硅谷先后有约 5 000 个公司的起源可以追溯到斯坦福的教职工或者学生的创意。经过多年发展，硅谷建立了一条包括供应商、风投、技术供应、创业辅导、外包公司等在内的完整的供需产业链，最为突出的是，美国近一半风投公司集中在硅谷，为其区域创新环境的形成和发展提供资金支持，是硅谷创新的发动机。多元化、开放、快速迭代的文化，是推动硅谷科技企业高速发展的助力，自由合作的文化氛围使得技术人员跳槽或创办公司成为正常现象，促进了信息知识快速传递，适应快速变化的市场。对于创业失败的包容文化也激励了硅谷人在创新创业上的不断尝试。在硅谷的发展中，政府不占主导地位，但是通过适当的创新激励政策和完善的法律制度来间接调控，为其高科技产业发展创造了有利条件。

(2) 以色列

以色列是一个发达资本主义国家，也是中东地区最为强大，现代化水平、经济发展水平最高的国家。以色列自建国以来一直致力于科学和工程学的研究，拥有 14 位诺贝尔奖得主，其在军事科技、电子、通信、计算机软件、医疗器械、生物技术工程、农业、航空等领域具有先进的技术水平。以色列的纳斯达克上市公司逾 80 家，仅次于美国和加拿大，居世界第三位。2019 年国家民用研发支出 6 941 600 万 NIS(新谢克尔)，占国家 GDP 的 4.8%，其中 53.9%用于高校经费，29.1%投入工业技术；高科技部门雇员 346 900 人，占总就业人口的 9%，在世界各国中名列前茅；国家教育支出 1 126 亿 NIS，占国家 GDP 的 8%，高等教育机构学位获得者 82 900 人；制造业中 25.1%的岗位属于高科技产业、17.2%的岗位属于中高技术产业；初创活跃公司 4 658 家。2020 年世界知识产权组织(WIPO)发表的全球创新指数报告显示，2020 年以色列全球创新指数总排名第 13，其中人力资本与研究排名第 15、市场成熟度排名第 14、业务成熟度排名第 3、知识及技术输出排名第 4、创造性产出排名第 26。

其不俗的创新成绩归结为以下几点:第一是国家对于教育和人才培养的重视。以色列教育的特点是教育经费的高投入、义务教育的长时段、高等教育的优质化、高端人才的井喷化,其国民预期受教育年限高达16年。以色列国内还有许多在全球学术领域表现突出的研究型大学,为以色列科学研究和技术研发作出了巨大的贡献。魏茨曼科学研究所在全球生命科学和药物研究领域名列榜首,以色列理工学院与美国斯坦福大学和麻省理工学院齐名,除此之外还有著名的耶路撒冷希伯来大学、巴伊兰大学、特拉维夫大学、海法大学、本·古里安大学、以色列开放大学等。第二是军队在国家创新中发挥的重要作用。以色列要求军人在服兵役时厘清军队与创新间的关系,许多人在退役后都成为以色列科技界的重要人物,军工产业的产品和人才用于反哺社会,进一步推动了以色列高科技产业的发展。第三是卓越的企业孵化生态将以色列打造为全球创业高地。以色列目前已形成20多家成熟的孵化器,每年都有大批企业在孵化器支持中将科技转变为市场产品,项目成功运行比例达45%,远远高于世界平均水平。因此,在以色列的创新型经济体系内,中小企业的地位举足轻重,其数量占企业总量的97%,贡献着国民生产总值的50%,提供了全国60%的就业岗位。同时,很多全球顶尖的科技公司都聚集于以色列,以色列本地企业大量吸纳国外风险投资,至少与150多家外国公司共同开展研发合作。第四是以色列政府对于本国高科技创新的重视及政策完善。以色列政府深化了经济自由化改革,一方面减轻对资本市场的管制,吸引外国资金流入,推出YOZMA项目,引导风险投资发展;另一方面推进企业的私有化进程,加强科技立国的政策牵引,鼓励军事技术转民用的企业研发。政府完善了技术创新的资金供给体系,工贸部的首席科学家办公室先后出台了种子基金计划、生物技术计划、通用技术研发计划、磁石计划等技术研发资助计划,旨在为企业和高校的技术创新提供充足的资金支持。2016年,以色列国家技术与创新总局(NATI)取代首席科学家办公室,直接统领以色列产业研发中心(MATIMOP),负责各领域的创新项目,以确保创新政策的时效性与灵活性,对接全球化时代以色列初创企业的新需求。大量鼓励创新的税收政策以及创新保护法案也为以色列国内创新保驾护航。

(3) 爱尔兰

2019年爱尔兰GDP为345亿欧元,年增长5.6%,企业研发支出32.6亿欧元,大型企业占2019年研发支出的2/3,89.3%的研发支出来自企业自有资金或内部资金,其余10.7%来自外部资金。2019年,爱尔兰共有27 755人从事研发工作,其中1 966人为博士研究人员,45%的研发人员在大型企业。由于爱尔兰国家政策的支持，很多高科技企业聚集在爱尔兰，首都都柏林更有着“欧洲硅谷”的美誉。世界著名公司如微软、谷歌、亚马逊、易贝、贝宝、雅虎、脸书、推特和辉瑞公司等都在都柏林设有欧洲总部或分公司，中国的华为、腾讯等领先企业也已经进驻爱尔兰。在爱尔兰从事研发活动的企业近 1 800 家，有 1 322 家爱尔兰企业从事研发活动，占所有研发活跃企业的 73.5%。而外资企业 477 家，占全部研发活跃企业的 26.5%。爱尔兰是世界上国民受教育程度最高的国家之一，拥有都柏林圣三一大学、都柏林大学、都柏林城市大学、科克大学、高威大学、利莫瑞克大学和梅努斯大学，这也极大地促进了经济的繁荣和发展，2020 年爱尔兰所有 15～64 岁的人中，80.2%的人达到高中及以上的教育水平。2020 年 WIPO 发表的全球创新指数报告显示，2020 年爱尔兰全球创新指数排名第 15，总排名低于中国一位，但在创新制度（全球排名第 17）、创新设施建设（全球排名第 10）、创新业务成熟度（全球排名第 14）和创新知识技能输出（全球排名第 5）方面强于中国。

有效的政策鼓励、积极的对外发展和强大的智力支持是爱尔兰创新发展的三大支柱。首先是政策鼓励，爱尔兰政府十分重视前瞻研究，设有爱尔兰科学技术及创新委员会（ICSTI），负责管理“爱尔兰前瞻计划”的实施，就科技政策方向向政府提出咨询建议，涉及科研、高等教育、技术与工业研发、创新融资、培养公众的科技意识以及确定政府在科技支出方面的优先顺序。2015 年底，爱尔兰政府发布《创新 2020——科学技术研发战略》，旨在使爱尔兰成为全球创新的领导者，实现强劲的、可持续的经济增长和更好的社会发展。爱尔兰政府实施的“商业拓展计划”和“种子基金”等计划已经成为科技创业型企业最重要的投资来源，同时极大地鼓励了年轻大学毕业生创业。其次是积极对外发展，爱尔兰政府实行 12.5%的公司税税率，并与 44 个国家签订了避免双重课税协定，是全世界税率最低的国家之一，凡是从 2004 年开始增加研发投入的企业还可获得 20%的税收抵免。《欧洲专利公约、版权法、专利法、数据保护法、电子商务法》等一系列鼓励科技创新的相关法律为爱尔兰创新发展提供了保障。最后，爱尔兰对于创新的重视还体现在教育方面，除了在课堂上培养创新创业精神、教授专业知识以外，爱尔兰高等院校还为学生提供了全套的课下创业支持，最著名的是圣三一大学的 Launch Box 和 Launch Pad 项目、都柏林大学的 NovaUCD 中心，以及陆续在其他学校开展的创业孵化项目等。这些项目为创业的学生提供足够的资金、智力、经验、人才支持，为学生传道解惑的同时，也从各个层面保证学生创业的顺利进行。2010—2015 年，圣三一大学累计培养了 114 名企业家，创办了 106 家公司，涵盖医疗设备、医药和信息通信技术等领域，资本增加高达5亿多欧元。

3.4.3 长江经济带科技创新存在问题分析

(1) 区域创新能力不平衡

区域创新能力发展不平衡、区域协同性差是长江经济带最突出的问题。长江经济带覆盖11省市，横跨东中西部，区域范围大。东部沿海地区的上海、江苏、浙江与西部内陆地区的贵州和云南相比在R&D经费支出、有效发明专利数、新产品销售收入、国家创新机构数量等方面实力差距悬殊，下游已整体迈入工业化高级阶段，中上游尚处于工业化中级阶段。其中，上海、浙江、江苏、重庆处于第一梯度，江西、安徽、四川、湖北和湖南处于第二梯度，处于第三梯度的是云南和贵州，中西部地区的经济发展受到制约，导致区域间发展矛盾。再者，这种不平衡和不协调不仅在省份之间，还存在于不同的城市群、城市与城市、城乡之间。除了自然条件、历史条件、政策条件、区位条件和市场条件，交通条件和差距也是造成这种不平衡性的原因。相比于中西部地区，东部地区水运、陆运更加发达便利，人力资本水平更高，对经济的推动力更强。其中，人力资本水平的不断提高是技术引进和开展自身技术研发的基础，进而能够对科技创新产生显著的正向影响，而人力资本的移动聚集与城市科技创新环境有千丝万缕的联系，从而引出下一问题。

(2) 科技创新环境亟待优化

科技创新环境是科技创新发展的基础要素，对于沿长江而下的长江经济带来说，首先需要考虑的就是长江水资源问题，而近年来长江周边水资源总量及水体污染问题不容乐观，科技在水资源支撑上发挥的作用还不够大，系统性不足。其次是对长江流域生态系统的把控力不足，长年的粗放式发展使得环境风险控制力差，随着工业化、城镇化进程加快和消费结构升级，长江经济带能源需求刚性增长，节能降耗和提升资源利用效率成为制约长江经济带经济社会发展的瓶颈之一。最后，长江“黄金水道”系统尚未完全建立起来，航运潜能尚未充分发挥，周边枢纽城市的集疏运能力没有明显提高，各种运输方式缺乏有效衔接，综合交通的整体效率和服务质量有待提高。创新资源跨省市流动存在行政分割，没有形成制度化的交流和协同体系，不仅使创新投入和产出的差距加大，而且地域间创新设施的重复建设、无序竞争依旧存在，导致大量的资源浪费。上海作为长江经济带的创新核心，没有发挥出引领作用，大部分合作项目还停留在商议阶段，众多城市通过协同创新、科研成果转化促进整个经济带发展的链条没有打通。

(3) 创新成果转化不足

长江经济带科技创新产出能力与投入不成正比，许多创新停留在纸面与理论层面上，市场转化率低。高新技术产业的有效发明专利虽然保持着增长趋势，但是增长缓慢，有效发明专利和新产品销售收入的增长率有时甚至呈现下降趋势。首先，创新成果的转化需要完善的政策支持和服务，长江经济带周边省市需加快建立包括资金投入、成果担保、产权质押、风险投资等一系列的科技金融体系。其次，科技成果的供给方为高等院校、科研院所等，大部分高校的课程设置依旧停留在基础理论知识方面，缺少与当下市场发展的联系。同时企业和高校之间缺乏沟通，高校缺乏雄厚的资金支持以及对市场需求的洞察力，市场经验缺乏，而企业也习惯性地让高校或研究机构独立创新研发，缺乏长期需求引导和经验支持。科研项目从选题、立项直至成果转化必须紧密围绕产业发展，尤其是与新兴产业的发展紧密结合。企业应该更多走进高校并致力于成为创新体系的主体，加强内部科研经验对高校课堂的输送。最后，针对创新的考核具有唯成果、唯专利倾向，需要加强科研成果对现实效用的评估及过程监督。

(4) 区域周边前瞻布局不足

长江经济带周边区域国际站位不够高，前瞻布局不足，创新成果缺乏自身竞争力，在关键技术上缺乏国际市场的掌控力。长江经济带区域范围广，区域创新能力存在着较大的地区差异，地区水土资源也各有特点，从而影响了外资的空间分布情况，导致外资在我国分布呈现出不均衡状态，直接影响我国的区域经济增长。长江经济带周边省市在发展过程中较多学习领先者的模式政策，并没有很好地抓住自身产业的地域优势。长三角地区在长江经济带国外投资中处于绝对的领先地位，资源的大量堆砌造就国际化服务良好的现状，但仅仅依靠长三角地区，这对于长江经济带的国际化发展是远远不够的。许多内陆城市与国际协同的能力不足，缺乏必要的国际教育、医疗配套资源，对应外资落地的相关政策模糊，对国际人才吸引力不足，导致国际资源在导入时面临障碍，从而进一步加剧国际资源分配的不协调。内陆城市应在完善基础资源的同时积极争取国际会议、赛事的举办资格，扩大城市知名度，增强国际影响力以吸引外资输入。

04

第四章

绿色低碳高质量发展总况

4.1 生产消耗逐步绿色低碳，企业绿色竞争力不断提升

4.1.1 工业生产废物利用率较高

固体废物污染防治关乎生态环境质量，近年来长江经济带一般工业固体废物综合利用率较高。第十三届全国人民代表大会常务委员会第十七次会议审议通过修订的《中华人民共和国固体废物污染环境防治法》于2020年9月1日正式实施。修订后的《中华人民共和国固体废物污染环境防治法》进一步明确，固体废物污染环境防治坚持减量化、资源化和无害化原则，同时强化政府及其有关部门监督管理责任，如目标责任制、信用记录、逐步实现固体废物零进口等。该法的实施有利于节约能源资源，实行全面节约战略，持续降低单位产出能源资源消耗和碳排放，提高投入产出效率，从源头和入口形成有效的碳排放控制阀门。现阶段，综合利用仍然是处理一般工业固体废物的主要途径，近年来长江经济带一般工业固体废物综合利用率较高，逐步实现资源的循环利用。

由表4-1知，2020年长江经济带各省市中，除江西、四川和云南三省外其他省市一般工业固体废物综合利用率均超过了长江经济带的66.08%，其中东部地区的上海、江苏和浙江一般工业固体废物综合利用率均超过了90%，实现了工业固体废物的再生和利用；中部地区的湖南和湖北综合利用率分别为75.00%和68.74%，也居于较高水平，且湖南仅产生一般工业固体废物4 360万吨，少于同地区绝大多数省份；而西部地区各省份一般工业固体废物综合利用率普遍较低，四川仅为37.95%，大大低于长江经济带的66.08%。2020年云南一般工业固体废物产生量最多，达17 473万吨，且其对一般工业固体废物综合利用量较低，为9 060万吨，由此导致本省一般工业固体废物综合利用率为51.85%，低于长江经济带整体的66.08%；上海一般工业固体废物产生量1 809万吨，为区域最少，且其中有1 702万吨实现了废物综合利用，综合利用率高达94.09%。

2020年全国一般工业固体废物综合利用率为55.44%，长江经济带高出全国水平近11个百分点，一定程度上说明在一般工业固体废物综合利用等方面，长江经济带的确逐渐实现生产消耗绿色低碳，并逐渐走在全国前列。在经济

发展过程中，长江经济带最大限度地降低资源与能源的耗费，固体废物中有效资源得到最大限度的回收与综合利用，进而带来更大的经济和生态收益。

表 4-1　2020 年长江经济带各省市及全国一般工业固体废物产生量、综合利用量和利用率

单位：万吨

地区	一般工业固体废物产生量	一般工业固体废物综合利用量	一般工业固体废物综合利用率
上海	1 809	1 702	94.09%
江苏	11 870	10 866	91.54%
浙江	4 591	4 546	99.02%
安徽	14 012	12 026	85.83%
江西	12 083	5 498	45.50%
湖北	8 987	6 178	68.74%
湖南	4 360	3 270	75.00%
重庆	2 272	1 909	84.02%
四川	14 903	5 656	37.95%
贵州	9 516	6 610	69.46%
云南	17 473	9 060	51.85%
长江经济带	101 876	67 321	66.08%
全国	367 546	203 768	55.44%

数据来源：《中国统计年鉴—2021》。

4.1.2　企业科技创新发展投入加大

长江经济带各省市逐步加大 R&D 经费投入，提高企业绿色核心竞争力。R&D 经费是指全社会研究和试验发展经费，主要用于基础研究、应用研究和试验发展，对提高全社会生产力、促进经济增长具有重要的作用。近年来，长江流域科技经费投入力度进一步加大，R&D 经费投入保持较快增长，投入强度也持续提高，财政科技支出稳步增加。2011—2020 年，长江经济带各省市逐步加大了 R&D 经费的投入，各地区企业也充分重视通过技术革新的方式来提升企业绿色核心竞争力。长江经济带 2011—2020 年各省市规模以上工业企业 R&D 经费投入如表 4-2 所示。

由表 4-2 知，长江经济带各省市规模以上工业企业 2011—2020 年 R&D 经费投入逐年增多，2011 年长江经济带各省市 R&D 经费投入为 2 613.00 亿元，2020 年 R&D 经费投入为 7 725.00 亿元，增加了 5 112.00 亿元。其中，江

表 4-2　2011—2020 年长江经济带各省市规模以上工业企业 R&D 经费投入

单位:亿元

地区	2011 年	2012 年	2013 年	2014 年	2015 年	2016 年	2017 年	2018 年	2019 年	2020 年
上海	344.00	372.00	405.00	449.00	474.00	490.00	540.00	555.00	591.00	635.00
江苏	900.00	1 080.00	1 240.00	1 377.00	1 507.00	1 658.00	1 834.00	2 025.00	2 206.00	2 382.00
浙江	480.00	589.00	684.00	768.00	854.00	936.00	1 030.00	1 147.00	1 274.00	1 396.00
安徽	163.00	209.00	248.00	285.00	322.00	371.00	436.00	497.00	577.00	639.00
江西	77.00	93.00	111.00	128.00	147.00	180.00	222.00	268.00	320.00	346.00
湖北	211.00	263.00	312.00	363.00	407.00	446.00	469.00	526.00	581.00	611.00
湖南	182.00	229.00	270.00	310.00	353.00	393.00	462.00	517.00	593.00	665.00
重庆	94.00	117.00	139.00	166.00	200.00	237.00	280.00	299.00	336.00	373.00
四川	104.00	142.00	169.00	196.00	224.00	257.00	301.00	342.00	388.00	428.00
云南	30.00	38.00	45.00	52.00	62.00	74.00	89.00	107.00	130.00	145.00
贵州	28.00	32.00	34.00	41.00	46.00	56.00	65.00	76.00	91.00	105.00
长江经济带	2 613.00	3 164.00	3 657.00	4 135.00	4 596.00	5 098.00	5 728.00	6 359.00	7 087.00	7 725.00

数据来源:历年《中国统计年鉴》。

苏 R&D 经费投入最多,2020 年高达 2 382.00 亿元,位居各省市 R&D 经费投入首位,较 2011 年的 900.00 亿元增加了 1 482.00 亿元;贵州 R&D 经费投入最少,但 2020 年较 2011 年的 28.00 亿元也增加了 77.00 亿元。2011 年江西、重庆、云南和贵州 4 省市 R&D 经费投入在百亿元以下,2020 年这 4 个省市均实现了百亿元的突破,最少的贵州省 R&D 经费投入为 105 亿元。可见长江经济带区域各省市充分认识到企业绿色核心竞争力的重要性,不断加大 R&D 经费投入,引导绿色技术创新,提高产业和经济的全球竞争力。

但是,由于经济基础和历史原因,整个长江经济带的 R&D 经费投入地区分布仍然不平衡。以 2020 年数据为例,东部地区的江苏和浙江两省的 R&D 经费投入是长江经济带的 48.91%,占据整个长江经济带 R&D 经费投入的将近一半;中部地区的湖南和湖北 R&D 经费投入分别为 665.00 亿元和 611.00 亿元,与同区域中西部省市相比相对较高;而西部地区的重庆、云南和贵州 R&D 经费投入较低,三省市 R&D 经费投入之和仅占整个长江经济带的 8.06%。可以看出,整个长江经济带东部地区 R&D 经费投入较大,西部地区 R&D 经费投入较少,地区之间投入差距较大。

4.2　生态环境消耗逐步低碳,清洁能源需求逐渐增长

4.2.1　化石能源消耗逐渐降低

长江经济带化石能源消耗量总体呈现逐渐减少的趋势。长江经济带横跨东中西部三大地势阶梯,地层发育齐全,成矿条件较好,拥有页岩气、锰、钒、钛、钨、锡、锑、稀土、锂、磷等多种矿产资源,是我国重要的矿产资源基地。长江经济带目前形成了湖北鄂州和黄石铁铜金矿业经济区、四川攀枝花钒钛矿业经济区等 29 个全国重点矿业经济区。在能源储量和消耗方面,长江经济带分布着我国五大钢铁基地、七大炼油厂,是我国的能源高消耗地区。近年来,在我国不断提倡节能减排、低碳发展的时代背景下,长江经济带逐渐步入绿色低碳高质量发展新阶段,对煤炭等化石燃料的依赖性逐渐降低,化石能源总体消耗量呈现逐渐减少的趋势。

化石能源的使用过程中会新增大量温室气体如二氧化碳,以及其他污染物,威胁全球生态。长江经济带十分重视环境保护与全球生态,近年来有意降低全域内对化石燃料和不可再生能源的使用。由表 4-3 可知,2011—2019 年

长江经济带各省市中上海、江苏、浙江、湖北、湖南、重庆、四川、云南的煤炭消费量总体均呈现下降趋势，2019 年的消费量较 2011 年均有不同程度的减少，即长江经济带大部分地区均实现煤炭总体消费量的减少。其中江苏煤炭消费量居于榜首，为 24 902.05 万吨，较 2011 年的 27 364.00 万吨，实现了 2 461.95 万吨的减少量。而安徽、江西和贵州三省 2019 年煤炭消费量较 2011 年末均有不同程度的上涨，增长量分别为 2 161.74 万吨、1 007.94 万吨和 119.17 万吨。其中江西和贵州 2011—2019 年煤炭消费量较为稳定，增幅不大，安徽的煤炭消费量则呈现总体递增的趋势。

由表 4-3 可知，2011—2019 年长江经济带煤炭消费量总体呈现逐渐减少的趋势。2019 年末煤炭消费量为 122 418.57 万吨，较 2018 年末的 122 616.90 万吨减少消费 198.33 万吨，较 2011 年末的 139 011.00 万吨减少消费 16 592.43 万吨，煤炭消费量减少十分明显。与此同时，2019 年全国煤炭消费量高达 401 915.00 万吨，较 2018 年末的 397 452.00 万吨增加 4 463.00 万吨，较 2011 年末的 388 961.00 万吨增加 12 954.00 万吨。2011 年长江经济带煤炭消费量占全国煤炭消费总量的 35.74%，而 2019 年该值则为 30.46%，实现了煤炭消费占比的下降。在全国煤炭消费量持续增长的情况下，长江经济带煤炭消费量保持着总体稳步减少的发展趋势，逐步实现二氧化碳排放量的不断减少与化石能源消费的不断降低，为实现碳达峰、碳中和奠定了坚实基础。

由表 4-4 可知，2011—2019 年长江经济带各省市中上海、浙江、江西、四川、云南和贵州的燃料油消费量总体均呈现下降趋势，2019 年较 2011 年的消费量均有不同程度的减少，即长江经济带大部分地区实现燃料油总体消费量的减少。其中上海 2019 年燃料油消费量最多，为 658.32 万吨，较 2011 年的 675.04 万吨实现了 16.72 万吨的减少量。而江苏、安徽、湖北、湖南和重庆等省市 2019 年燃料油消费量较 2011 年末均有不同程度的上涨，其中江苏消费量最多为 159.03 万吨，紧随其后的是湖北的 148.83 万吨，较 2011 年燃料油消费量分别增加 7.84 万吨和 51.49 万吨。

由表 4-4 可知，2011—2019 年长江经济带燃料油消费量总体呈现逐渐减少的趋势。2019 年末燃料油消费总量为 1 455.63 万吨，较 2018 年末的 1 514.84 万吨减少消费 59.21 万吨，较 2011 年末的 1 499.40 万吨减少消费 43.77 万吨，均实现了燃料油消费量的减少。与此同时，2019 年全国燃料油消费量高达 4 690.34 万吨，较 2018 年末的 4 536.07 万吨增加 154.27 万吨，较

表 4-3 2011—2019 年长江经济带各省市煤炭消费量

单位:万吨

地区	2011 年	2012 年	2013 年	2014 年	2015 年	2016 年	2017 年	2018 年	2019 年
上海	6 142.00	5 703.00	5 681.19	4 895.78	4 728.13	4 625.62	4 577.84	4 420.62	4 238.28
江苏	27 364.00	27 762.00	27 946.07	26 912.61	27 209.00	28 048.13	26 620.03	25 407.28	24 902.05
浙江	14 776.00	14 374.00	14 161.26	13 824.37	13 826.00	13 948.49	14 262.04	14 180.08	13 676.90
安徽	14 538.00	14 704.00	15 665.08	15 786.98	15 671.00	15 728.68	16 084.62	16 673.06	16 699.74
江西	6 988.00	6 802.00	7 254.69	7 477.31	7 698.00	7 617.59	7 761.30	7 877.77	7 995.94
湖北	15 805.00	15 799.00	12 166.72	11 887.83	11 766.00	11 685.88	11 776.96	11 100.11	11 768.33
湖南	13 006.00	12 084.00	11 223.84	10 899.51	11 142.00	11 443.53	12 404.56	10 922.31	10 664.02
重庆	7 189.00	6 750.00	5 794.47	6 095.78	6 047.00	5 674.37	5 646.68	5 129.52	5 022.94
四川	11 454.00	11 872.00	11 678.55	11 045.39	9 289.00	8 869.49	7 855.88	7 495.78	7 713.47
云南	9 664.00	9 850.00	9 783.09	8 674.67	7 713.00	7 461.18	7 211.26	7 402.33	7 532.73
贵州	12 085.00	13 328.00	13 650.74	13 117.60	12 833.00	13 642.75	13 409.76	12 008.04	12 204.17
长江经济带	139 011.00	139 028.00	135 005.70	130 617.83	127 923.48	128 745.71	127 610.93	122 616.90	122 418.57
全国	388 961.00	411 727.00	424 426.00	413 633.00	399 834.00	388 820.00	391 403.00	397 452.00	401 915.00

数据来源:国家统计局。

表 4-4　2011—2019 年长江经济带各省市燃料油消费量

单位:万吨

地区	2011 年	2012 年	2013 年	2014 年	2015 年	2016 年	2017 年	2018 年	2019 年
上海	675.04	640.15	603.14	556.15	540.23	581.46	672.44	658.22	658.32
江苏	151.19	158.35	182.70	151.78	144.00	151.60	246.02	247.11	159.03
浙江	370.29	328.67	328.49	339.38	326.00	381.29	398.32	304.08	303.79
安徽	11.31	11.08	9.80	10.25	13.00	21.21	22.81	22.14	21.49
江西	26.80	29.85	31.47	15.80	18.00	15.05	11.95	11.74	12.25
湖北	97.34	104.29	118.84	135.51	149.00	136.12	130.15	129.43	148.83
湖南	68.98	61.23	68.31	67.73	93.00	94.05	93.59	90.44	83.05
重庆	9.37	9.89	11.98	14.75	14.00	13.91	14.25	16.18	18.42
四川	70.45	75.21	87.90	125.72	136.00	155.44	159.77	33.33	50.06
云南	2.59	2.61	3.24	3.82	3.00	1.11	0.57	1.77	0.23
贵州	16.04	4.68	0.51	0.12	0	0.52	0.32	0.40	0.16
长江经济带	1 499.40	1 426.01	1 446.38	1 421.01	1 435.31	1 551.76	1 750.19	1 514.84	1 455.63
全国	3 662.80	3 683.28	3 953.97	4 355.47	4 662.01	4 631.04	4 887.30	4 536.07	4 690.34

数据来源:国家统计局。

2011 年末的 3 662.80 万吨增加 1 027.54 万吨。2011 年长江经济带燃料油消费量占全国燃料油消费总量的 40.94%，而 2019 年该值则为 31.03%，实现了燃料油消费占比的下降。在全国燃料油消费量依旧不断持续增长的情况下，长江经济带燃料油消费量保持着总体稳步减少的发展趋势，严格控制了化石能源消费，加快了化石能源减量步伐。

4.2.2 清洁能源需求增长，发电量逐年递增

长江经济带水电资源丰富，水电、风电和光伏发电量逐年递增。长江经济带沿江分布有金沙江、雅砻江、南盘江、红水河等大型水电基地，为长江经济带的经济社会发展提供了充足的动力。近年来长江经济带有效利用水力资源、风能、太阳能，2016—2020 年，区域水力发电量、风力发电量和光伏发电量呈逐年递增的趋势，具体见表 4-5。

随着我国“节能减排”政策的实施，能源替代型减排成为国家的切实选择，水电成为可再生能源的首选。长江经济带水力发电方面，以 2020 年水力发电量为例，湖北、四川、云南三省水力发电量分别为 1 575.00 亿千瓦时、3 349.00 亿千瓦时和 2 763.00 亿千瓦时，占据长江经济带水力发电主导地位；江苏、安徽水力发电量较少，2020 年两省发电量分别为 32.00 亿千瓦时和 66.00 亿千瓦时，相较于其他省市有些落后。从水力发电量增长情况看，相较于 2016 年，江苏、安徽、湖北、四川和云南 2020 年均实现水力发电量正增长，其中湖北、四川和云南增量较大，分别为 176.00 亿千瓦时、360.00 亿千瓦时和 445.00 亿千瓦时。

长江经济带风力发电方面，江苏和云南占比较高，2020 年两省风力发电量分别为 207.00 亿千瓦时和 248.00 亿千瓦时，较 2016 年分别增长 109.00 亿千瓦时和 99.00 亿千瓦时。从风力发电量同比增长情况看，多数省市风力发电量均基本实现正增长，但上海 2020 年风力发电量较前三年开始出现下降趋势；安徽 2020 年风力发电量高于 2016 年的 34.00 亿千瓦时，但自 2018 年开始下降。湖北风力发电水平一直处于上升趋势，仅在 2020 年出现稍微下降，发电量较 2019 年减少 1.00 亿千瓦时，总体基本实现正增长。

长江经济带光伏发电方面，江苏、浙江、安徽等省光伏发电量较高，2020 年 3 省光伏发电量分别为 167.00 亿千瓦时、131.00 亿千瓦时和 130.00 亿千瓦时。2016—2020 年长江经济带区域内全部省市均实现光伏发电量的正向增长，且各省市均增幅较大。其中上海和贵州实现了从 1.00 亿千瓦时分别到 10.00 亿千瓦时、45.00 亿千瓦时的突破，重庆更是由 0.02 亿千瓦时增长到 4.00

表 4-5　2016—2020 年长江经济带各省市水力、风力、光伏发电量

单位:亿千瓦时

地区	水力发电量					风力发电量					光伏发电量				
	2016 年	2017 年	2018 年	2019 年	2020 年	2016 年	2017 年	2018 年	2019 年	2020 年	2016 年	2017 年	2018 年	2019 年	2020 年
上海	—	—	—	—	—	14.00	17.00	18.00	17.00	15.00	1.00	3.00	6.00	8.00	10.00
江苏	17.00	29.00	34.00	31.00	32.00	98.00	120.00	173.00	184.00	207.00	47.00	81.00	120.00	154.00	167.00
浙江	274.00	212.00	192.00	257.00	209.00	23.00	25.00	31.00	33.00	32.00	22.00	56.00	100.00	119.00	131.00
安徽	63.00	57.00	53.00	51.00	66.00	34.00	41.00	50.00	47.00	47.00	21.00	62.00	104.00	125.00	130.00
江西	199.00	157.00	116.00	168.00	145.00	19.00	31.00	41.00	51.00	52.00	11.00	30.00	52.00	56.00	62.00
湖北	1 399.00	1 494.00	1 471.00	1 357.00	1 575.00	35.00	48.00	64.00	74.00	73.00	11.00	28.00	49.00	57.00	65.00
湖南	560.00	498.00	433.00	544.00	539.00	39.00	50.00	60.00	75.00	94.00	2.00	6.00	20.00	26.00	30.00
重庆	255.00	253.00	242.00	242.00	223.00	5.00	7.00	8.00	11.00	13.00	0.02	0.20	2.00	3.00	4.00
四川	2 989.00	3 164.00	3 249.00	3 316.00	3 349.00	21.00	35.00	55.00	71.00	85.00	11.00	16.00	22.00	28.00	27.00
云南	2 318.00	2 516.00	2 717.00	2 856.00	2 763.00	149.00	188.00	220.00	242.00	248.00	23.00	28.00	34.00	48.00	50.00
贵州	729.00	735.00	770.00	769.00	710.00	55.00	63.00	68.00	78.00	95.00	1.00	6.00	16.00	20.00	45.00
长江经济带	8 803.00	9 115.00	9 277.00	9 591.00	9 611.00	492.00	625.00	788.00	883.00	960.00	150.02	316.20	525.00	644.00	721.00

数据来源:国家统计局。

亿千瓦时，而光伏发电大省江苏、浙江和安徽5年间发电增长量均超过100.00亿千瓦时。光伏作为21世纪新兴发电力量，符合社会发展的时代需求，在长江经济带区域得到越来越广泛的运用，实现了非化石能源的充分利用。

四川水电资源较为丰富，以2020年数据为例，水力发电量3 349.00亿千瓦时，在整个长江经济带居于首位；云南的水力发电量和风力发电量在整个长江经济带均位居前列，分别为2 763.00亿千瓦时和248.00亿千瓦时，为整个长江经济带提供了大量的水电和风电；江苏水力发电量较少，但是风力发电量和光伏发电量在整个长江经济带发电量中均居于前列；上海、安徽、江西和重庆发电量较其他省市低。从时间跨度上，2016—2020年，无论是水电、风电还是光伏发电量，整个长江经济带的发电量都呈稳步上升趋势，尤其是2020年光伏发电量721.00亿千瓦时，相比较2016年150.02亿千瓦时增长了380.60%。

4.3 生活能源消耗逐步低碳，低碳化消费行为开始兴起

4.3.1 化石能源消耗减少，清洁能源比重增加

近年来，长江经济带区域人民生活消耗化石能源比重逐年减少，清洁能源、可再生能源消费比重逐年增加。生活能源化石类以液化石油气为代表，如表4-6所示，2011—2020年长江经济带11省市中除浙江、江西和贵州3省外城市液化石油气供气总量均呈下降趋势。其中安徽城市液化石油气供气总量减少最多，2011年供气总量高达56.72万吨，2020年减为15.77万吨，10年间共计减少40.95万吨，说明安徽逐渐减少对化石燃料的依赖和使用，并逐步运用清洁能源进行替代。同时江苏、湖北和上海10年来城市液化石油气供气总量减幅也较大，分别由2011年的76.66万吨、42.65万吨和39.43万吨降到2020年的52.53万吨、27.19万吨和26.84万吨，各自减少了24.13万吨、15.46万吨和12.59万吨。

同时浙江、江西和贵州3省的城市液化石油气供气总量呈增长态势，分别增长3.15万吨、1.78万吨和5.20万吨，增长幅度较缓，增长值较小。从总体上看，长江经济带各省市从2011年到2020年城市液化石油气供气总量呈减少趋势，整个长江经济带2011年供气总量为394.97万吨，2020年供气总量为306.67万吨，减少了88.30万吨。

表 4-6　2011—2020 年长江经济带 11 省市城市液化石油气供气总量

单位：万吨

地区	2011 年	2012 年	2013 年	2014 年	2015 年	2016 年	2017 年	2018 年	2019 年	2020 年
上海	39.43	39.25	39.73	41.80	42.41	39.79	34.45	31.36	32.80	26.84
江苏	76.66	73.58	70.08	65.18	59.36	51.56	57.71	57.51	55.82	52.53
浙江	80.76	77.64	82.17	70.18	69.59	75.97	69.12	73.06	76.94	83.91
安徽	56.72	53.72	61.96	75.26	73.63	73.11	13.11	15.65	16.22	15.77
江西	19.43	20.43	22.34	23.73	22.89	24.29	21.83	20.27	20.82	21.21
湖北	42.65	38.62	36.16	35.01	35.21	34.79	33.61	32.40	33.00	27.19
湖南	26.59	20.13	19.52	18.92	24.15	24.39	20.30	24.11	25.69	26.24
重庆	9.29	9.33	8.79	9.57	7.64	8.16	7.35	6.45	6.12	5.71
四川	20.66	18.04	18.36	17.51	17.37	17.46	19.59	19.20	19.44	20.50
云南	16.24	17.49	19.60	21.06	21.01	20.71	12.93	14.92	16.21	15.03
贵州	6.54	6.61	7.10	7.60	8.87	9.49	11.41	11.34	12.11	11.74
长江经济带	394.97	374.84	385.81	385.82	382.13	379.72	301.41	306.27	315.17	306.67
全国	1 165.83	1 114.80	1 109.73	1 082.85	1 039.22	1 078.80	998.81	1 015.33	1 040.81	833.71

数据来源：国家统计局。

清洁能源以天然气为代表，如表4-7所示，长江经济带各省市从2011年到2020年城市天然气供气总量逐年增多，整个长江经济带2011年城市天然气供气总量为263.20亿立方米，2020年供气总量为613.23亿立方米，增加了350.03亿立方米。其中，江苏城市天然气供气总量最多，2020年高达143.78亿立方米，位居各省市供气总量首位，较2011年的59.15亿立方米增加了84.63亿立方米；云南城市天然气供气总量相对最少，但2020年的6.03亿立方米较2011年的0.02亿立方米也增加了6.01亿立方米。

同时浙江、湖北、上海和四川10年来城市天然气供气总量增幅也较大，分别由2011年的14.87亿立方米、20.45亿立方米、54.33亿立方米和56.46亿立方米增长到2020年的77.60亿立方米、54.88亿立方米、89.90亿立方米和86.52亿立方米，各自增加了62.73亿立方米、34.43亿立方米、35.57亿立方米和30.06亿立方米。天然气是优质高效、绿色清洁的低碳能源。加快天然气开发利用，是我国推进能源生产和消费革命，构建清洁低碳、安全高效的现代能源体系的重要路径。长江经济带全域内天然气供气总量与消费量的逐年增加，对促进天然气协调稳定发展、缓解能源紧缺、降低燃煤发电比例以及减少环境污染起到了突出的积极作用。

4.3.2 低碳消费行为逐渐兴起

随着国家大力推动节能减排，加快发展循环经济，低碳消费行为逐渐兴起。在全社会积极落实碳达峰、碳中和进程中，人民消费被赋予了新要求——生活消费低碳化。长江经济带各省市尝试从商品的前端（供应端）和末端（消费端），引导企业和居民进行低碳消费，在衣、食、住、行、娱等生活的各方面，有意识、有意愿地选择气候和环境友好型产品与服务，避免浪费，鼓励回收利用。

随着我国“双碳”目标的提出，倡导绿色低碳生活、引导绿色消费成为绿色金融新的业务领域和产品创新方向。2021年8月20日，江苏银行携手中国银联与上海环境能源交易所共同推出江苏银行绿色低碳信用卡，设定绿色消费行为如乘坐公交地铁、云闪付缴费、共享单车骑行、新能源车充电等，可计算个人碳减排量，并配置相应权益，鼓励客户绿色消费，畅享绿色低碳生活。2022年3月29日，由浙江省发改委牵头开发建设的“浙江碳普惠”应用，在“浙里办”正式上线。“浙江碳普惠”是全国首个省级碳普惠应用，也是浙江省“双碳”数智平台中的重大应用之一，全省居民在衣、食、住、行各个领域的“低碳生活”都可以累积碳积分，兑换各类权益，旨在助推形成人人碳普惠的低碳生活新风尚。

生态有价，践行绿色生活的用户理应获得实惠。对此，正在探索建立区域

表 4-7　2011—2020 年长江经济带 11 省市城市天然气供气总量

单位:亿立方米

地区	2011 年	2012 年	2013 年	2014 年	2015 年	2016 年	2017 年	2018 年	2019 年	2020 年
上海	54.33	63.11	69.09	69.61	73.48	77.03	80.81	89.29	97.36	89.90
江苏	59.15	69.18	76.59	84.21	96.98	96.25	108.75	123.87	133.22	143.78
浙江	14.87	19.13	23.01	32.81	31.93	38.64	48.40	62.56	65.67	77.60
安徽	13.88	17.13	19.91	21.97	23.46	28.54	31.12	34.25	38.51	41.44
江西	2.70	4.19	5.61	6.91	7.36	9.06	11.82	14.57	16.98	19.44
湖北	20.45	24.08	28.53	30.94	33.04	37.71	42.40	48.29	57.03	54.88
湖南	13.91	16.13	19.97	21.72	21.55	22.56	23.63	25.93	28.34	28.39
重庆	26.88	32.50	32.43	32.15	34.94	38.45	46.65	49.25	53.81	52.62
四川	56.46	56.83	59.02	61.00	62.80	68.87	71.90	84.72	92.01	86.52
云南	0.02	0.12	0.23	0.44	0.73	1.68	2.87	3.76	4.88	6.03
贵州	0.55	0.99	1.61	2.90	3.29	3.98	7.09	8.29	9.98	12.63
长江经济带	263.20	303.39	336.00	364.66	389.56	422.77	475.44	544.78	597.79	613.23
全国	678.80	795.04	900.99	964.38	1 040.79	1 171.72	1 263.75	1 443.95	1 608.56	1 563.70

数据来源:国家统计局。

性个人碳账户的上海态度鲜明。2022 年 11 月发布的《上海市碳普惠体系建设工作方案》指出，引导碳普惠减排量通过抵消机制进入上海碳排放权交易市场，支持与鼓励上海纳管企业购买碳普惠减排量并通过抵消机制完成碳排放交易的清缴履约。上海“碳普惠”工作就是要将市民低碳行为减少的二氧化碳排放量进行核算，变成每个人账户里的碳积分，再通过对接上海碳交易市场及各商业消费平台，让市民通过低碳行为获得实惠。

4.4 绿色低碳高质量发展存在的问题

4.4.1 生产方面：部分省市 R&D 经费投入较少，制约绿色核心竞争力提升

长江经济带部分省市 R&D 经费投入较少，企业绿色核心竞争力难以持续提升。如表 4-2 所示，2020 年长江经济带规模以上工业企业 R&D 经费投入为 7 725.00 亿元，上游的贵州、云南规模以上工业企业 R&D 经费分别仅有 105.00 亿元、145.00 亿元，而江苏、浙江、上海、安徽四个省市的 R&D 经费达全国的 1/3。巨大的 R&D 经费差异的背后是长江经济带各省市经济水平的差距，该差异导致欠发达省市科技水平落后，企业绿色核心竞争力难以提升，东西部工业水平差距持续拉大。

高等教育的发展与地区经济有着重要关联。江苏、浙江、上海地区人口集中、经济发达，特别是江苏南京高校林立，拥有着优质的教育和人才资源。这些地区本身企业数目较多，对人才的需求量大，也衍生了大量的技术培训机构。而对于高素质劳动力而言，为了更好的生活条件、更完善的基础设施服务、更优的就业机会，他们往往都更愿意去经济更为发达的地区寻求发展机会，从而导致了大量的人才从贵州、云南等地区流向长江经济带的下游城市。而经济发达的江浙沪地区则源源不断地吸收来自全国各地的精英人才，使其不断进行科学研究和技术建设，最终得到绿色核心竞争力的提升。同时优秀人才的流失反过来会阻碍当地经济发展，经济发展的差异又会带来政府对科技财政支出的差异，从而造成恶性循环。上下游地区对科技研发的重视程度不同也导致了科教水平的不均衡，长江上游地区经济水平较低，企业资金较为薄弱，缺少大中型企业科技研发中心，由此 R&D 经费较低，绿色核心竞争力难以得到持续稳步提升。

4.4.2 生态方面:水资源污染严重导致承载力不足

近年来长江经济带水资源需求压力大,水资源承载力不足。长江经济带贯穿我国东中西部地区,涵盖上海、江苏、浙江、安徽、江西、湖北、湖南、重庆、四川、云南、贵州 11 个省市,其人口总数和地区生产总值均超过全国的 40%,是我国经济实力最强的区域之一。然而长久以来粗放型的增长方式使得长江经济带水生态环境破坏严重,水资源需求压力大,水资源承载力不足。

从用水总量来看(表 4-8),2020 年,长江经济带用水总量为 2 482.90 亿立方米,占全国用水总量的 42.71%;生态用水总量为 56.50 亿立方米,占全国生态用水总量的 18.40%;人均用水量为 411.67 立方米,与全国人均用水量基本持平。从地区用水总量和人均用水量来看,各个省市存在较大的差异。江苏省 2020 年用水总量比用水量第二的湖南高出 87.48%,远远超过其他省市;同时,江苏人均用水量达到 675.10 立方米,也远高于其他省市。从水资源总量和人均水资源量方面作比较,2020 年全国水资源总量为 31 605.20 亿立方米,长江经济带水资源总量为 12 130.10 亿立方米,占全国水资源总量的 38.38%,长江经济带人均水资源量总体上高于全国人均水资源量;但是由于水资源利用方式较为粗放,工业用水重复利用率偏低,城镇供水管网漏损率较大,水资源浪费现象仍较严重。

此外,水利部长江水利委员会规划到 2030 年调出长江水量 453 亿立方米,占长江经济带用水总量的 17.17%,部分调水工程将会对所在区域或者河段的水资源利用和生态环境产生不利影响,使得水资源压力进一步增大。同时,长江经济带还存在废污水排放严重、水环境恶化等问题。2017 年,长江经济带氨氮排放量为 66.50 万吨,总磷排放量为 5.87 万吨;2018 年,长江经济带废水排放总量为 298.56 亿吨;主要的一级支流,沱江、清水江、岷江、乌江总磷平均浓度在地表水Ⅲ类水质标准上下浮动;上海、南京、武汉、重庆、攀枝花等主要城市江(河)段近岸水域存在污染带。总体上来说,长江经济带面临着水资源需求与日俱增和水质性缺水问题严重的双重困境,水资源压力和水环境承载力都面临巨大的考验。

表 4-8 长江经济带各省市 2020 年水资源消费情况

地区	用水总量(亿立方米)	生态用水总量(亿立方米)	人均用水量(立方米)
上海	97.50	0.80	392.40
江苏	572.00	4.80	675.10

续表

地区	用水总量(亿立方米)	生态用水总量(亿立方米)	人均用水量(立方米)
浙江	163.90	7.00	255.20
安徽	268.30	8.30	439.90
江西	244.10	3.20	540.30
湖北	278.90	11.80	477.90
湖南	305.10	6.90	459.30
重庆	70.10	1.70	219.20
四川	236.90	5.90	283.30
云南	156.00	4.40	330.60
贵州	90.10	1.70	233.80
长江经济带	2 482.90	56.50	411.67
全国	5 812.90	307.00	411.90
经济带占比	42.71%	18.40%	99.94%

数据来源:《中国统计年鉴—2021》。

4.4.3 生活方面:就业率差距逐年扩大,低碳消费能力受限

长江经济带上游地区就业水平明显低于下游,居民平均收入水平较低,绿色低碳消费能力难以稳步提升。“十三五”期间,长江经济带的就业规模和就业率总体呈上升趋势,但长江下游地区的就业水平明显高于上游地区。就业率低下限制了居民平均收入水平,对日常消费行为造成一定影响,使得上游地区居民的绿色低碳消费能力难以稳步提升。造成这种情况的原因主要有两方面:产业结构与外商投资。

一方面,我国第一产业多为劳动力净流出的部门,第二产业吸纳劳动力的能力有所下降,而第三产业一直保持较高的就业弹性,其中商贸餐饮业、房地产业及新兴服务业成为主要吸纳劳动力的行业。长江经济带下游城市依靠经济、技术上的优势,大力发展先进制造业和高端服务业,已形成以第三产业为主导的经济体系。而中上游地区,利用其丰富的劳动力资源大力发展制造业,形成以第二产业为主导的经济体系。因此,下游地区二、三产业的发展吸纳了较多的劳动力,人口就业率较高,而中上游地区一、二产业的发展对劳动力的吸纳作用则相对较弱。并且,下游城市所形成的经济体系灵活而富有弹性,能

够更好更快地适应政策，引导居民进行绿色低碳消费，从而形成消费习惯和消费风尚。而中上游地区的产业形式相对固定且与最终消费者之间没有直接联系，导致其对最终消费影响不大，难以影响当地居民形成绿色低碳消费思维。

另一方面，外商投资也是影响就业率的重要因素。改革开放以来，在我国进行投资的企业主要有两种：一种是为我国国内劳动力提供就业机会的生产型企业，另一种是看重我国市场需求的市场开拓型企业，这些企业会引起我国国内企业生产规模的相对收缩，进而导致失业。但从总体效果来看，外资流入对就业率是具有明显促进作用的。长江经济带的外资流入规模呈明显的“东高西低”现象，下游的长三角地区外资流入规模较大，其中江苏、浙江、上海每年利用外商投资总额占长江经济带实际利用外资额的一半以上；而中上游地区受地理环境因素和经济基础影响，外资流入规模较小。同时，外资的流入带来外商经营思维和外国消费思维。低碳思维和低碳消费最先在海外兴起，大部分发达国家对于企业的节能减排、环境保护重视更早，重视程度更高。外商投资的流入客观上可以促进投资地区当地的低碳消费观念的树立，对当地的绿色低碳生产和消费起到积极的促进作用。而中上游地区相对下游地区外资流入较少，客观上工业企业的生产理念较为传统，难以对当地绿色消费起到积极的正向引导作用。

05

第五章

社会经济协同高质量发展评价

5.1 社会经济协同高质量发展指标体系构建

5.1.1 社会经济协同高质量发展指标体系构建原则

社会经济协同高质量发展指标体系的构建应该遵循代表性、系统性、全面性和可获得性四个基本原则。

（1）代表性原则。在科学分析的基础上，选取具有代表性的指标，所选指标能反映子系统的本质特征和质量水平。选用的指标除了参考以往研究中相关指标，更多的是参考长江经济带社会经济发展相关官方文件中的考核指标，更具有代表性和权威性。

（2）系统性原则。评价指标体系之间具有一定的逻辑关系，可以从不同侧面反映出社会、经济系统的特征和状态。每一个系统由一组指标构成，各指标之间相互独立又相互联系。

（3）全面性原则。指标体系应当具有综合性，客观全面反映长江经济带各省市经济和社会系统状况。

（4）可获得性原则。随着时代的进步及研究的深入，刻画某一问题所选用的指标或统计口径有可能发生更新，此时就需要考虑所研究时间段内数据能否完全准确获取的问题。指标应尽量简洁明了、便于收集，各指标之间具有较强的现实可操作性。

5.1.2 社会经济协同高质量发展相关指标分析

基于马世骏、王如松院士的复合生态系统理论和协同理论，选择基于协同理论演化出来的以孟庆松为代表的复合系统协同度模型进行协同度的测算。基于复合生态系统理论和协同理论，该复合系统一共分为两个子系统：社会子系统和经济子系统，这两个子系统相互作用形成一个大的循环往复的整体复合系统。社会系统和经济系统协同发展才能保证整个系统的可持续高质量的发展。

社会子系统涵盖社会发展水平、社会保障水平、医疗卫生水平、教育发展水平和设施环境五个方面。其中，社会发展水平通常以人口城镇化率即城市化进程推进程度来反映，计算公式为：

$$城镇化率=\frac{城镇人口}{总人口}\times 100\% \tag{5-1}$$

社会保障水平通常以医疗、养老、失业保险参保率来反映，计算公式为：

$$参保率=\frac{实际参保人数}{应参保人数}\times 100\% \tag{5-2}$$

医疗卫生水平以每万人拥有卫生技术人员数和每万人医疗机构床位数来反映；教育发展水平选取每十万人高等学校在校生数和财政性教育经费占GDP比重进行度量；设施环境选取建成区绿化覆盖率和人均公共图书馆藏量来反映。

在对以往学者的研究进行梳理的基础上，参照长江经济带经济发展相关政策性文件，从经济规模、产业结构、经济活力、科技创新与发展水平四个层面对经济子系统进行度量。其中，经济规模的扩大是经济发展的结果，经济发展的目的是提高人民的生活水平、创造更为舒适宜居的人居环境、实现全社会共享发展成果，选取人均房地产开发投资额和人均地区生产总值两个序参量反映经济规模；在产业结构方面，经济结构的合理化是经济高质量发展的基础，选取第三产业产值比重序参量反映产业结构的合理性；经济活力反映了城市发展的能力与潜力，选取人均社会消费品零售总额序参量反映经济活力；科技创新与发展水平方面，科技是推动经济发展的一大动力，选取R&D投入占GDP比重和国内专利申请授权量反映科技创新与发展水平。

5.1.3 社会经济协同高质量发展指标体系构建

在序参量分量指标的选取问题上，既要科学全面地反映评价目标和内容，又要注重指标的实用性和可获得性。为此，在对已有研究中关于经济与社会协同发展问题的相关文献进行梳理的基础上，参考近年来长江经济带蓝皮书及相关政策性文件构建社会经济协同高质量发展指标体系（表5-1）。

表 5-1　社会经济协同高质量发展指标体系

	子系统	一级指标	序参量	正负向
社会经济协同高质量发展指标体系	社会子系统	社会发展水平	城镇化率	正
		社会保障水平	医疗保险参保率	正
			养老保险参保率	正
			失业保险参保率	正
		医疗卫生水平	每万人拥有卫生技术人员数	正
			每万人医疗机构床位数	正
		教育发展水平	每十万人高等学校在校生数	正
			财政性教育经费占 GDP 比重	正
		设施环境	建成区绿化覆盖率	正
			人均公共图书馆藏量	正
	经济子系统	经济规模	人均房地产开发投资额	正
			人均地区生产总值	正
		产业结构	第三产业产值比重	正
		经济活力	人均社会消费品零售总额	正
		科技创新与发展水平	R&D 投入占 GDP 比重	正
			国内专利申请授权量	正

5.2　社会经济协同高质量发展评价方法

5.2.1　序参量分量有序度评价方法

根据协同理论的役使原理，决定系统演化速率大小的变量称为序参量。复合系统可以抽象为 $S=\{S_1, S_2, \cdots, S_j\}$，本方法包含社会和经济两个子系统，分别定义为 S_1 和 S_2。设各子系统序参量为 $e_j=\{e_{j1}, e_{j2}, \cdots, e_{jn}\}$，其中 $n\geqslant 1$，$\beta_{ji}\leqslant e_{ji}\leqslant \alpha_{ji}$，$i=1,2,\cdots,n$，$S_1$ 系统中有 10 个序参量，$n=10$，S_2 系统中有 6 个序参量，$n=6$，β_{ji} 和 α_{ji} 为系统中序参量 e_{ji} 的最小值和最大值。指标对于系统有序度的贡献有正负之分，正向指标的值越大越有利于系统发展，序参量有序度越高，上述两个系统中均为正向指标，序参量分量的有序度模型为：

$$U_j(e_{ji})=\frac{e_{ji}-\beta_{ji}}{\alpha_{ji}-\beta_{ji}} \tag{5-3}$$

其中，$U_j(e_{ji}) \in [0,1]$，其值越大，序参量分量对于系统有序度的贡献程度越高。

5.2.2 子系统有序度评价方法

序参量分量 e_j 对于子系统 S_j 有序程度的贡献是通过 $U_j(e_{ji})$ 的集成实现的，集成的结果由各序参量分量的有序度大小和组合形式共同决定，选取目前认可程度较高的几何平均法进行集成：

$$U_j(e_j) = \sqrt[n]{\left| \prod_{i=1}^{n} U_j(e_{ji}) \right|} \tag{5-4}$$

其中，$U_j(e_j) \in [0,1]$，$U_j(e_j)$ 越大，e_j 对系统有序度的贡献就越大，系统的有序程度就越高；反之，则系统的有序程度就越低。

5.2.3 经济社会复合系统协同度评价方法

对于给定的初始时刻 t_0，各子系统的有序度为 $U_j(e_j)^0$，$j=1,2$，对于复合子系统在发展演化过程中的时刻 t_1 而言，如果此时各子系统有序度为 $U_j(e_j)^1$，则复合系统的协同模型为：

$$M = \varphi^2 \sqrt{\left| \prod_{j=1}^{2} [U_j(e_j)^1 - U_j(e_j)^0] \right|} \tag{5-5}$$

$$\varphi = \frac{\min[U_j(e_j)^1 - U_j(e_j)^0]}{|\min[U_j(e_j)^1 - U_j(e_j)^0]|} \tag{5-6}$$

该复合系统协同度模型测算的是以时间序列初期时间点为基准的动态协同度。$M \in [-1,1]$，其值越大，社会经济复合系统发展越好。

5.3 社会经济协同高质量发展评价

5.3.1 数据来源及预处理

选取 2011—2019 年长江经济带 11 省市的数据进行研究，原始数据来源于历年《中国统计年鉴》，部分指标数据需经计算得出。在城乡复合系统指标体系中，需要对指标数据进行统一处理。数据获取后，为消除指标量纲不同的干扰，本文采用 Z-Score 法对原始数据进行标准化处理。

5.3.2 长江经济带社会经济复合系统协同度测算与分析

将标准化之后的数据代入式(5-1)至式(5-6),得到长江经济带各省市社会子系统、经济子系统和复合系统的协同度(表 5-2 至表 5-12)。

表 5-2 上海各子系统有序度及复合系统协同度

年份	社会子系统	经济子系统	复合系统
2011	0.29	0.07	—
2012	0.19	0.11	−0.06
2013	0.22	0.19	−0.01
2014	0.22	0.30	−0.02
2015	0.23	0.49	0.02
2016	0.35	0.59	0.13
2017	0.47	0.70	0.25
2018	0.35	0.84	0.12
2019	0.46	0.95	0.23

从表 5-2 可以看出,整体上看,上海社会子系统、经济子系统的有序度以及复合系统协同度在 2011—2019 年 9 年间均呈逐步向好态势。其中经济子系统有序度最高,并在整个复合系统中起主导作用。2011—2013 年经济子系统的有序度低于社会子系统,2014—2019 年经济子系统有序度高于社会子系统,说明上海在不断进行社会建设的同时,其重心仍然在经济建设上。

上海社会子系统有序度在 2012 年和 2018 年有所下降,经过对比原始数据发现,2012 年上海每万人拥有卫生技术人员数由 2011 年的 99 人下降到 62 人,每万人医疗机构床位数较 2011 年同样出现了较大幅度的下降,由 2011 年的 75 张下降到 2012 年的 46 张。对上海 2011—2019 年医疗卫生基本情况进行梳理后得知,2012 年是上海每万人拥有卫生技术人员数和每万人医疗机构床位数最低的年份。2018 年上海社会子系统有序度出现回落的原因是建成区绿化覆盖率由 2017 年的 39.1%下降到 2018 年的 36.2%;人均公共图书馆藏量由 2017 年的 24 册/人下降到 23 册/人。由以上两个社会子系统有序度回落的年份可知,医疗技术水平和设施环境的重视程度明显影响着社会保障水平及社会子系统的有序程度。对于经济子系统,上海 2011—2019 年经济子系统有序度逐年上升。作为中国最具全球竞争力的长江三角洲城市群(以下简称长三角城市群)以及沿海经济带、长江经济带的中心城市,上海在中国的新型城镇化和区域经济格局变化中起到高端引领作用,具有十分重要的战略性地位。上海是长江经济带最大的国际经济中心、贸易中心、金融中心,未来上海将继续利用国际金融建设、港口水运合作和自有贸易港建设带动长江经济带发展。

表 5-3 江苏各子系统有序度及复合系统协同度

年份	社会子系统	经济子系统	复合系统
2011	0.05	0.04	—
2012	0.11	0.16	0.08
2013	0.20	0.27	0.18
2014	0.30	0.27	0.21
2015	0.39	0.49	0.34
2016	0.45	0.54	0.40
2017	0.66	0.60	0.51
2018	0.79	0.84	0.69
2019	0.95	0.95	0.82

从表 5-3 可以看出,江苏社会子系统有序度、经济子系统有序度和复合系统协同度大体上逐年稳定上升。说明从 2011 年来,江苏在社会发展、社会保障、医疗卫生、教育、公共设施等社会服务方面有显著发展,这符合经济发展的目的:改善人民生活,增进民生福祉。江苏在追求经济发展的同时,能够在生产提高与生活改善的基础上,更好地促进教育、卫生、文化等社会事业发展,提供更为完善的社会保障。2011—2019 年,江苏社会和经济子系统的发展平缓提升,社会子系统有序度指数由 2011 年的 0.05,经过 8 年的发展提升至 2019 年的 0.95,经济子系统有序度指数由 2011 年的 0.04,经过 8 年的发展提升至 2019 年的 0.95。近年来,江苏在经济实力大幅提升的同时,通过社会建设努力让全省人民有更可靠的社会保障、更稳定的工作、更好的教育和医疗水平、更舒适的居住环境。

表 5-4 浙江各子系统有序度及复合系统协同度

年份	社会子系统	经济子系统	复合系统
2011	0.07	0.04	—
2012	0.14	0.16	0.09

续表

年份	社会子系统	经济子系统	复合系统
2013	0.32	0.26	0.23
2014	0.34	0.35	0.27
2015	0.47	0.45	0.38
2016	0.59	0.58	0.51
2017	0.66	0.68	0.59
2018	0.81	0.83	0.75
2019	0.96	0.94	0.87

如表 5-4 所示，浙江省社会子系统有序度、经济子系统有序度和复合系统协同度逐年稳定上升。浙江位于长江流域下游，是长江“龙头”的重要组成部分，西接安徽、江西，北接上海、江苏，是长江经济带的重要枢纽，在长江经济带的发展中起到引领作用。浙江地区生产总值(GDP)先后于 2017 年和 2019 年登 5 万亿元、6 万亿元台阶，全面建成小康社会实现度由 2015 年的 85.8%提升至 2019 年的 98.7%，2019 年科技综合实力全国第 6 位，区域创新能力居全国第 5 位，R&D 投入占 GDP 比重由 2011 年的 1.73%提升至 2019 年的 2.62%。2020 年，浙江对长三角城市群，经济 GDP 增长贡献率由 2015 年的 26.4%提升至 28.0%，推动了长江经济带生态优先和绿色发展，加速互联互通，高质量推进长江经济带协同发展。

表 5-5　安徽各子系统有序度及复合系统协同度

年份	社会子系统	经济子系统	复合系统
2011	0.05	0.05	—
2012	0.13	0.10	0.07
2013	0.22	0.21	0.16
2014	0.32	0.32	0.27
2015	0.40	0.48	0.38
2016	0.41	0.59	0.42
2017	0.59	0.72	0.57
2018	0.82	0.84	0.74
2019	0.95	0.91	0.83

从表 5-5 可知，安徽社会子系统和经济子系统协同度基本保持同步上升，社会与经济协同发展良好。安徽是长江经济带“承东启西”的重要节点，又是长三角一体化发展、长江经济带发展、中部地区高质量发展三大国家战略叠加的唯一省份。以合肥为圆心，500 公里为半径的区域内，聚集了全国 40％的人口和 50％的消费市场，安徽利用其“左右逢源”的区位优势，不断推进经济社会高质量发展。

近年来，安徽经济社会发展成效显著，实现了现行标准下农村贫困人口全面脱贫、贫困县全面摘帽的目标；教育质量显著提高，实现了义务教育发展基本均衡，县(市、区)全覆盖；医疗卫生体制改革走在全国前列，多层次养老服务体系基本建立；经济发展保持强劲势头，综合实力迈上新的平台，地区生产总值由 2011 年的 15 110.3 亿元提升至 2020 年的 38 680.6 亿元，增长了 155.9％。安徽国内专利申请授权量由 2011 年的 32 681 项提升至 2019 年的 82 524 项，位于长江经济带 11 省市第 4 位。

表 5-6　江西各子系统有序度及复合系统协同度

年份	社会子系统	经济子系统	复合系统
2011	0.08	0.06	—
2012	0.25	0.11	0.10
2013	0.29	0.13	0.13
2014	0.35	0.23	0.20
2015	0.42	0.35	0.29
2016	0.33	0.48	0.19
2017	0.56	0.60	0.35
2018	0.64	0.76	0.46
2019	0.91	0.95	0.69

如表 5-6 所示，2011—2019 年，江西经济子系统有序度稳定提升。但是社会子系统有序度 2016 年出现下降，通过分析原始数据可知，江西在社会发展、社会保障、医疗卫生、教育等方面有了显著发展，2016 年社会子系统有序度出现下降的原因主要是 2016 年的建成区绿化覆盖率为 43.6％，处于 9 年来最低水平，但之后连续 3 年建成区绿化覆盖率重新回到 45％以上。

江西位于长三角、珠三角、海西经济区的腹地，区位独特，“承东启西”贯穿南北，省内赣江、信江、抚河、修河和饶河五大河流均流入长江。江西凭借其区位优势，发展质量不断提升，经济发展实现了新的跨越，2017 年全省生产总值突破 2 万亿元大关；产业转型升级步伐加快，优势产业加速壮大，第三产业占比从 2011 年开始持续增长，现代服务业活力迸发，服务业成为江西经济增长的主动力，对经济增长的贡献率不断扩大；基层公共服务均等化水平不断提升，实现城乡居民社会保障体系全覆盖、医疗保障体系全覆盖、公共就业服务全覆盖。

表 5-7　湖北各子系统有序度及复合系统协同度

年份	社会子系统	经济子系统	复合系统
2011	0.07	0.04	—
2012	0.22	0.09	0.09
2013	0.25	0.16	0.14
2014	0.30	0.30	0.22
2015	0.28	0.42	0.16
2016	0.27	0.53	0.14
2017	0.67	0.64	0.35
2018	0.78	0.71	0.43
2019	0.95	0.95	0.64

如表 5-7 所示，湖北社会子系统有序度 2011—2016 年发展缓慢，对经济社会复合系统的协同发展产生了一定的影响，从原始数据分析可知，2012—2015 年湖北建成区绿化面积持续下降，从 2012 年的 38.9%下降到 2015 年的 37.5%，影响了社会子系统的有序度，但是湖北在医疗、教育和社会保障等方面有了突出发展，每万人拥有卫生技术人员数从 2011 年的 43 人增加至 2019 年的 70 人，每万人医疗机构床位数由 2011 年的 36 张增加至 2019 年的 68 张。

湖北是长江经济带的重要组成部分，是长江经济带各省市中拥有长江干线最长的省份，处于长江流域的中心位置，占长江干流的 1/3，交通枢纽地位突出，产业基础好，城镇化水平高。湖北社会经济在 2011—2020 年快速发展，GDP 在 2018 年突破 4 万亿元大关，2019 年更进一步发展，2020 年受疫情影响有所下降，但在长江经济带中部地区中仍然处于引领地位。

表 5-8 湖南各子系统有序度及复合系统协同度

年份	社会子系统	经济子系统	复合系统
2011	0.04	0.04	—
2012	0.17	0.09	0.08
2013	0.22	0.18	0.15
2014	0.32	0.28	0.25
2015	0.42	0.34	0.32
2016	0.48	0.44	0.41
2017	0.71	0.57	0.58
2018	0.82	0.70	0.70
2019	0.95	0.94	0.87

如表 5-8 所示，湖南社会子系统和经济子系统有序度及复合系统协同度稳定上升。近年来，湖南经济总量不断提升，2008 年经济总量超过 1 万亿元，2012 年突破 2 万亿元，2016 年升至 3 万亿元，2020 年突破 4 万亿元，2020 年 GDP 在长江经济带中排名第 5。湖南地处长江经济带中游，有 163 公里长江岸线资源，在长江经济带中扮演着“大腹地”和“硬脊梁”的重要角色，是长江经济带深入推进新型工业化的重要力量和扩大开放的重要阵地。与长江一体的洞庭湖位于湖南北部，是长江不可或缺的重要组成部分。“十三五”以来，湖南坚持以人民为中心的发展思想，不断补齐民生短板，解决了 440 万贫困人口饮水问题，2017—2019 年间，九年义务教育巩固率在 98%以上，人民群众的获得感、幸福感、安全感显著增强。

表 5-9 重庆各子系统有序度及复合系统协同度

年份	社会子系统	经济子系统	复合系统
2011	0.05	0.05	—
2012	0.33	0.11	0.13
2013	0.41	0.19	0.21
2014	0.46	0.28	0.28
2015	0.47	0.46	0.32
2016	0.62	0.51	0.40
2017	0.58	0.66	0.33

续表

年份	社会子系统	经济子系统	复合系统
2018	0.67	0.79	0.44
2019	0.90	0.90	0.59

如表5-9所示，重庆2017年社会子系统有序度出现下降，导致2017年复合系统协同度降低。通过分析原始数据可知，重庆人均公共图书馆藏量一直保持在43册/人，从2011年开始就没有提升；建成区绿化覆盖率2017年为40.3%，是2012年以来的最低水平，从而导致2017年重庆社会经济复合系统协同度出现下降。重庆地处三峡库区腹心地带，是长江上游生态屏障的最后一道关口，重庆生态环境关系到长江下游3亿多人的饮水安全，在推动长江经济带发展中发挥着示范作用。重庆坚持以人民为中心的发展理念，加强普惠性、基础性和兜底性的民生建设，到"十三五"末，全市18个贫困县区全部摘帽，1 919个贫困村全部脱贫出列，城镇新增就业人口65万人以上，基本养老、医疗保险参保率稳定在95%以上。

表5-10　四川各子系统有序度及复合系统协同度

年份	社会子系统	经济子系统	复合系统
2011	0.05	0.05	—
2012	0.21	0.15	0.12
2013	0.27	0.17	0.16
2014	0.29	0.28	0.20
2015	0.41	0.38	0.31
2016	0.59	0.51	0.46
2017	0.72	0.64	0.59
2018	0.83	0.73	0.69
2019	0.95	0.90	0.83

如表5-10所示，2019年，四川社会子系统、经济子系统有序度和复合系统协同度都达到了较高水平，社会经济实现了协调发展。四川位于长江上游，处于长江经济带和丝绸之路经济带的接合处，是长江经济带重要的水源涵养地和生态建设核心区，是承接南北、连接东西、推动两带联动发展的战略纽带。近年来，四川牢固树立"绿水青山就是金山银山"的发展理念，坚持"共抓大保

护，不搞大开发”，走生态优先、绿色发展新路子。

四川全省地区生产总值2015年达到3万亿元，2018年超过4万亿元，2020年达到4.85万亿元，在全国保持第6位。在社会建设方面，四川城乡结构不断优化，2019年全省常住人口城镇化率达到53.8%。“十三五”期间，成都全市城乡居民健康水平实现“一升两降”：人均期望寿命升高到81.52岁；孕产妇死亡率降到0.004 6‰，婴儿死亡率降到2.27%，达到世界发达国家水平。2020年末四川医疗卫生机构数量达到82 793个，其中医院2 435个（民营医院1 745个），基层医疗卫生机构79 491个；医疗卫生机构床位由2016年的51.9万张增加到65.0万张，增长约25%。

表5-11　贵州各子系统有序度及复合系统协同度

年份	社会子系统	经济子系统	复合系统
2011	0.05	0.08	—
2012	0.12	0.16	0.08
2013	0.21	0.26	0.17
2014	0.27	0.26	0.15
2015	0.41	0.18	0.04
2016	0.51	0.26	0.13
2017	0.61	0.36	0.24
2018	0.86	0.63	0.49
2019	0.95	0.95	0.66

如表5-11所示，2011—2019年贵州社会、经济子系统有序度整体呈上升趋势，复合系统协同度良好，经济子系统有序度在2015年出现下降。从原始数据分析，贵州2015年R&D投入占GDP比重下降，反映科技创新对于经济子系统的重要作用。

贵州是长江经济带上游唯一的国家生态文明试验区，88个县（市、区）有69个属于长江防护林保护区范围，肩负着筑牢长江上游重要生态屏障的使命。“十三五”时期，贵州坚持新发展理念，坚持稳中求进工作总基调，落实高质量发展要求，牢牢守好发展和生态两条底线，全力打好三大攻坚战，强力推进三大战略行动，着力加快三大国家级试验区建设，竭力构筑长江上游绿色屏障，打造长江、珠江上游绿色屏障建设示范区，推动长江经济带发展取得积极成效。

在经济建设方面，“十三五”时期，贵州经济延续“十二五”发展的良好势头，继续保持快速增长，增速持续位居全国和长江经济带前列，创造了赶超进位的“黄金十年”。2016—2020 年全省地区生产总值年均增加 1 517 亿元，2018 年全省地区生产总值突破 1.5 万亿元，2020 年全省地区生产总值超过 1.7 万亿元。在社会发展方面，贵州着力解决“两不愁三保障”突出问题，在西部率先实现县域义务教育基本均衡发展，学前教育普及率、普惠率超过全国平均水平；在全国率先建成省市县乡四级公立医院远程医疗服务体系，完成行政村卫生室建设和合格村医配备。2020 年末，全省普通高等学校 75 所，比 2015 年末增加 16 所；小学学龄儿童入学率、初中阶段毛入学率、高中阶段毛入学率和高等教育毛入学率分别比 2015 年末提高 0.4、5.8、4.6 和 10.4 个百分点；每千人医院卫生院床位数 7.18 张，比 2015 年末提高 1.56 张；每千农业人口乡镇卫生院人员数 2.94 人，比 2015 年末提高 1.03 人。

表 5-12　云南各子系统有序度及复合系统协同度

年份	社会子系统	经济子系统	复合系统
2011	0.07	0.04	—
2012	0.18	0.10	0.08
2013	0.25	0.20	0.17
2014	0.22	0.30	0.11
2015	0.22	0.40	0.09
2016	0.32	0.48	0.18
2017	0.51	0.66	0.37
2018	0.60	0.82	0.49
2019	0.67	0.92	0.57

云南地处长江上游，具有贯通南太平洋和印度洋，连接中国、东南亚、南亚三大市场的特殊区位优势，是我国面向南亚、东南亚的重要开放门户和重要战略支点。近年来，云南强化系统综合施策治理，以“钉钉子”精神扎实推进生态环境整治，推进全省经济社会发展全面绿色转型，全省生态环境保护发生新变化、经济社会发展取得新成效。

在经济建设方面，云南经济总量实现历史性突破，2020 年全省地区生产总值达 24 555.7 亿元；人均地区生产总值突破 5 万元；地方财政一般公共预算收入达 2 116.69 亿元；工业总量突破 5 000 亿元大关；民营经济总量突破万亿元大关，民营经济户数突破 350 万户。在社会建设方面，“十三五”期间，全省财政在教育、医疗、养老等民生领域累计支出 2.2 万亿元，占比保持在 70%以上。2020 年，全省城乡居民人均可支配收入分别为 37 500 元、12 842 元；全省城镇新增就业人数 357.52 万人；城镇登记失业率在 4.03%以内；覆盖城乡的社会保障体系基本建立；各级各类教育普及程度和发展质量得到大幅提升，129 个县全部实现县域义务教育基本均衡发展；实现县级公共体育场（馆）和五级公共文化服务设施网络全覆盖；居民健康水平持续提升，全省人均预期寿命达到 75.26 岁。

5.3.3 社会经济复合系统协同度测试结论

根据现有研究成果，长江经济带复合系统协同度等级划分如表 5-13 所示。

表 5-13 复合系统协同度等级划分标准

协同度	$-1 \leqslant M < 0$	$0 \leqslant M < 0.4$	$0.4 \leqslant M < 0.6$	$0.6 \leqslant M < 0.8$	$0.8 \leqslant M < 1$
协同等级	严重失调	中度失调	基本协同	中度协同	高度协同

根据表 5-13 划分标准，绘制长江经济带 11 省市社会经济系统协同度折线图（图 5-1）。

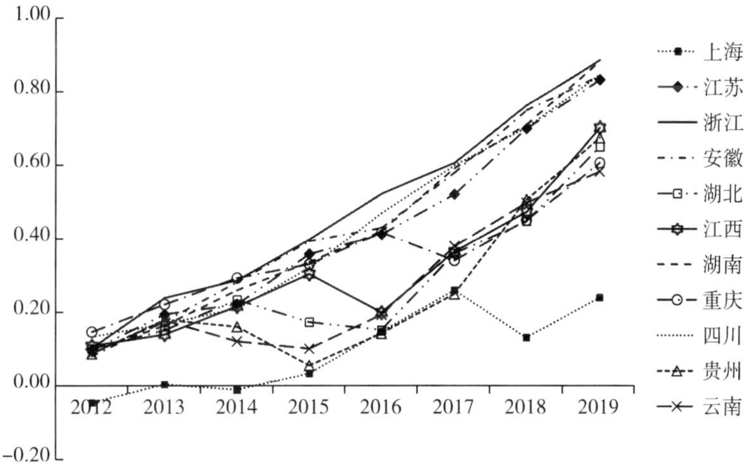

图 5-1 长江经济带 11 省市复合系统协同度时间序列变化

如图 5-1 所示，2012—2019 年，长江经济带各省市的复合系统协同度均有提升。江苏、安徽、四川、湖南、浙江五省 2016 年达到基本协同状态，2018 年达到中度协同水平，2019 实现经济社会复合系统高度协同。

江西、湖北、贵州三省经济社会系统协同度在2019年达到中度协同水平。江西经济社会高质量发展虽然呈现了良好势头，但也面临较多的困难和问题。与全国平均水平相比，江西的工业质量效益和可持续发展能力总体偏低，在全要素生产率和企业创新研发方面存在明显短板，制造能力和效率总体处于落后水平，与全国及中部省份平均水平相比仍然存在差距。湖北目前还不是高度发达地区，仍然是一个农业大省，将长期处于农业经济、工业经济与知识经济并存的阶段。在创新能力上，湖北目前是一个科教大省，但还不是一个科教强省，自主知识产权的知识创新成果不多。近些年来，贵州在基础设施建设、民生和医疗教育方面已然取得不小的成就，但要想在新时代条件下取得新突破，依然任重而道远。贵州发展的现实情况必须得到重视，该省地处内陆欠发达地区，基础设施建设相对薄弱，医疗和教育条件也远比不上东部发达地区，这种基于历史、地理和现实因素而产生的差距还有进一步拉大的趋势。具体来说，在基础设施建设方面，农村农业基础设施薄弱，乡村道路建设和养护方面需要加大投入力度；在教育方面，党的十九大报告要求必须把教育事业放在优先位置，而贵州农村基础教育设施、教育理念落后，经费投入不足，高等教育教学质量和科研成果也远落后于发达地区；在医疗事业方面，党的十九大报告把健康中国作为国家战略实施，而贵州基层医疗资源总量不足，服务能力有待提升，城乡公共医疗机构质量和数量差距过大。贵州经济总量排名靠后，首先需要解决的还是经济发展问题。良好的经济发展可以为贵州其他各项事业的发展打下坚实基础，没有经济发展一切则无从谈起。与此同时，贵州的生态环境现状决定其必须把生态环境建设摆在与经济发展同等重要的位置。

重庆、云南两省市社会经济复合系统协同度在2019年达到基本协同水平。重庆是一个生产型城市，是全国最大的汽摩制造业基地，经济结构仍然以重工业为主，技术应用强于技术开发，科研投入水平较低，缺乏一流的科研机构和足够的研发人员。云南发展不平衡问题突出，支撑高质量发展的基础不牢固，要补齐产业发展、市场主体、营商环境、城镇化、创新和人才、开放发展、基本公共服务等领域短板，清醒认识、妥善应对云南发展面临的风险挑战，确保经济行稳致远、社会安定和谐。

5.4　社会经济协同高质量发展建议

5.4.1　坚持绿色发展，践行绿水青山就是金山银山

长江经济带发展的基本共识是“共抓大保护，不搞大开发”。在这个共识的指导下，沿江行政区和城市的社会发展越来越活跃，大中小城市、广大农村地区充满了活力。但是，11 省市的发展阶段不均衡，这自然会导致对同一概念的认知偏差和误解。因此，为了贯彻“绿水青山就是金山银山”的理念，必须更加密切地关注政策落实，对于大多数衰退型老工业城市而言，原有的粗放式发展模式使得生态环境日益恶化，对人才和企业的吸引力不断下降，致使城市发展潜力也越来越小。因此，衰退型老工业城市应以产业转型升级为契机，增强环境保护意识，促进产业绿色发展，努力把自身打造成生态宜居、环境优美、具有强大吸引力的城市，增强城市对人才、企业和新兴产业的集聚能力，实现地区可持续发展与环境保护的良性循环。

生态环境保护具有外部性，加强生态环境保护对全流域都有好处，但自身不会获得与保护成本同等的收益甚至没有任何收益。长江流域生态环境保护更是如此，上游加强环保，下游获得收益。污染物排放监督困难，运用现代技术手段，虽然可以做到精确监测，但要做到监测到户不容易，有效的做法是建立生态保护补偿机制。生态保护补偿机制是保护生态环境的激励机制，是将保护地区与发展地区联系起来的有效手段，也是促进长江经济带共同发展、共担成本的制度设计。生态保护补偿包括纵向补偿和横向补偿。纵向补偿是上级政府对下级政府保护生态的转移支付，是对生态环境保护作出贡献地区的补偿，对发展权受损的补偿、对生态保护投入的补偿，以及对生态服务价值的补偿。要充分考虑生态区森林保护面积、跨界断面水质水量等因素，制定生态系统服务价值、保护成本、损失评估等量化指标和绩效考评体系，完善生态保护成效与资金分配挂钩的激励约束机制。

5.4.2　加快长江经济带中心城市建设，带动中西部地区发展

由于长江经济带 11 个省市经济社会发展差异程度较大，在有限的资源下，应该发挥重点区域的带动作用。在推进新型城镇化的过程中，要坚持以中心城市为主导的城市群发展。中心城市可以发挥其便于集中人才、技术和资金

的优势，从而形成规模效应，提高经济效率，带动周边城市的发展。东部地区以上海为核心，形成长三角城市群合力，提升上海一线城市的引领作用；中部地区要依托武汉城市圈，结合自身要素禀赋，推动经济结构不断优化升级，增强增长极的辐射带动作用，成为联通东西部产业协调发展的枢纽；西部地区可以依托发达的新一线城市成都和重庆作为双核心，带动西部整体产业健康发展，利用好国家政策，抓住东部产业转移的机遇，加强区域内外分工与合作，制定区域产业发展和空间布局规划，建立合理的城市发展体系。重庆是长江经济带上游发展水平最高的地区，是长江上游地区的经济中心，相比于其他西部地区，有强大的区位优势和政策支持。重庆发挥长江上游地区经济中心的作用，利用好地理和增长极的优势，将自身优势辐射到长江上游地区的其他省份，加强一体化建设，推动地区的整体发展，建立起协同发展机制，构建川渝经济区、南贵昆经济区，实现互利共赢，共同获利。

5.4.3 长江上中下游地区要认清发展现状，补短板强弱项

长江上游地区应重点关注城市化建设、基础设施建设和巩固脱贫攻坚成果。长江上游地区中的成渝城市群发展不断提速，城际联系越来越紧密，人才集聚效应明显，这对云贵地区的发展也起到了积极的辐射和带动作用。但是，整个上游地区发展还比较碎片化，城镇化率的提升仍有很大空间。要进一步促进重要城市发展，发挥关键节点城市有效的区域带动作用，这对整个上游地区发展具有重要战略意义。当地政府在工作中要实现各级部门高效和顺畅的组织及联动，保证各类社会数据的存储和利用，积极采取现代化的技术手段和方式方法，整合资源，拓展空间，满足城市集约化、高水平、快速发展的要求。随着各地城镇化率的提高，城市配套基础设施的建设工作也要紧跟城市拓展的步伐。在尊重科学、合理设计土地利用的同时，化解城市扩张过程中的各类社会矛盾，保障人民健康和各项权利的顺利实现，促进经济社会的全面协调可持续发展。上游地区的另一个重要问题是防止脱贫人口返贫。由于恶劣的地理环境和长期的历史因素积累，云、贵、川地区作为我国少数民族的主要集聚区之一，虽然全面脱贫攻坚已完成，但这一区域的防止返贫工作也将面临不小的挑战。今后一段时间，要继续发挥各省之间对口支援、对口帮扶的制度优势，落实重点领域和关键环节的全面对接帮扶工作，努力在实现全面脱贫的基础上，促进上游贫困地区经济、社会发展能够再上一个新的台阶。目前各省易地扶贫搬迁工作都基本完成，产业帮扶步入正轨，在完善的基础设施的支持下，未来经济发展将日渐向好。在经济发展逐步走上正轨的同时，要

强化对于边远、贫困地区的基本公共服务设施的建设和人才的培养，在教育、医疗、养老和社会救助方面，要协调各方不断下大力气，切实为人民群众提供高效、便捷、可靠的社会服务。上游地区各级政府更要重视对内陆地区先进的社会治理理念和管理方法的学习，加强自身治理体系和治理能力的现代化建设。尤其是在基层组织的运行和维护能力建设方面，要尽早化解在经济发展初期可能出现的各类社会冲突和不确定的矛盾，落实一系列重要举措和相关政策，让发展的成果真正惠及普通百姓，这样才能促进广大中上游地区城乡经济和社会高效、协调、可持续发展。

长江中游地区要着重提升社会服务水平，促进区域协同发展。长江中游地区的城市化进程基本完成，需要加强政府的社会服务职能建设。社会服务的基础是科学的制度设计、缜密的方案实施和高效的任务执行，这些都离不开一个负责、有效、肯担当的服务主体。传统管理型政府转型的需求显得越来越迫切，提升政府服务水平和治理能力现代化在这一阶段将取得最大的社会效益，促进整个区域经济社会高水平发展。此外，长江中游部分地区脱贫攻坚刚刚完成或将进入最后决战期，巩固现有发展成果、扩大产业扶贫力度、防止返贫等工作任务严峻。在脱贫攻坚和乡村振兴的过程中，要进一步推动区域经济社会协同发展，让更多发展成果和市场机遇惠及百姓。同时，要充分利用好基础设施资源，以广袤的纵深进一步促进区域高质量发展。

长江下游地区重点关注协同创新，解决人口老龄化问题。长江下游地区的社会发展正向更高水平不断迈进。在城市群尺度上，今后要进一步优化整体空间布局，推进域内大、中、小城市协同创新发展，以长三角一体化示范区建设为契机，不断完善跨区域的各类社会服务互联、互认、互通、互享。以优质的社会服务理念、高效的社会服务模式、便捷的社会服务体验，不断适应经济社会发展的新要求，满足人民群众日益增长的各类服务需求，提升政府的社会服务水平和社会治理能力。现阶段，为更好地应对下游地区人口老龄化的难题，从人力保障到资源储备、从必要的制度安排到充足的资金支持，都要给予足够的重视，通过各类手段，结合实际情况，妥善处理这一社会发展的难点。

5.4.4 坚持创新驱动，实现区域共同协调发展

创新是引领发展的第一动力，科技创新是发展的硬实力。长江经济带西部地区应当坚持创新驱动的经济高质量发展，加强政策引导，促进创新发展，强调企业和高校的科技创新，引导企业进行内部结构优化，加大相关科研部门的

投入比例，加强企业与个人知识产权保护意识，促进相关专利发明授权的产出，出台相关政策措施支持企业的科研创新，提供经费和人才支持。通过促进西部中心城市的产业强盛，形成规模效应，吸引东部资金、技术和人才流入，提升西部中心城市的综合竞争力，以区域中心城市发展打造区域竞争优势，推动区域城镇化进程，优化区域产业结构，促进区域经济高质量发展。东部地区应加大对创新能力的培养，推动国家自主创新示范区布局，建设一批高新技术产业开发区、创新型城市和创新型省份，进一步发挥国家高技术产业基地的集聚与引领作用。以原有技术中心为依托，持续推进产学研一体化程度的提升，通过市场引导，提升高新技术在学界和产业界的转移效率，实现跨机构、跨地区开放运行和共享，实现长江经济带整体竞争力的增强。

加强区域协调机制，在推动长江经济带发展领导小组的统一领导下，瞄准长江经济带一体化发展目标，建立跨行政区域的产业转型升级工作协调机制，加强对长江经济带各省市协同发展的规划和协调；建立区域间政府、企业和金融机构的联动机制，引导企业和资金向中西部地区倾斜，针对长江经济带基础设施薄弱的区域，大力推进交通基础设施的建设，利用一体化的交通网络，把东部地区的技术、资金和管理经验带到西部地区，将西部丰富的自然资源运输到东部，形成优势互补，共同发展；围绕城市群联动、港口协调发展和生态补偿等重点领域进一步深化体制机制创新。与此同时，应认真落实“中央统筹、省负总责、市县抓落实”的管理体制，加强统筹协调，压实主体责任，形成共抓大保护合力。在加大投资力度、加强宣传培训、严肃纪律问责等方面重点着力，切实推动解决重点难点问题，推进各项工作落实到位。

06

第六章

科技创新高质量发展评价

6.1 长江经济带科技创新指标体系构建

6.1.1 长江经济带科技创新指标体系构建原则

（1）科学性和准确性原则

构建指标体系虽然只是计算科技创新指数的一个基础性环节，但如果指标体系的构建不够科学，各项指标不能准确代表科技创新能力，那么后续的数据计算结果也必然不能真实反映长江经济带的科技创新能力现状，对于其未来的发展方向也不能提供必要的依据。因此，科学性和准确性是指标体系构建的最基本的原则。科学性和准确性原则要求：一方面以科学理论为基础，以事实为依据进行指标的选取；另一方面要准确把握概念及相关计算原则，在众多因素中找到核心因子来构建指标体系。

（2）系统性和层次性原则

区域科技创新体系是一个复杂的有机整体。从纵向来看，系统内部存在着各个子系统，每个子系统反映各子系统领域内的发展情况，将它们合起来即可反映科技创新系统整体的发展情况。从横向来看，各子系统之间也存在着一定的逻辑关系，相互独立却又相互依赖，构成子系统的各组指标之间也是如此。因此在指标构建的过程中要根据区域科技创新系统的逻辑性和层次性进行指标设计，切不可层次混乱，逻辑不清。

（3）可得性和可操作性原则

有可靠来源的数据是计算科技创新指数的前提，若建立的指标不能找到可靠有效的对应数据，那么最终的计算结果也是不准确的、无效的，该指标的设定即无用的、不合理的。此外，指标的选取宜少而精，忌多而重，过多的指标不仅会导致信息重叠，操作起来也会更加麻烦。

（4）定性指标和定量指标相结合的原则

在建立指标体系时，要根据情况选择合适的定性指标和定量指标。定性指标的特点在于根据人的主观判断做出选择，涵盖的范围比较广，承载的信息量大；而定量指标的特点在于客观性强，有现实的数据基础。由于两种指标的以上特点，将它们结合起来，优势互补，以此来规避定性指标过于“感性”和定量指标过于“理性”的弊端。

6.1.2 长江经济带科技创新相关指标分析

长江经济带科技创新指标体系的构建遵循以上指标体系构建原则，共设 5 个一级指标，分别为科技资源配置、科技创新环境、科技创新产出、科技创新经济绩效、科技创新社会绩效，并根据各一级指标的内涵选择了若干二级指标，具体的指标选取过程如下。

（1）科技资源配置类指标

科技资源配置是科技创新活动的基础。考虑到科技创新活动能够开展并不断壮大的两个重要因素是人力和财力，因此本书主要从人力资源配置和财力两个维度反映各省市创新资源投入的规模和强度，共设 7 个二级指标。其中 R&D 人员、R&D 活动的企业数占企业总数的比例这两项指标反映了人力投入的规模和水平；R&D 经费内部支出、R&D 经费内部支出占地区 GDP 的比重和 R&D 经费增长率三项指标从 R&D 经费投入方面反映财力配置的规模和水平；财政科技支出和财政科技支出占 GDP 的比重这两项指标从政府财政投入方面反映财力配置的规模和水平。

（2）科技创新环境类指标

创新环境为科技创新活动提供前提保证。本书主要从人力资本环境、经济环境、信息化环境和创新载体四个方面反映各省市创新创业环境的改善，共设 7 个二级指标。其中普通高等学校在校学生数反映了人力资本的规模和水平；外商直接投资和人均地区生产总值两项指标反映了创新的经济环境；移动电话普及率反映了信息化程度；高技术产业企业数、科技企业孵化器数以及众创空间数量这三项指标反映了创新载体的情况。

（3）科技创新产出类指标

创新产出是科技创新活动的结果。本书将从创新的中间产出如专利、论文以及技术成果交易情况反映区域科技创新产出的现状，共设 5 个二级指标。其中专利申请授权数和发明专利申请授权数这两项指标反映了区域知识产权创造的能力；科技论文数指标反映了区域知识创造的能力；技术市场交易金额和技术市场平均交易金额反映了技术成果的市场化水平和活跃程度。

（4）科技创新经济绩效类指标

促进经济发展是科技创新活动的最终目标之一。本书将从产业结构调整和产品的国际竞争力两个方面来反映创新的经济绩效，共设 5 个二级指标。其中规模以上工业企业新产品销售收入、高技术产业营业收入、高技术产业营业收入占 GDP 比重反映了区域的产业结构；高技术新产品出口、高技术新产品出口占出口总额比重反映了区域产品的国际竞争力。

(5) 科技创新社会绩效类指标

促进社会可持续发展是科技创新活动的另一重要目标。本书将从能源节约、环境保护、人民生活三个方面来反映创新的社会绩效,共设 5 个二级指标。其中单位 GDP 能耗反映了创新带来的能源节约效应情况;空气质量优良率、一般工业固体废物综合利用率反映了环境保护能力;人均可支配收入、GDP 增速反映了创新对人民生活水平的影响。

6.1.3 长江经济带科技创新指标体系构建

通过对各指标的分析和初步选取,并依据前文提到的评价指标体系构建原则,经过汇总和筛选,得到了包含五个维度 29 个指标的体系——长江经济带科技创新指标体系,如表 6-1 所示。

表 6-1 长江经济带科技创新指标体系构建

目标层	一级指标	二级指标
长江经济带科技创新能力评价	科技资源配置	R&D 人员(人)(*X*1)
		R&D 活动的企业数占企业总数的比例(%)(*X*2)
		R&D 经费内部支出(万元)(*X*3)
		R&D 经费内部支出占地区 GDP 的比重(%)(*X*4)
		R&D 经费增长率(%)(*X*5)
		财政科技支出(亿元)(*X*6)
		财政科技支出占 GDP 的比重(%)(*X*7)
	科技创新环境	普通高等学校在校学生数(万人)(*X*8)
		外商直接投资(亿美元)(*X*9)
		人均地区生产总值(元)(*X*10)
		移动电话普及率(部/百人)(*X*11)
		高技术产业企业数(个)(*X*12)
		科技企业孵化器数(个)(*X*13)
		众创空间数量(个)(*X*14)
	科技创新产出	专利申请授权数(件)(*X*15)
		发明专利申请授权数(件)(*X*16)
		科技论文数(篇)(*X*17)
		技术市场交易金额(万元)(*X*18)
		技术市场平均交易金额(万元/项)(*X*19)

续表

目标层	一级指标	二级指标
长江经济带科技创新能力评价	科技创新经济绩效	规模以上工业企业新产品销售收入(万元)($X20$)
		高技术产业营业收入(万元)($X21$)
		高技术产业营业收入占 GDP 的比重(%)($X22$)
		高技术新产品出口(万元)($X23$)
		高技术新产品出口占出口总额比重(%)($X24$)
	科技创新社会绩效	单位 GDP 能耗(吨标准煤/万元)($X25$)
		空气质量优良率(%)($X26$)
		一般工业固体废物综合利用率(%)($X27$)
		人均可支配收入(元)($X28$)
		GDP 增速(%)($X29$)

6.2 长江经济带科技创新评价方法

6.2.1 长江经济带科技创新指标评价方法比选

在对多指标问题进行综合评价时,需要使用权重来反映各评价指标的重要程度。权重的确定方法主要有主观赋权法、客观赋权法以及组合集成赋权法三种。主观赋权法主要依据决策者经验对指标的重要程度进行赋值,如专家估测法、层次分析法等。客观赋权法利用数理统计等方法对指标客观数据进行处理,从而确定指标权重,如变异系数法、灰色关联度分析法、主成分分析法等。组合集成赋权法将主客观赋权法相结合,既充分利用了完善的数理统计方法,也在一定程度上体现了决策者的主观经验。

(1) 主观赋权法

主观赋权法具有代表性的是专家估测法(德尔菲法),专家估测法是依据专家的意见确定权重的主观赋权法。该方法首先邀请相关领域的专家依据自身的经验知识,主观判断各个指标的重要程度,然后收集专家的意见,采用平均值或者频数统计的方法确定最终权重。

专家估测法的优点在于:第一,充分利用了专家的经验知识,根据专家经验充分考虑外界影响因素;第二,适用范围广,能处理大量无法定量分析的指标。主要缺点在于:权重确定基本依赖专家的知识经验,不同的专家选择可能会有不同的权重结果。

层次分析法最早由美国运筹学家萨蒂于20世纪70年代提出，是一种将定性分析和定量分析结合的主观赋权法。该方法首先将决策项目的影响因素进行层层分解，构建一个包含目标层、准则层和具体指标层的层次结构，在此之后，邀请专家运用专业知识及经验比较每个因素的重要性，进而确定不同因素的权重。虽然层次分析法涉及了专家对各指标重要程度的主观判断，但又通过一致性检验，来保证专家思维逻辑的一致性，实现了主观向客观的转化，最大程度保证了结果的客观性。

层次分析法的优点在于：第一，分析方法具有系统性，该方法通常将研究对象当作一个相对独立的系统，对研究对象进行分解、对比分析和综合评价；第二，充分发挥定性分析和定量分析的优势，一方面充分发挥了专家的经验知识，另一方面，又借助客观的逻辑检验，使决策过程具有很强的科学性。缺点在于：当指标过多时，指标之间的重要程度判断容易出现问题，从而无法通过一致性检验，权重难以确定。

(2) 客观赋权法

客观赋权法具有代表性的是变异系数法、主成分分析法和灰色关联度法。

变异系数法是根据各类指标差异的大小赋予权重的一种客观赋权法。基本原理是：在评价指标体系中，指标取值差异越大的指标，越是难以实现，这类指标更能反映被评价对象的差距，应该赋予更高的权重，即指标的变异系数越大，则相应的权重也越大。

变异系数法的优点体现在：第一，计算过程比较简单，方便实用；第二，充分利用了样本数据，保证了指标权重确定的绝对客观性；第三，对指标数量没有限制，适用性广。缺点在于：第一，选择不同的数据样本可能会有不同的权重结果，当样本数量很小且不具有普遍性时，该方法的精度会很低；第二，该方法仅对各个指标单独分析，并未考虑指标之间的关联性；第三，该方法单纯依靠指标差异程度确定权重，未考虑各指标的实际含义。

主成分分析法由霍特林于1933年首先提出，属于客观赋权法。该方法利用降维的思想，对原始变量相关矩阵结构关系进行研究，将多个指标转化为少数几个综合指标，即主成分，进而确定权重。该方法不仅保留了原始变量的主要信息，而且新变量彼此之间又不相关，在进行分析时更有助于抓住主要矛盾。

主成分分析法的优点在于：第一，评价指标之间相关性低，具有更强的代表效果；第二，分析过程中对分析因子的数量没有限制；第三，分析中能用具有代表性的综合因子代替原影响因素进行分析,减少非关键因子的干扰并减少分析过程中的工作量。缺点在于:在主成分分析的降维过程中,主成分因子的释义往往带有一定的模糊性,而且提取出来的主成分因子数量小于原来的因子数量。

灰色关联度法最早由我国教授邓聚龙于1982年提出,是一种客观赋权法。其基本思想是将数据对比与几何曲线变化趋势相结合来确定权重,即利用各方案与最优方案之间的关联度大小确定指标权重。具体计算过程是:首先通过各方案与理想方案的灰色关联判断矩阵及关联系数计算出各指标对整个系统发挥最优效能的贡献度,再通过归一化处理得到各指标的权重。灰色关联度法的优点在于:第一,计算过程相对简单;第二,对指标数量没有限制,且无需大量样本;第三,该方法有一定的容错能力,可以弱化数据缺失的问题。缺点在于:第一,在计算灰色关联系数时的分辨系数值是主观确定的,取值的不同会影响权重结果;第二,该方法并未考虑指标之间的关联性,可能会造成信息重叠。

6.2.2 运用层次分析法确定一级权重

通过以上对科技创新能力评价方法的介绍可以发现,层次分析法在确定权重时不仅参考了专家的意见,而且提供了一致性检验,实现了主观向客观的转化,最大程度保证了结果的客观性。此外,由于长江经济带科技创新能力评价指标体系中的一级指标有五个,指标数量较少,易于判断指标之间的重要程度,因此,本书选用层次分析法确定一级指标权重。

层次分析法确定权重的运算步骤如下:

(1) 建立层次结构

层次分析法的第一个步骤是对所需分析的问题建立层次结构。层次结构是层次分析法中的一个重要概念,是进行后续层次分析的前提和基础工作,通过对问题进行系统分析,把问题化解为多个组成因素,然后根据因素间的支配关系建立包含目标层和准则层等的层次分析结构。

(2) 构造判断矩阵

根据已建立的层次结构,对同一层次各元素关于上一层中对应准则的重要性程度进行两两比较,并赋值所建立的矩阵,构造关于上一层次某准则的判断矩阵。在构造判断矩阵过程中,标度是进行比较和赋值的重要依据,其中运用最广泛的为萨蒂提出的1～9标度法,具体的标度值及含义如表6-2所示。

表 6-2　判断矩阵标度值及其含义

标度	含义(两个元素相比)
1	二者同等重要
3	前者略比后者重要
5	前者明显重要于后者
7	前者比后者重要得多
9	前者的重要性令后者望尘莫及
2,4,6,8	取值范围为相邻两奇数之间
倒数	$a_{ji}=1/a_{ij}$ a_{ij} 表示元素 i 与元素 j 的重要性之比

通过专家咨询,可以考察B层各因素相对于A层因素的两两相对重要程度,得出A-B判断矩阵,如表6-3所示。

表 6-3　A-B 判断矩阵

A	B_1	B_2	…	B_n
B_1	1	a_{12}	…	a_{1n}
B_2	a_{21}	1	…	a_{2n}
…	…	…	1	…
B_n	a_{n1}	a_{n2}	…	1

(3) 计算权重向量

根据已建立的判断矩阵,解判断矩阵的特征根问题,从而可以计算各元素在上一层中某一准则中的相对权重。

若 $\boldsymbol{A}$ 表示A-B判断矩阵,解判断矩阵 $\boldsymbol{A}$ 的特征根问题:

$$\boldsymbol{A\omega}=\lambda_{\max}\boldsymbol{\omega} \tag{6-1}$$

其中,$\lambda_{\max}$ 是 $\boldsymbol{A}$ 的最大特征根,$\boldsymbol{\omega}$ 是相应的特征向量,归一化后的 $\boldsymbol{\omega}$ 就可作为权重向量。

(4) 一致性检验

由于判断矩阵是根据专家主观判断得出的,因此很可能出现"A比B重要,B比C重要,但C却比A重要"的结果,进行一致性检验的目的就是防止出现类似的逻辑性错误判断,CI 为A-B判断矩阵的一致性指标:

$$CI = \frac{\lambda_{max} - 1}{n - 1} \tag{6-2}$$

其中,n 表示判断矩阵的阶数;λ_{max} 为判断矩阵的最大特征根。若 CI 值为 0,则表示该判断矩阵完全无偏差;若该值较大,则说明判断矩阵偏差较大,该值与一致性程度反相关。在这里引入平均随机一致性指标 RI,该值是对矩阵不一致的修正指数,是对矩阵阶数影响的一种补救,表 6-4 详细介绍了 RI 的具体值。

表 6-4 平均随机一致性指标 RI

阶数	1	2	3	4	5	6	7	8	9	10	11	12
RI 值	0	0	0.52	0.89	1.12	1.26	1.36	1.41	1.46	1.49	1.52	1.54

取一致性指标 CI 与平均随机一致性指标 RI 之比作为检验一致性的判别式,即:

$$CR = \frac{CI}{RI} \tag{6-3}$$

通常情况下,一阶、二阶矩阵总是一致的,$CR=0$;对于阶数大于 2 的判断矩阵,该值越小越令人满意,通常 0.1 是一个分界点,低于此数的矩阵有较高的一致性,若高于此数则须进一步调整矩阵,将 CR 值尽量控制在 0.1 以内。

6.2.3 运用主成分分析法确定二级指标得分

通过前文对科技创新评价方法的对比可知,主成分分析法通过将原变量压缩为少数具有综合统计性的合成变量,选择信息最丰富的合成变量进行分析,删除了多余的重复数据,适用于处理指标数量较多的问题。本书长江经济带科技创新能力评价的二级指标数量多达 29 个,信息量较大,据此,本书选用主成分分析法计算各子系统得分。

主成分分析法确定权重的步骤如下:

(1) 主成分分析前的准备

主成分分析前的准备主要有两个环节:数据标准化处理和可行性分析。

样本观测数据矩阵 $\boldsymbol{X}$ 为:

$$\boldsymbol{X} = \begin{bmatrix} x_{11} & x_{12} & \cdots & x_{1p} \\ x_{21} & x_{22} & \cdots & x_{2p} \\ \vdots & \vdots & & \vdots \\ x_{n1} & x_{n2} & \cdots & x_{np} \end{bmatrix}$$

第一步，对数据进行标准化处理，减少由数量级以及量纲的不同所带来的影响。标准化处理后的数据矩阵 $\boldsymbol{X}^*$ 为：

$$\boldsymbol{X}^* = \begin{bmatrix} x_{11}^* & x_{12}^* & \cdots & x_{1p}^* \\ x_{21}^* & x_{22}^* & \cdots & x_{2p}^* \\ \vdots & \vdots & & \vdots \\ x_{n1}^* & x_{n2}^* & \cdots & x_{np}^* \end{bmatrix}$$

$$x_{ij}^* = \frac{x_{ij} - \mathrm{E}(x_i)}{\sqrt{\mathrm{Var}(x_i)}} \tag{6-4}$$

其中，x_{ij}^* 为标准化后的数据；$\mathrm{E}(x_i)$ 为变量 $\mathrm{X_i}$ 的均值；$\mathrm{Var}(x_i)$ 为变量 $\mathrm{X_i}$ 的方差。

第二步，可行性分析。通过 KMO 检验和 Barlett 球度检验进行变量相关性分析，一般来说，当 KMO 值大于 0.5 且 Barlett 球度检验的显著性小于 0.05 时，认为变量之间存在相关性，可以进行主成分分析。

（2）计算相关系数矩阵

计算可得到相关系数矩阵 $\boldsymbol{R}$：

$$\boldsymbol{R} = \begin{bmatrix} \rho_{11} & \rho_{12} & \cdots & \rho_{1p} \\ \rho_{21} & \rho_{22} & \cdots & \rho_{2p} \\ \vdots & \vdots & & \vdots \\ \rho_{p1} & \rho_{p2} & \cdots & \rho_{pp} \end{bmatrix}$$

其中，$\rho_{ij}(i=1,2,3,\cdots,p)(j=1,2,3,\cdots,p)$ 为变量 $\mathrm{X_i}$ 和变量 $\mathrm{X_j}$ 的相关系数，计算公式为：

$$\rho_{ij} = \frac{\sum_{k=1}^{n}(x_{ki} - \overline{x_i})(x_{kj} - \overline{x_j})}{\sqrt{\sum_{k=1}^{n}(x_{ki} - \overline{x_i})^2}\sqrt{\sum_{k=1}^{n}(x_{kj} - \overline{x_j})^2}} \tag{6-5}$$

（3）计算相关系数矩阵 $\boldsymbol{R}$ 的特征值和对应的特征向量，确定主成分

由特征方程 $|\lambda \boldsymbol{I} - \boldsymbol{R}| = 0$ 解出相关系数矩阵的 p 个特征值 λ_i，按照特征值的大小进行排序，每个特征值对应的特征向量为 $\boldsymbol{t}_i = (t_{i1}, t_{i2}, \cdots, t_{ip})$。

方差贡献率可以用来反映各个主成分所含信息量的大小，主成分 N_i 的方差贡献率 w_i 表示为：

$$w_i = \frac{\lambda_i}{\sum_{i=1}^{p} \lambda_i} \tag{6-6}$$

根据主成分的方差贡献率、累计方差贡献率确定主成分。为了使所选取的主成分能够对原始信息进行充分反映，一般要求所选主成分的累计贡献率达到85%及以上。

（4）计算得分

在确定好主成分后，主成分 F_i 的表达式即为：

$$F_i = t_{i1} x_{i1}^* + t_{i2} x_{i2}^* + \cdots + t_{ip} x_{ip}^* \tag{6-7}$$

其中，$\boldsymbol{t}_{ij}$ $(j=1,2,3,\cdots,p)$为特征向量；x_{ij}^* $(j=1,2,3,\cdots,p)$为标准化后的数据。原有指标统计数据即可以用代表多数信息的主成分代替，因此，综合得分可以由各主成分及其权重相乘得到，具体计算过程如下：

$$F = \boldsymbol{w}_1 F_2 + \boldsymbol{w}_2 F_2 + \cdots + \boldsymbol{w}_m F_m \tag{6-8}$$

其中，F 为综合得分；$\boldsymbol{w}_i$ $(i=1,2,3,\cdots,m)$为权重，用各主成分的方差贡献率衡量权重大小；$F_i(i=1,2,3,\cdots,m)$ 为各主成分的得分。

6.3 长江经济带科技创新指数评价

6.3.1 数据来源

以长江经济带11个省市（上海、江苏、浙江、安徽、江西、湖北、湖南、重庆、四川、云南、贵州）作为研究样本，对2015—2020年各省市的科技创新指数进行计算分析。原始数据来源于历年《中国统计年鉴》《中国科技统计年鉴》《中国高科技产业统计年鉴》以及各省市的统计年鉴和统计公报。由于原始数据的量纲不同，在进行计算之前对原始数据进行了标准化处理，确保了数据之间的可比性。

6.3.2 长江经济带科技创新指数测算

首先选用层次分析法计算各一级指标的权重，然后运用主成分分析法测算科技资源配置、科技创新环境、科技创新产出、科技创新经济绩效以及科技创新社会绩效五个子系统的得分，最后结合一级指标权重和各子系统得分测算长江经济带 11 省市科技创新指数的综合得分，具体的测算过程如图 6-1 所示。

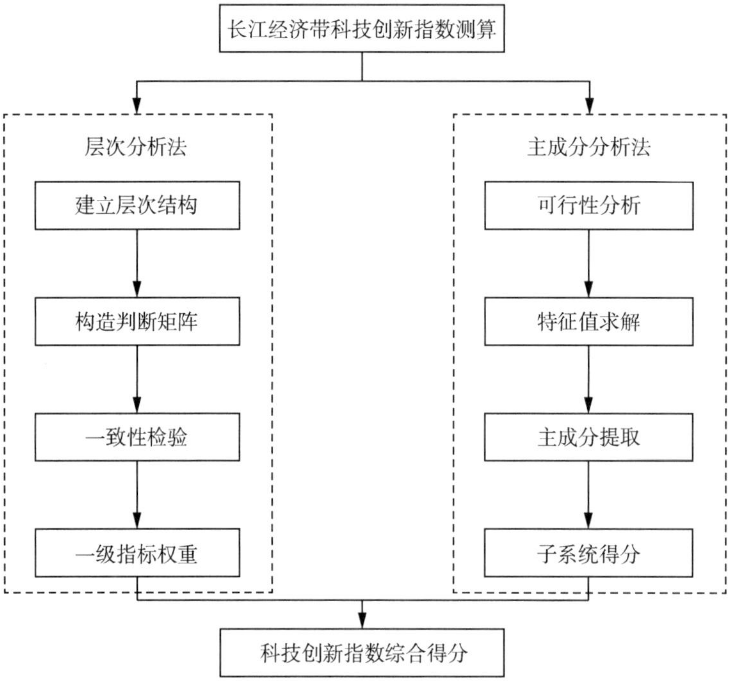

图 6-1　长江经济带科技创新指数的测算过程

(1) 运用层次分析法确定一级权重

为了确定一级指标层对目标层的权重，将采用层次分析法，依据专家打分结果，计算得出一级权重，层次分析法的步骤如下：

① 建立长江经济带科技创新能力评价的层次结构

确定层次结构，要对问题所包含的各项因素进行分析，由此得出一个分级明显的指标体系，前文已建立好长江经济带科技创新能力评价的层次结构，如表 6-1 所示。

② 构造判断矩阵

通过邀请专家打分，考察一级指标层各因素相对于目标层的两两相对重要程度，得出的 A-B 判断矩阵，如表 6-5 所示。

表 6-5　A-B 判断矩阵

A	B_1	B_2	B_3	B_4	B_5
B_1	1	1/2	1/4	1/3	1

续表

A	B_1	B_2	B_3	B_4	B_5
B_2	2	1	1/2	1/2	2
B_3	4	2	1	1	4
B_4	3	2	1	1	4
B_5	1	1/2	1/4	1/4	1

③ 计算权重向量并进行一致性校验

通过解判断矩阵的特征根问题，得到了一级指标权重向量：

$$\boldsymbol{\omega}=(0.09,0.17,0.34,0.32,0.08)^{\mathrm{T}}$$

对判断矩阵进行一致性检验，经计算得到 CR 值为 0.002，远小于标准值 0.1，计算结果符合条件，因此判断矩阵具有满意一致性，所得到的 $\boldsymbol{\omega}=(0.09, 0.17,0.34,0.32,0.08)^{\mathrm{T}}$ 即为一级指标权重。

(2) 运用主成分分析法计算二级权重和得分

采用主成分分析法计算二级权重以及各子系统的得分。首先对数据进行标准化处理和可行性分析，然后利用标准化后的数据求出特征值、特征向量以及方差贡献率，接着根据方差贡献率确定主成分，计算得到各子系统的得分。

① 科技资源配置子系统得分

表 6-6 为 2015—2020 年长江经济带 11 省市科技资源配置子系统的得分和排名情况，由得分情况可以发现，江苏、浙江和上海科技资源配置条件较好，安徽、湖北、湖南、四川和重庆科技资源配置条件次之，江西、贵州和云南科技资源配置较差。综合科技资源配置子系统的排名变动来看，2015—2020 年，安徽和贵州排名上升了一位，而湖北和云南排名均下降了一位，其余省市的排名均未发生变动。分析得分最高的 3 个省市的科技资源配置情况可以发现，江苏在科技资源配置子系统排名一直稳居第 1，最高得分为 2019 年，得分值为 3.63；浙江在科技资源配置子系统的排名有所上升，2018 年超过上海，跃居第 2；上海在 2017 年科技资源配置得分最高，得分值为 2.55，之后得分有小幅度下降。分析科技资源配置条件中等的 5 个省市的得分情况可以发现，安徽最高排名为第 4 名，最低排名为 2018 年的第 6 名，和同属长江下游的江浙沪三地仍有较大的差距；湖北排名稳定在 4～5 名，最高得分为 2017 年，得分值为 0.65，最低得分为 2018 年，得分值为－0.11；湖南最低得分为 2017 年，得分值仅有－1.00，排名第 7，但到 2018 年排名跃居第 4，后稳定在第 6 名的位置；四川在

2017 年首次超越湖南，排名第 6，是 6 年间科技资源配置最好的一年，但在 2017 年后又被湖南超越；重庆排名稳定在 7～8 名，2018 年科技资源配置最好，并自 2018 年开始反超四川，但在 2020 年又落后于四川。分析科技资源配置条件较差的 3 个省的得分情况，2015—2020 年，江西排名一直为第 9，仅高于云贵地区；云贵两地科技资源配置情况相似，均有较大的提升空间，最低得分均为 2019 年，得分值分别为－2.04 和－2.09，与长江经济带其他省市有较大差距。

表 6-6　2015—2020 年长江经济带 11 省市科技资源配置子系统得分和排名

地区	2015 年		2016 年		2017 年		2018 年		2019 年		2020 年	
	得分	排名	得分	排名	得分	排名	得分	排名	得分	排名	得分	排名
上海	1.92	3	2.46	2	2.55	2	1.50	3	1.16	3	1.14	3
江苏	3.62	1	3.53	1	2.71	1	3.19	1	3.63	1	3.01	1
浙江	2.09	2	2.05	3	1.65	3	1.90	2	2.06	2	2.00	2
安徽	－0.09	5	0.43	4	0.35	5	－0.30	6	－0.13	5	0.07	4
江西	－1.37	9	－1.51	9	－1.41	9	－1.11	9	－1.18	9	－0.86	9
湖北	－0.06	4	0.02	5	0.65	4	－0.11	5	0.07	4	0.01	5
湖南	－0.67	6	－0.80	6	－1.00	7	－0.08	4	－0.17	6	－0.09	6
重庆	－1.25	8	－1.38	8	－1.12	8	－0.39	7	－0.64	7	－0.73	8
四川	－0.79	7	－0.99	7	－0.99	6	－0.79	8	－0.68	8	－0.69	7
贵州	－1.81	11	－2.06	11	－1.55	10	－1.98	11	－2.09	11	－1.91	10
云南	－1.58	10	－1.76	10	－1.84	11	－1.82	10	－2.04	10	－1.93	11

② 科技创新环境子系统得分

表 6-7 为 2015—2020 年长江经济带 11 省市科技创新环境子系统的得分和排名情况，由得分情况可以发现，江苏、浙江和上海科技创新环境较佳，其次是湖北、安徽、四川、重庆和湖南，江西、贵州和云南科技创新环境较差。综合排名变动情况来看，2015—2020 年，湖南和重庆排名上升：湖南由第 7 名上升到了第 4 名，重庆由第 8 名上升到第 7 名；湖北和四川排名下降：湖北由第 4 名下降到了第 6 名，四川由第 6 名下降到了第 8 名；其他省市排名均未发生改变：江浙沪作为长江经济带经济最为发达的地区，科技投入力度较大，3 省市科技创新环境排名稳居前三的位置，同属长江经济带下游的安徽位于第 5 名，江西、贵州和云南一直位于最后 3 名。

表 6-7 2015—2020 年长江经济带 11 省市科技创新环境子系统得分和排名

地区	2015 年		2016 年		2017 年		2018 年		2019 年		2020 年	
	得分	排名	得分	排名	得分	排名	得分	排名	得分	排名	得分	排名
上海	0.33	3	0.20	3	1.45	3	1.34	3	1.41	3	1.53	3
江苏	5.10	1	4.27	1	3.57	1	3.36	1	3.37	1	3.13	1
浙江	1.67	2	1.34	2	1.99	2	2.07	2	1.89	2	1.53	2
安徽	−0.22	5	−0.14	5	−0.61	6	−0.39	4	−0.47	5	−0.34	5
江西	−0.97	9	−0.77	9	−1.11	9	−1.05	9	−0.98	9	−0.82	9
湖北	−0.13	4	−0.14	4	−0.42	5	−0.44	5	−0.28	4	−0.41	6
湖南	−0.50	7	−0.38	7	−0.70	8	−0.66	8	−0.65	8	−0.31	4
重庆	−0.73	8	−0.61	8	−0.26	4	−0.46	6	−0.54	7	−0.51	7
四川	−0.37	6	−0.15	6	−0.70	7	−0.54	7	−0.52	6	−0.58	8
贵州	−2.20	11	−1.80	10	−1.55	10	−1.55	10	−1.55	10	−1.66	11
云南	−1.99	10	−1.81	11	−1.66	11	−1.68	11	−1.68	11	−1.57	10

③ 科技创新产出子系统得分

表 6-8 为 2015—2020 年长江经济带 11 省市科技创新产出子系统的得分和排名情况，由得分情况可以发现，江苏、上海和浙江科技创新产出较佳，其次是湖北、四川、湖南、安徽和重庆，江西、贵州和云南创新产出结果不理想。综合排名变动情况来看，贵州、浙江、湖南和江西的排名上升，重庆、云南、安徽、湖北和上海的排名下降，江苏和四川未发生变动。分析科技产出能力最强的三个省市的情况，2015—2020 年，江苏科技创新产出稳居第 1 名，浙江由第 4 名跃居第 2 名，而上海自 2019 年开始被浙江超越，排名由第 2 名下滑至第 3 名。分析科技创新能力居中的五个省市的情况，2015—2017 年湖北科技创新产出位于第 3 名，但自 2018 年开始被浙江超越，排名有小幅度的下降；四川的排名较为稳定，位于第 5 名(2019 年为第 4 名)；安徽在 2015—2016 年间排名均为第 6 名，但自 2017 年开始被湖南超越，排名下降到第 7 名；湖南自 2017 年排名超越安徽，由第 7 名上升到第 6 名。江西、云南和贵州均为科技创新产出较差的省份，但江西和贵州的排名在不断上升，自 2016 年开始江西的排名由第 10 名上升到第 9 名，贵州由第 11 名不断上升到第 8 名，相反，云南的排名不断下降。

表 6-8　2015—2020 年长江经济带 11 省市科技创新产出子系统得分和排名

地区	2015 年		2016 年		2017 年		2018 年		2019 年		2020 年	
	得分	排名	得分	排名	得分	排名	得分	排名	得分	排名	得分	排名
上海	1.25	2	1.31	2	1.38	2	1.33	2	1.16	3	1.09	3
江苏	2.85	1	2.68	1	2.40	1	2.52	1	2.74	1	2.79	1
浙江	0.61	4	0.62	4	0.63	4	0.96	3	1.27	2	1.64	2
安徽	−0.28	6	−0.39	6	−0.80	7	−0.70	7	−0.65	7	−0.47	7
江西	−1.38	10	−1.16	9	−0.91	8	−1.31	9	−1.23	9	−1.11	9
湖北	0.91	3	0.99	3	1.30	3	0.74	4	0.58	5	0.44	4
湖南	−0.58	7	−0.67	8	−0.34	6	−0.56	6	−0.45	6	−0.24	6
重庆	−0.97	8	−0.67	7	−1.11	9	−0.87	8	−1.39	10	−1.40	10
四川	0.20	5	0.09	5	0.21	5	0.71	5	0.77	4	0.36	5
贵州	−1.45	11	−1.50	11	−1.38	11	−1.31	10	−1.18	8	−1.09	8
云南	−1.16	9	−1.29	10	−1.37	10	−1.52	11	−1.63	11	−2.00	11

④ 科技创新经济绩效子系统得分

表 6-9 为 2015—2020 年长江经济带 11 省市科技创新经济绩效子系统的得分和排名情况，由得分情况可以发现，江苏、重庆、浙江、上海、安徽和江西科技创新的经济绩效较好，其次是湖南、四川和湖北，云南和贵州科技创新经济绩效较差。综合排名变动情况来看，2015—2020 年，江西、浙江、安徽、湖北和四川排名上升，上海和湖南排名下降，其余省市排名未发生变动。江西排名上升幅度最大，由第 7 名上升到第 3 名，2020 年得分为 0.58，仅低于第 2 名的重庆 0.32 分；浙江、安徽、四川和湖北排名均上升 1 个位次：浙江由第 5 名上升至第 4 名，安徽由第 6 名上升至第 5 名，四川由第 8 名上升至第 7 名，湖北由第 9 名上升至第 8 名；湖南排名下降程度最大，2015 年为第 4 名，2020 年已下滑至第 9 名；上海下降了 3 个位次，由第 3 名下滑至第 6 名；江苏和重庆一直稳居前 2 名的位置，而贵州和云南一直位于最后 2 名。

表 6-9　2015—2020 年长江经济带 11 省市科技创新经济绩效子系统得分和排名

地区	2015 年		2016 年		2017 年		2018 年		2019 年		2020 年	
	得分	排名	得分	排名	得分	排名	得分	排名	得分	排名	得分	排名
上海	0.46	3	0.12	3	0.25	3	0.19	5	−0.03	5	−0.14	6

续表

地区	2015 年		2016 年		2017 年		2018 年		2019 年		2020 年	
	得分	排名	得分	排名	得分	排名	得分	排名	得分	排名	得分	排名
江苏	4.33	1	4.52	1	3.53	1	3.55	1	3.40	1	3.52	1
浙江	−0.02	5	0.03	4	0.14	4	0.30	4	0.13	4	0.31	4
安徽	−0.53	6	−0.28	6	−0.18	5	0.57	3	−0.24	6	0.20	5
江西	−0.60	7	−0.60	7	−0.41	6	−0.26	6	0.60	3	0.58	3
湖北	−0.84	9	−0.66	8	−0.67	9	−0.69	9	−0.55	9	−0.66	8
湖南	−0.01	4	−0.10	5	−0.51	7	−0.42	7	−0.48	8	−0.69	9
重庆	1.18	2	0.95	2	1.53	2	0.62	2	1.09	2	0.90	2
四川	−0.63	8	−0.69	9	−0.58	8	−0.52	8	−0.25	7	−0.26	7
贵州	−1.54	10	−1.52	10	−1.42	10	−1.56	10	−1.70	10	−1.86	10
云南	−1.82	11	−1.78	11	−1.67	11	−1.77	11	−1.96	11	−1.89	11

⑤ 科技创新社会绩效子系统得分

表 6-10 为 2015—2020 年长江经济带 11 省市科技创新社会绩效子系统的得分和排名情况，由得分情况可以发现，上海、江苏和浙江科技创新社会绩效较好，安徽、湖北、重庆和湖南次之，江西、四川、贵州和云南科技创新的社会绩效较差。综合排名变动情况来看，2015—2020 年，江西、湖南和重庆的排名均上升了 1 个位次，湖北的排名下降了 3 个位次，其余省市排名未发生改变。重庆由第 6 名上升至第 5 名，湖南由第 7 名上升至第 6 名，江西由第 8 名上升至第 7 名，而湖北则由第 5 名下滑至第 8 名，上海、江苏、浙江和安徽分别稳居前 4 名，四川、云南和贵州分别位于最后 3 名。

表 6-10　2015—2020 年长江经济带 11 省市科技创新社会绩效子系统得分和排名

地区	2015 年		2016 年		2017 年		2018 年		2019 年		2020 年	
	得分	排名	得分	排名	得分	排名	得分	排名	得分	排名	得分	排名
上海	1.99	1	2.44	1	2.85	1	2.56	1	2.63	1	3.18	1
江苏	1.55	2	1.46	2	1.94	2	1.91	2	1.90	2	1.16	2
浙江	1.20	3	1.27	3	1.38	3	1.45	3	1.33	3	1.21	3
安徽	0.44	4	0.45	4	0.69	4	0.53	4	0.40	4	0.25	4
江西	−0.70	8	−0.82	8	−0.71	8	−0.99	8	−0.89	8	−0.61	7

续表

地区	2015年		2016年		2017年		2018年		2019年		2020年	
	得分	排名	得分	排名	得分	排名	得分	排名	得分	排名	得分	排名
湖北	0.37	5	0.27	5	0.24	5	0.12	6	0.10	6	−0.78	8
湖南	−0.16	7	−0.07	6	0.09	6	−0.21	7	−0.22	7	−0.21	6
重庆	0.34	6	−0.30	7	−0.45	7	0.46	5	0.28	5	−0.06	5
四川	−1.17	9	−0.90	9	−1.00	9	−1.22	9	−1.26	9	−0.99	9
贵州	−1.94	11	−2.22	11	−2.81	11	−2.41	11	−2.27	11	−1.80	11
云南	−1.92	10	−1.58	10	−2.21	10	−2.18	10	−2.00	10	−1.35	10

⑥ 长江经济带创新指数测算

表6-11为2015—2020年长江经济带11省市科技创新指数测算得分和排名情况，综合得分情况来看，江苏、上海、浙江创新能力较强，其次是湖北、重庆、安徽、四川和湖南，江西、贵州和云南科技创新能力较弱。综合排名变动情况可以发现，2015—2020年浙江、安徽、四川和贵州排名上升，重庆、上海、湖北、湖南和云南排名下滑，其他省份排名未发生变动。自2019年开始，浙江创新能力排名超越了上海，由第3名上升至第2名，仅次于江苏；安徽排名由第6名上升至第4名，超越了湖北；四川排名由第8名上升至第6名，超越了同属长江经济带上游的重庆；贵州排名自2017年开始超越了云南，由第11名上升至第10名。

表6-11　2015—2020年长江经济带11省市科技创新指数测算得分和排名

地区	2015年		2016年		2017年		2018年		2019年		2020年	
	得分	排名	得分	排名	得分	排名	得分	排名	得分	排名	得分	排名
上海	0.96	2	0.94	2	1.25	2	1.08	2	0.94	3	0.94	3
江苏	3.67	1	3.52	1	2.95	1	3.00	1	3.07	1	2.97	1
浙江	0.77	3	0.73	3	0.85	3	1.06	3	1.09	2	1.19	2
安徽	−0.27	6	−0.17	5	−0.35	6	−0.11	5	−0.36	7	−0.13	4
江西	−1.00	9	−0.92	9	−0.81	9	−0.89	9	−0.57	9	−0.46	9
湖北	0.04	4	0.13	4	0.23	4	−0.04	4	0.01	4	−0.20	5
湖南	−0.36	7	−0.40	8	−0.48	8	−0.46	8	−0.45	8	−0.38	8
重庆	−0.16	5	−0.18	6	−0.07	5	−0.17	6	−0.25	6	−0.35	7

续表

地区	2015 年		2016 年		2017 年		2018 年		2019 年		2020 年	
	得分	排名	得分	排名	得分	排名	得分	排名	得分	排名	得分	排名
四川	−0.36	8	−0.38	7	−0.40	7	−0.18	7	−0.07	5	−0.20	6
贵州	−1.68	11	−1.67	11	−1.55	10	−1.58	10	−1.58	10	−1.56	10
云南	−1.61	10	−1.60	10	−1.62	11	−1.71	11	−1.81	11	−1.83	11

6.3.3 长江经济带科技创新指数测算结果分析

(1) 趋势性分析。图 6-2 给出了 2015—2020 年长江经济带 11 省市科技创新指数的变动趋势，由图 6-2 可以看出，浙江、江西、四川、贵州和安徽的科技创新能力总体提升，江苏、湖北、重庆、云南的科技创新能力正在退步，上海和湖南的科技创新能力稳定发展。浙江、江西、四川、贵州和安徽这 5 个省份的科技创新指数呈上升的趋势，这说明这 5 个省份的科技创新能力正在不断提升，其中江西和浙江科技创新指数上升幅度最大，江西科技创新指数整体上升了 0.56，浙江科技创新指数上升了 0.42，科技创新发展态势良好；江苏、湖北、重庆、云南这 4 个省市的科技创新指数整体呈下降的趋势，其中江苏下降幅度最

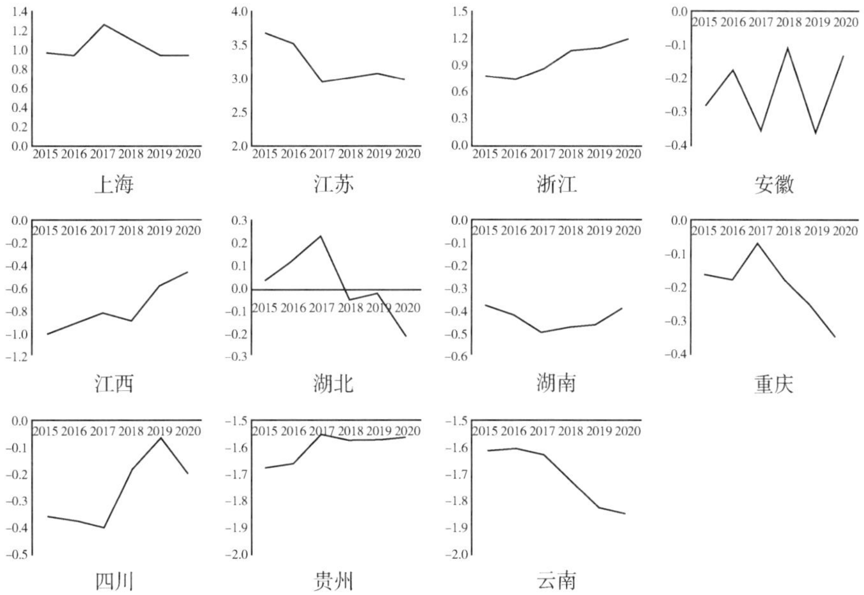

图 6-2　2015—2020 年长江经济带 11 省市科技创新指数变动趋势

大，科技创新指数整体下降了 0.70，湖北、重庆、云南科技创新指数的下降幅度相近，分别下降了 0.24、0.19 和 0.22，这说明这 4 个省份的科技创新能力正在退步，需进一步加强科技投入，合理规划，保持科技创新能力稳步提高；上海和湖南科技创新指数整体波动幅度较小，这说明这两个省市的科技创新能力较为稳定，其中上海的科技创新能力先升后降，而湖南的科技创新能力先降后升。

(2) 对比分析。分析创新指数计算结果可以发现，长江经济带 11 个省市科技创新能力参差不齐，根据科技创新总指数得分，可以将 11 个省市的科技创新能力大致分为“强”“较强”“弱”三个等级，其中江苏、上海、浙江的科技创新能力强，湖北、重庆、安徽、四川和湖南的科技创新能力较强，江西、贵州、云南的科技创新能力弱。

科技创新能力最强的 3 个省市分别为江苏、浙江、上海，均位于长江经济带下游，但它们之间也存在一定的差异性。江苏在科技资源配置、科技创新环境、科技创新产出以及科技创新经济绩效四个子系统中得分一直稳居第一名，综合实力最强，优越的科技资源配置、适宜的创新环境、丰沛的产出结果以及高效的经济绩效使得江苏科技创新能力最强，整体创新能力最好，但还需提高社会绩效，加强环境保护力度，促进绿色高质量发展；浙江拥有优渥的科技创新环境，科技资源配置、科技创新环境和科技创新经济绩效强于上海，而上海科技成果转化能力强，可持续发展能力强，在科技创新产出和社会绩效方面整体强于浙江。

科技创新能力较强的省份为湖北、重庆、安徽、四川和湖南。湖北是长江中上游地区科技创新能力最强的省市，但还需努力提高科技创新的经济绩效，推动高技术产业蓬勃发展；长江中上游地区中，重庆的科技创新能力仅次于湖北，主要原因在于其经济绩效极佳，高技术产业发展势头强劲，但值得注意的是，重庆需进一步提高科技创新产出能力，同时提供优质的资源服务和创新环境，促进科技成果转化；安徽的科技创新能力和重庆相近，但与同属长江下游的江浙沪地区仍有较大的差距，安徽科技创新的社会绩效较好，但科技创新产出能力有待提高，可以借助地理优势，进一步融入长江经济带下游科创圈；四川的科技创新能力处于上升期，近年来正在不断超越重庆，四川科技成果转化能力强，创新产出水平高，但需要提高其社会绩效，利用科技促进高质量发展和可持续发展；湖南综合科技创新能力有小幅度下降，需要促进其科技创新能力稳步发展。

江西、贵州和云南科技创新能力弱。江西是长江中游地区科技创新能力最弱的省份，尽管其经济绩效近年来有所提高，但在科技资源配置、科技创新环境、科技创新产出和科技创新社会绩效等方面发展迟缓；云贵两地的科技创新能力始终处于末尾的位置，两地应加强合作交流，积极吸收其他地区的发展经验。

6.4 长江经济带科技创新建议

6.4.1 深化科技体制改革，优化科技创新环境

一是深化科技管理体制改革。各省市政府应进一步下放权力，建立以需求为市场导向的技术转移服务体制，同时扫除阻碍科技创新资源流动的制度障碍，进一步优化创新环境。二是完善知识产权保护机制。完善知识产权相关法律法规，加强对各类型企业的品牌保护，提升并支持相关企业商标保护的意识，构建知识产权保护运营公共服务平台。三是完善科技创新服务体系。在信息服务方面，鼓励向企业开放国家科研数据，搭建科技创新资源合作平台，促进企业间技术要素自由流通和科技信息互动交流；在金融服务方面，推动构建政府引导、企业主导的创新创业融资服务平台，吸引社会创新创业资金和民间资本，为中小企业提供持续创新资金。

6.4.2 建设人才队伍，强化企业创新主体地位

一是激励企业加大研发和人才投入。通过实施更大力度的研发费用加计扣除、高新技术企业税收优惠等普惠性政策激励企业加大研发投入，确保中央及地方科技专项、高新技术项目等资金更多投向企业，引导社会资本流入企业，以多种方式激励企业创新。二是加强产学研合作。高校和科研院所是培养科技人才的主要场所，能为产业发展提供强大的技术源，而企业是提升区域创新能力的主体力量，通过加强企业与高等院校、科研院所之间的密切合作，进一步推动创新要素向企业集聚，促进创新成果转化为现实生产力。三是引导发展模式转变，鼓励企业由以往偏向于垄断资源攫取、销售渠道占据、简单低端模仿创新等低质量发展模式，向以技术创新、产品革新、商业模式谋新、运营机制图新为主的高质量发展模式转变。

6.4.3 推动产业结构升级，加强区域协同创新机制

长江经济带各区域主体功能定位较为清晰，但各省市科技创新能力有较大的差距，因此，应充分考虑长江经济带各区域的异质性，制定差别化的科技

发展政策，同时加强区域间科技资源的流动，促进协同创新，推动长江经济带科技创新能力均衡发展。

（1）长江经济带下游的江浙沪三省市应充分发挥辐射带动作用。目前全国 21 个国家自主示范创新区中有 5 个位于长江经济带下游，因此，应充分发挥上海张江、江苏苏南、合芜蚌、浙江杭州、宁波温州国家自主创新示范区的引领作用，将国家自主创新示范区作为区域转型升级和制度创新的核心载体，带动整个长江经济带流域的科技创新发展。上海应推进全球科技金融中心建设，以发展总部经济为要点，吸引跨国公司成立亚洲研发中心；江浙两省应加快部分产业向中上游省市转移，大力发展电子信息、人工智能等高新技术产业，促进产业结构升级；安徽由于自身科技创新能力不足，应利用区位优势，积极融入长三角，吸收江浙沪的先进技术，不断提高自身创新能力。

（2）长江经济带中游的三省（湖北、湖南、江西）应积极吸收下游的溢出效应，同时加快建设国家科技创新中心。中游地区作为承接上下游的通道，应充分发挥其区位优势。一方面，充分吸收下游地区的技术溢出，积极承接产业转移；另一方面，围绕优势产业领域，建立国家科技创新中心，促进技术要素自由流通，提升科技成果转化能力，进一步推进武汉东湖和长株潭国家自主创新示范区建设，带动中游省份科技创新发展。

（3）长江经济带上游 4 省市（四川、重庆、贵州、云南）应培育科技创新发展的增长极。上游地区因受其地理位置影响，较难获得下游的辐射效应，因此，应培育新的增长极。积极推动重庆、成都“双核”引领相向发展，建设成渝综合性科学中心以及西部科学城，强化创新链产业链协同，同时抓住“一带一路”的新发展机遇，共建“一带一路”科技创新合作区和国际技术转移中心，全方位加强对外科技创新合作。

6.4.4 推进新型基础设施建设，促进要素资源自由流通

良好的通勤保障是科技创新资源自由流动的基本条件之一。长江经济带幅员辽阔，地理环境复杂，一定程度上阻碍了科技创新资源的自由流动，包括人力资源和物力资源等的自由流动，不利于长江经济带一体化发展。因此，降低长江经济带科技创新资源的流通成本和时间既紧迫又关键。具体而言，一方面要继续加强公路、铁路、航运等传统基建设施的投入力度，尤其是发挥长江经济带的地理优势，发挥水力运输的作用；另一方面，数字经济时代进入深度繁荣期，借助数字经济等新一代信息技术，大力发展新型基础设施，促进要素资源在各省市之间的自由流动。

6.4.5 深化开放创新,促进高质量发展

推动形成深度融合的开放创新的新局面,需要形成高质量对外开放和科技创新的良性互动机制,在顺应科技国际化根本规律和科技趋势的前提下,充分利用国内外创新资源,夯实科技基础,进一步提升创新能力。具体而言,一方面,高质量“引进来”,在招商引资的过程中,尤其注意吸引全球高质量人才、技术和知识等创新要素的流入,同时为国外资源要素的流入提供良好的政策环境。另一方面,依托高质量“走出去”,主动采取措施,避免与国际科技创新主流“脱钩”,在国际市场竞争的过程中,加强与市场、技术信息等的沟通交流,利用和吸收全球先进科技创新要素和资本,鼓励政府间、产学研间跨境合作,利用双边、多边机制多措并举,推进科技创新领域合作交流,助力本土企业和科技机构提升在国际创新合作中的地位。

07

第七章

绿色低碳高质量发展评价

7.1 长江经济带绿色低碳发展指数构建

7.1.1 构建绿色低碳发展指数的原则、要求

进入21世纪后，随着我国综合国力的不断提高和国际地位的显著加强，我国的经济展现出了强劲的发展势头。面对日益变化的国际形势，我国结合自身国情的实际情况于2020年提出“以国内大循环为主体，国内国际双循环相互促进”的新发展格局。但是高速发展的经济在一定程度上也给环境带来了一系列的负面影响。同时，近年来全球性的气候问题影响着各个国家，实现绿色低碳发展成为各国发展追求的目标。作为一个负责任的大国，我国一直积极参与到构建人类命运共同体的工作中，主动承担起应对全球气候变化的责任。以习近平同志为核心的党中央，主动明确提出“双碳”目标，即在2030年前实现碳达峰，在2060年前实现碳中和。在发展的过程中，我们要实现经济的绿色低碳发展，将已有的生态优势转换为发展优势，实现经济的可持续发展和“低能耗、低污染、低排放”，打好蓝天、碧水、净土保卫战。实现绿色低碳发展，是生态文明建设工作的重要环节，与“绿水青山就是金山银山”的发展理念紧密契合，能够实现经济发展和环境保护的双赢。

从2005年开始，联合国环境规划署连续4年将绿色发展和低碳经济确定为“世界环境日”的主题（2005年主题为“营造绿色城市，呵护地球家园”；2006年主题为“莫使旱地变为荒漠”；2007年主题为“冰川消融，后果堪忧”；2008年主题为“转变传统观念，推行低碳经济”），这一举动受到了包括中国在内的诸多国家的高度重视以及积极响应，很多国家由此开始制定绿色增长战略或将绿色低碳发展纳入经济社会发展规划。如今，绿色低碳发展已成为一个重要的经济增长和社会发展方式。其紧紧围绕“效率、和谐、生态、持续”四个方面开展。要构建绿色低碳发展的评价指标体系，就要清晰理解绿色低碳发展的内涵。绿色低碳发展是建立在传统发展基础上的一种模式创新，是建立在生态环境容量和资源承载力约束条件下，将生态环境保护作为实现可持续发展重要支柱的一种新型发展模式。绿色低碳发展是构建在“两个友好”（立足于清洁生产和循环经济的环境友好，立足于低碳能源和低碳技术的气候友好）基础上的新经济模式；具有“三个降低”（降低化石高碳能源在能源结构中的比重，降低生产过程碳排放总量，降低单位GDP碳排放强度）的基本特征；遵循环境

与经济社会协调并进，促进人与自然和谐发展，确保生态系统良性循环和环境安全；是建立在“两个双高”（资源能源效率高、产出效率高的生产方式，生活质量高、舒适文明程度高的消费模式）基础上的可持续发展方式。绿色低碳发展可以矫正高碳经济和传统工业化对生态文明的三大负效应，引导和激励人类走向资源节约、环境友好、气候稳定的可持续发展之路。

绿色低碳发展评价指标选用应遵循以下原则：

(1) 整体性原则：区域绿色发展本身内涵丰富，综合性和整体性强，因此无论是整个评价指标体系还是具体的评价指标都要从整体性出发，需要构建一个可以综合反映区域生态环境质量、生态经济发展、人居环境改善等区域绿色发展状况的指标体系。除此之外，所选指标还应考虑各子系统及各关联因子间的相互影响，从系统、整体的角度对指标进行全面衡量与选取。

(2) 可操作性原则：评价指标体系中涉及的具体指标的数据要有明确的来源和出处，确保指标数据来源的真实性和可靠性。除此之外，所构建的指标体系中的各指标的原始数据应较易获得，尽量避免数据缺失的情况。有些指标数据的结果需要通过不同指标数据的综合处理而得出，在对于此类指标的数据进行处理的时候，应注意各单位的统一。因此所选取的指标要特别注意原始数据有可靠的来源、相同的统计口径、易于获取，这有利于评价指标体系的应用和不同区域之间的比较。

(3) 动态性原则：区域绿色发展水平处在不断变化发展之中，因此所选的评价指标必须能够精准反映不同区域年际之间的变化，所以指标体系中至少要有一部分能够敏感反映年际之间变化的具体指标，并能连续获取更新的数据。

(4) 科学性原则：在选择评价因子、构建评价方法以及对数据进行处理的时候，要力求科学，各种因子及模式都应有明确的内涵和专业的文字表述，并且要把科学的定义与实际工作中约定俗成的理解紧密结合，以科学思想为指导，以事实为依据，尽量保证所使用的方法简明易懂。一方面，各评价指标应该具有典型代表性，不能过多过细，使指标过于烦琐、相互重叠；另一方面，指标也不能过少过简，避免指标信息遗漏，出现错误、不真实等情况。

7.1.2 绿色低碳发展指标体系构成

采用层次分析法构建评价指标体系，设定目标层、系统层和指标层 3 个层次，系统层包含一级指标和二级指标，指标层对应三级指标。将长江经济带绿色低碳发展水平设为目标层，采用生产—生态—生活的理论框架构建长江经济带绿色低碳发展指标体系的系统层，为贯彻碳达峰、碳中和的战略部署，将长江经济带绿色低碳生产、绿色生态环境、绿色美好生活3个指标作为系统层中的一级指标，并将一级指标进一步细化为6个二级指标。指标层则充分体现长江经济带的区域特征，具体考虑了长江经济带绿色发展的战略地位、资源概况等因素，同时重点兼顾指标空间可对比性和可操作性，确定三级指标(表7-1)。

表7-1　长江经济带绿色低碳发展指标体系构成

目标层	系统层		指标层			
总目标	一级指标(A)	二级指标(B)	序号	三级指标(C)	单位	属性
长江经济带绿色低碳发展水平	绿色低碳生产	资源利用效率	1	单位GDP能耗	吨标准煤/万元	负向
			2	用水总量	亿立方米	负向
			3	单位GDP用水量	立方米/万元	负向
			4	一般工业固体废物综合利用率	%	正向
		经济增长质量	5	人均GDP	元/人	正向
			6	城乡居民人均可支配收入比	—	负向
			7	第三产业增加值占GDP比重	%	正向
			8	研究与试验发展经费支出占GDP的比重	%	正向
	绿色生态环境	生态环境治理	9	化学需氧量排放量	吨	负向
			10	氨氮排放总量	千克	负向
			11	二氧化硫排放总量	吨	负向
			12	城市污水日处理能力	万立方米	正向
		生态环境质量	13	湿地面积	千公顷	正向
			14	造林面积	公顷	正向
			15	森林覆盖率	%	正向
	绿色美好生活	绿色低碳出行	16	城市每万人公交车拥有量	标台/万人	正向
			17	公共交通总客运量	万人次	正向
		美好生活环境	18	城市空气质量优良天数比例	%	正向
			19	城市酸雨率	%	负向
			20	城市地表水达标率(Ⅲ类以上)	%	正向
			21	城市生活垃圾无害化处理率	%	正向
			22	城市建成区绿化覆盖率	%	正向

第一，绿色低碳生产方面。绿色低碳生产是绿色发展的动力，实现生态环境与经济社会相协调的可持续发展才是绿色发展的宗旨。"十四五"期间提出，要通过构建多层次经济循环利用体系全面提高资源利用效率，发展经济需要加强资源利用效率监测和评估。因此绿色低碳生产部分主要包括资源利用效率和经济增长质量 2 个二级指标，分别对应绿色技术创新体系、节约高效能源体系和低碳循环发展的经济体系。资源利用效率方面选取的三级指标有：单位 GDP 能耗、用水总量、单位 GDP 用水量以及一般工业固体废物综合利用率等。经济增长质量指标包括发展绿色经济和推进经济发展公平性两个方面，选取的三级指标包括：人均 GDP、城乡居民人均可支配收入比、第三产业增加值占 GDP 比重、研究与试验发展经费支出占 GDP 的比重等。

第二，绿色生态环境方面。生态环境良好是绿色发展的前提，生态环境良好并不是片面强调环境的重要性，而是将人与自然和谐相处、经济发展与生态环境保护相协调的理念贯穿到各项具体工作中。习近平总书记强调"绿水青山就是金山银山"，绿水青山既是自然财富、生态财富，又是社会财富、经济财富，保护生态环境就是保护自然和增值自然资本，就是保护经济社会发展潜力和后劲，使绿水青山持续发挥生态效益和经济社会效益。因此绿色生态环境主要包括生态环境治理和生态环境质量 2 个二级指标，分别从动态流量和静态存量角度考察生态环境总状况，生态环境改善一定是治理和保护双管齐下。基于此，选取针对生态环境治理的三级指标如下：化学需氧量排放量、氨氮排放总量、二氧化硫排放总量以及城市污水日处理能力等。衡量生态环境质量的三级指标有：湿地面积、造林面积以及森林覆盖率等。

第三，绿色美好生活方面。绿色美好生活是区域绿色发展的目标。指标主要包括绿色低碳出行和美好生活环境 2 个二级指标。在人民追求美好生活的过程中，对绿色美好生活环境的需求比以往任何时候都要强烈，故而选择绿色低碳生活方式在新时代对城市绿色发展越来越重要。衡量绿色低碳出行的三级指标包括城市每万人公交车拥有量和公共交通总客运量两个指标，量度美好生活环境的三级指标有：城市空气质量优良天数比例、城市酸雨率、城市地表水达标率（Ⅲ类以上）、城市生活垃圾无害化处理率以及城市建成区绿化覆盖率等。

7.1.3 绿色低碳发展指数的计算方法

评价指标确定之后，则进行指标权重计算、标准化处理和指数测算。

(1) 计算指标权重

选择客观赋权法中的熵值法计算各指标的权重。为消除因各指标量纲不同造成的误差，需先对各指标原始数据进行标准化处理，具体评价方法如下：

$$X_{ij}=\frac{x_{ij}-x_{\min}}{x_{\max}-x_{\min}}\text{（正相关指标）} \tag{7-1}$$

$$X'_{ij}=\frac{x_{\max}-x_{ij}}{x_{\max}-x_{\min}}\text{（负相关指标）} \tag{7-2}$$

其中，

$$X_{ij}=X'_{ij}+\alpha \quad (\alpha=0.000\ 1) \tag{7-3}$$

计算第 i 个单元第 j 项指标值的比重 Y_{ij}：

$$Y_{ij}=\frac{x'_{ij}}{\sum_{i=1}^{m} x'_{ij}} \tag{7-4}$$

计算指标信息熵 e_j：

$$e_j=-k\sum_{i=1}^{m} Y_{ij}\times \ln Y_{ij}\text{，}k=1/\ln 11 \tag{7-5}$$

计算信息熵冗余度 d_j：

$$d_j=1-e_j \tag{7-6}$$

计算指标权重 $\boldsymbol{w}_j$：

$$\boldsymbol{w}_j=\frac{d_j}{\sum_{i=1}^{n} d_j} \tag{7-7}$$

(2) 计算指数 F_i

采用综合指标评价法将评价指标标准化与评价指标权重动态加权求和，求得绿色低碳发展指数 F_i：

$$F_i=\sum_{j=1}^{n}(x_{ij}\times \boldsymbol{w}_j) \tag{7-8}$$

其中，F_i 为绿色低碳发展指数；x_{ij} 为第 j 项的评价指标标准化值；$\boldsymbol{w}_j$ 为第 j 项评价指标权重值。

7.2 长江经济带绿色低碳发展指数测度

7.2.1 数据来源

为对比长江经济带发展战略实施成效和综合考虑数据的可获取性，选取了 2015—2020 年长江经济带 11 省市相关指标数据进行绿色低碳发展指数研究。各指标的数据主要来源于《中国统计年鉴》(2016—2021 年)、《中国能源统计年鉴》(2016—2021 年)、《中国环境统计年鉴》(2016—2020 年)、《中国城市统计年鉴》(2016—2021 年)、《中国科技统计年鉴》(2016—2021 年)、《中国高技术产业统计年鉴》((2016—2021 年)、各省市统计年鉴(2016—2021 年)、各省市生态环境状况公报(2016—2021 年)和各省市水资源公报(2016—2021 年)等。

由于在开展本研究时(2020)，能源消耗总量以及化学需氧量排放量的数据尚未向社会公布，故三级指标中的第 1 项“单位 GDP 能耗”和第 9 项“化学需氧量排放量”的具体数值无法计算和获得。由于这两项指标中 2020 年数据的缺少对于综合指数的测算以及分指标“长江经济带资源利用效率”和“长江经济带生态环境质量”的测算存在影响，为保持全书的严谨性和实效性，本章在计算长江经济带绿色低碳发展综合指数时所采用的数据为 2015—2019 年；同上，在进行分指标指数测算时，“长江经济带资源利用效率”和“长江经济带生态环境治理”采用的数据为 2015—2019 年，“长江经济带经济增长质量”“长江经济带生态环境质量”“长江经济带绿色低碳出行”“长江经济带美好生活环境”采用的数据为 2015—2020 年。

7.2.2 长江经济带绿色低碳发展综合指数测算

从长江经济带 2015—2019 年绿色发展水平的时序变化看，绿色发展水平呈整体平稳增长态势，且下游城市整体优于中游城市和上游城市，见表 7-2。由于近几年发展迅速，政策不断完善，人们的环保意识不断加强，所以在计算综合指数并按照其结果进行排名时，不同年份所起的作用也不尽相同，年份越近越有研究意义，所占的权重应该越大。本书以等差数列的形式赋予不同年份不同的权重，并以此计算最终的综合指数得分排名。随着长江经济带发展战略的不断推进，长江经济带地区绿色发展水平呈稳步上升的趋势，地区之间的绿色发展差距在不断缩小。

受经济发展水平和地理环境等因素影响，长江经济带沿线 11 省市绿色发展水平出现较明显的空间分异现象。上海、浙江、江苏 3 个省市绿色低碳发展指数稳居长江经济带沿线 11 个省市前三强，较其他地区而言，能充分发挥其历史发展过程中积淀的比较优势，率先转变经济发展方式和经济结构形式，高效协调统筹推进环境治理工作，引领长江经济带绿色发展。除长三角地区 3 省市以外，重庆的绿色低碳发展水平相对较高，绿色发展指数排名稳居第 4 位。贵州、云南、江西绿色低碳发展指数排名较靠后，处于后 3 名。从绿色低碳发展指数的加权结果（见表 7-3）来看，长江经济带各省市的排名依次为：上海＞浙江＞江苏＞重庆＞四川＞湖北＞湖南＞安徽＞云南＞江西＞贵州，整体上呈现出下游＞中游＞上游的空间分布格局。

表 7-2　2015—2019 年长江经济带绿色低碳发展综合指数

地区	年份					加权结果
	2015	2016	2017	2018	2019	
上海	0.667 4	0.637 6	0.642 1	0.612 8	0.615 8	0.628 7
江苏	0.580 5	0.600 1	0.598 4	0.587 6	0.549 3	0.579 4
浙江	0.586 9	0.620 2	0.606 0	0.632 3	0.604 7	0.612 4
安徽	0.408 3	0.388 5	0.367 8	0.381 3	0.365 2	0.377 6
江西	0.351 6	0.311 3	0.325 6	0.335 9	0.331 6	0.330 4
湖北	0.407 6	0.430 1	0.462 6	0.443 9	0.457 9	0.446 1
湖南	0.394 5	0.448 7	0.424 4	0.444 4	0.425 6	0.430 4
重庆	0.495 0	0.492 9	0.443 6	0.455 3	0.455 6	0.462 7
四川	0.395 0	0.451 2	0.483 6	0.467 8	0.459 3	0.458 7
云南	0.385 3	0.360 1	0.339 6	0.343 5	0.372 3	0.358 0
贵州	0.356 2	0.339 9	0.292 7	0.290 8	0.307 3	0.310 0

表 7-3　长江经济带绿色低碳发展综合指数加权结果及排名

地区	绿色低碳发展指数加权结果	排名
上海	0.628 7	1
浙江	0.612 4	2
江苏	0.579 4	3

续表

地区	绿色低碳发展指数加权结果	排名
重庆	0.462 7	4
四川	0.458 7	5
湖北	0.446 1	6
湖南	0.430 4	7
安徽	0.377 6	8
云南	0.358 0	9
江西	0.330 4	10
贵州	0.310 0	11

7.2.3 长江经济带绿色低碳发展分指标指数测算

生态环境治理难度大、见效慢，由于“重经济、轻环境”的粗放发展历史、沿江高风险污染行业布局短期内难以根本改变、绿色治理投入和保障不足以及协调发展机制不健全等原因，长江经济带绿色发展仍面临生态环境保护、治理与修复等方面的痛点和难点。从绿色低碳发展各分项指数（表 7-4 至表 7-9）看，各省市由于生态资源、经济发展水平与模式等方面的差异，在绿色低碳发展的进程中呈现出不同的特点。如上海的资源利用效率、经济增长质量、生态环境治理均处于前列，与其他省市有较大差距，但在生态环境质量与美好生活环境方面较差。

表 7-4　2015—2019 年长江经济带资源利用效率

年份	2015	2016	2017	2018	2019
上海	0.983 8	0.986 1	0.979 7	0.953 0	0.960 4
江苏	0.706 3	0.700 8	0.703 3	0.704 9	0.663 6
浙江	0.940 2	0.933 5	0.936 9	0.957 3	0.921 9
安徽	0.584 8	0.573 7	0.602 6	0.627 9	0.630 1
江西	0.350 2	0.251 3	0.414 0	0.495 3	0.599 5
湖北	0.514 5	0.489 6	0.492 5	0.399 2	0.516 5
湖南	0.462 1	0.541 4	0.595 1	0.596 1	0.532 1
重庆	0.856 5	0.824 6	0.744 6	0.590 0	0.723 6

续表

年份	2015	2016	2017	2018	2019
四川	0.373 1	0.349 2	0.664 1	0.563 8	0.583 1
云南	0.359 7	0.365 7	0.349 3	0.249 0	0.404 4
贵州	0.429 9	0.426 2	0.330 6	0.371 2	0.371 0

表 7-5　2015—2020 年长江经济带经济增长质量指数

年份	2015	2016	2017	2018	2019	2020
上海	0.978 7	0.980 0	0.979 7	0.979 6	0.979 7	0.975 5
江苏	0.619 2	0.606 6	0.592 7	0.560 1	0.532 5	0.525 6
浙江	0.590 3	0.575 0	0.584 2	0.570 5	0.524 7	0.522 1
安徽	0.206 6	0.203 0	0.203 6	0.195 2	0.230 2	0.257 2
江西	0.161 9	0.177 7	0.165 5	0.160 0	0.155 1	0.171 0
湖北	0.337 2	0.314 3	0.323 1	0.307 0	0.305 9	0.307 1
湖南	0.246 5	0.248 2	0.267 5	0.273 9	0.236 3	0.245 4
重庆	0.343 1	0.337 8	0.338 6	0.343 8	0.309 8	0.311 8
四川	0.234 8	0.253 6	0.266 2	0.265 4	0.226 4	0.243 8
云南	0.092 2	0.093 8	0.091 8	0.059 2	0.085 9	0.095 9
贵州	0.068 2	0.049 3	0.041 3	0.038 0	0.032 1	0.039 6

表 7-6　2015—2019 年长江经济带生态环境治理指数

年份	2015	2016	2017	2018	2019
上海	0.810 8	0.674 0	0.722 0	0.708 5	0.719 5
江苏	0.377 2	0.454 9	0.415 9	0.418 3	0.390 8
浙江	0.483 1	0.628 3	0.616 5	0.637 0	0.640 6
安徽	0.407 6	0.411 1	0.389 7	0.365 0	0.370 8
江西	0.381 3	0.203 7	0.202 4	0.185 3	0.162 0
湖北	0.324 2	0.455 5	0.409 9	0.405 3	0.422 0
湖南	0.169 8	0.342 2	0.289 4	0.262 2	0.260 3
重庆	0.544 3	0.551 6	0.542 0	0.558 6	0.590 1

续表

年份	2015	2016	2017	2018	2019
四川	0.169 2	0.358 2	0.332 0	0.282 1	0.233 6
云南	0.467 4	0.356 5	0.373 5	0.348 1	0.356 5
贵州	0.447 3	0.390 9	0.283 7	0.274 0	0.321 8

表 7-7　2015—2020 年长江经济带生态环境质量指数

年份	2015	2016	2017	2018	2019	2020
上海	0.044 2	0.042 0	0.041 2	0.042 8	0.042 9	0.044 8
江苏	0.496 0	0.465 5	0.458 6	0.462 7	0.462 9	0.483 9
浙江	0.419 3	0.394 6	0.377 7	0.431 6	0.437 8	0.473 1
安徽	0.351 1	0.288 6	0.283 9	0.290 4	0.291 0	0.299 6
江西	0.478 9	0.513 1	0.479 3	0.536 5	0.518 0	0.521 0
湖北	0.499 5	0.476 6	0.534 8	0.518 8	0.597 7	0.484 2
湖南	0.620 5	0.610 7	0.590 9	0.636 9	0.636 8	0.620 5
重庆	0.264 3	0.262 9	0.243 2	0.300 2	0.304 8	0.310 2
四川	0.603 4	0.714 5	0.709 2	0.616 4	0.600 4	0.569 1
云南	0.565 3	0.542 2	0.437 2	0.480 2	0.471 9	0.456 2
贵州	0.389 0	0.415 8	0.482 3	0.344 6	0.347 3	0.303 8

表 7-8　2015—2020 年长江经济带绿色低碳出行指数

年份	2015	2016	2017	2018	2019	2020
上海	0.846 0	0.817 2	0.775 4	0.504 8	0.511 4	0.522 5
江苏	0.970 0	0.961 4	1.000 0	0.968 6	0.853 5	0.860 9
浙江	0.710 0	0.716 9	0.724 1	0.794 1	0.674 6	0.613 7
安徽	0.224 2	0.243 6	0.238 6	0.316 3	0.277 3	0.280 1
江西	0.000 0	0.000 0	0.098 2	0.045 5	0.019 2	0.030 9
湖北	0.536 0	0.560 9	0.470 9	0.451 2	0.409 0	0.335 4
湖南	0.459 7	0.515 1	0.399 9	0.579 2	0.640 1	0.669 9
重庆	0.387 1	0.366 8	0.202 2	0.254 6	0.284 9	0.321 4

续表

年份	2015	2016	2017	2018	2019	2020
四川	0.647 4	0.589 8	0.478 7	0.664 4	0.634 8	0.630 8
云南	0.211 7	0.260 0	0.200 6	0.310 6	0.251 8	0.257 7
贵州	0.111 0	0.173 0	0.000 0	0.160 1	0.125 6	0.187 4

表 7-9　2015—2020 年长江经济带美好生活环境指数

年份	2015	2016	2017	2018	2019	2020
上海	0.318 0	0.351 0	0.329 8	0.250 3	0.319 7	0.260 3
江苏	0.540 6	0.594 7	0.583 5	0.605 0	0.551 3	0.576 6
浙江	0.534 4	0.591 8	0.526 5	0.512 6	0.566 4	0.532 3
安徽	0.687 9	0.624 7	0.585 2	0.630 4	0.529 6	0.464 9
江西	0.636 5	0.594 4	0.640 7	0.712 6	0.721 9	0.722 1
湖北	0.377 3	0.406 9	0.620 6	0.679 9	0.604 1	0.723 0
湖南	0.568 2	0.557 6	0.526 3	0.538 5	0.484 8	0.524 3
重庆	0.635 0	0.655 5	0.640 7	0.685 5	0.602 7	0.557 5
四川	0.563 2	0.564 0	0.610 0	0.669 2	0.764 1	0.754 5
云南	0.626 4	0.585 6	0.651 8	0.769 7	0.823 3	0.771 6
贵州	0.670 8	0.612 7	0.657 8	0.700 6	0.826 5	0.861 8

从绿色发展协调程度来看，江苏和浙江的绿色发展协调度最好，可见东部地区发挥其比较优势，可以率先通过转方式、优结构和生态环境治理等方式，引领提升绿色协调发展，在长江经济带绿色发展中起到标杆作用；四川生态资源优势突出，绿色发展协调度较好。

从空间格局来看，可以将长江经济带绿色发展水平划分为三个梯队，在空间上呈现出明显的梯次分布特征。第一梯队为上海、江苏、浙江，这 3 个省市依托良好的发展基础引领着长江经济带的绿色低碳发展，主要体现在资源利用效率、经济增长质量明显领先于其他省市，但在生态环境方面的发展相对较弱。如综合指数测算结果排名第一的上海市，其在生态环境质量的分指标测算结果中排名靠后。第二梯队为安徽、四川、湖北、湖南、重庆，绿色发展各有优势和亮点，如重庆的资源利用效率位于长江经济带第 3 名，仅次于上海和浙江，生态环境治理位于第 3 名，2015—2019 年增长率 8.4%；四川的生态环境质量为第 2 名，其美好生活环境从 2015 年到 2020 年平稳上升，增长率达到 33.97%。第三梯队为江西、云南、贵州，绿色发展水平较低，但保持着稳步上升态势，这 3 个地区在经济增长质量和绿色低碳出行的测算结果中排名均较靠后，表现出明显的不足。

由综合指数和各分指标的测算结果可得以下几点结论：第一，不同梯队地区的绿色低碳发展存在差异，且梯队与梯队之间差异明显。如在综合指数测算结果中，排名第 3 的江苏（属于第一梯队）加权结果为 0.579 4，排名第 5 的四川（属于第二梯队）加权结果为 0.458 7，虽然排名只相差 2 个位次，但是测算出的结果相差 0.120 7；排名第 1 的上海和排名末位的贵州，二者的加权结果相差 0.318 7。这表明各地的绿色低碳发展水平存在着较大的差异，且存在着两极分化的现象。第二，同一梯队内的地区绿色低碳发展水平不一。同属于第一梯队的上海和江苏，排名第 1 的上海的绿色低碳发展加权结果为 0.628 7，排名第 3 的江苏的绿色低碳发展加权结果为 0.579 4，二者相差 0.049 3。排名第 7 的湖南和排名第 8 的安徽之间加权结果相差 0.052 8，排名仅一名之差但却存在着显著的差异，说明同一梯队的各地区之间的发展存在着差异性。第三，分指标加权结果高。总指标加权结果不一定高，所以评价绿色低碳发展需要从多维度综合考察，构建合适、全面的评价指标体系。如江西在生态环境质量和美好生活环境这些分指标的计算结果中均位于前列，但是在综合指数测算的排名中仅排第 10，说明该地区在生产、生活和生态三方面存在发展不均衡的问题。

7.3 长江经济带绿色低碳发展指数分析结果

7.3.1 长江经济带产业绿色发展力

产业绿色发展力既是对某一地区经济发展水平的评价，也是对其未来绿色发展潜力的评价。产业转换、提档升级、科技创新是实现绿色发展的路径和着力点。绿色发展是构建高质量现代化经济体系的必然要求，是解决污染问题的根本之策。绿色发展重点是调整经济结构和能源结构，培育壮大节能环保产业、清洁生产产业、清洁能源产业，实现生产系统和生活系统循环连接。当今世界，生态环境已成为一个国家和地区综合竞争力的重要组成部分。保护环境就是保护生产力，改善环境就是发展生产力。我国经济已由高速增长阶段转向高质量发展阶段,高质量发展是体现新发展理念的发展,是创新成为第一动力、协调成为内生特点、绿色成为普遍形态、开放成为必由之路、共享成为根本目的的发展。保护环境和发展经济是有机统一、相辅相成的。我们要探索一条以生态优先、绿色发展为导向的高质量发展新路子。其中,推进我国产业转型升级,提升我国产业的全球竞争力,就必须坚持绿色发展的目标导向,更加自觉地推动绿色发展、低碳发展、循环发展,构建科技含量高、资源消耗低、环境污染少的绿色产业结构和绿色生产方式,形成经济社会发展新的增长点。要看到,产业转型升级就是为产业加"竞争力",为生态环境减"破坏力",要以问题为导向、以效率为中心,加快产业从低附加值转向高附加值,从粗放转向集约,促进我国产业基础高级化和产业链现代化,不断增强产业的综合实力和国际竞争力。

(1) 长江经济带产业发展的现状

长江经济带横跨中国东中西三大区域,覆盖11个省市,全域面积占全国的21.4%,人口和生产总值均超过全国的40%,资源丰富,发展基础好。工业的资源能源消耗和污染排放相比其他产业占比较大,因此是推行产业绿色发展的重要部分。在工业发展方面,长江经济带是我国工业发展的重要基地,近年来工业化的水平不断提升,但区域之间的差异较大,东部地区工业化程度最高,中部地区次之,西部地区工业化程度最低。从表7-4和表7-5,长江经济带的资源利用效率和经济增长质量指数结果可看出,长江三角洲地区的绿色低碳生产水平常年领先于其他地区,而云南、贵州等西部地区的绿色低碳生产水平在长江经济带最低,地区之间的发展水平差异近些年来在不断缩小,但仍然有很大的改进空间。在产业发展的资源和能源消耗方面,长江经济带整体单位GDP建设用地、单位GDP电耗均低于全国平均水平,效率较高,但每万元工业增加值所用的工业用水量高于全国平均水平,形成了耗水型的产业结构。在污染物排放上,由于采用粗放型的经济发展方式,长江经济带的污染排放形势不容乐观,特别是废水排放强度高于全国平均水平,而废气排放强度相对较低。沿江各省市各区域的经济发展水平存在较大差距,部分省市的产业结构格局在短时间内无法取得根本性改变,且部分重型、资源型、低附加值型产业的绿色投资与融资以及技术创新存在严重不足。总体来看,长江经济带产业绿色发展仍然面临着严峻的挑战。

(2) 长江经济带产业绿色发展面临的主要问题

第一,产业布局不合理。从长江经济带产业发展的总体情况来看,长江经济带产业布局不合理,使资源环境承载负担较重,一方面是产业的地理位置与资源、市场的布局不合理，导致大规模的资源、产品在生产销售过程中需要跨区域调动，加大了环境压力，如东部地区轻工纺织业发展水平较高，而发展此产业所需的棉、麻等原材料基地却在中西部地区；另一方面，长江经济带产业布局的上下游产业链不明显，产业布局过度集中，环境污染压力大。东部区域的产业转型尚未完成，部分省市仍然以重型化工为支柱产业，由于电子劳动力成本优势不断减少，部分行业产能过剩以及进入新常态以来经济下行压力的加大，导致很多企业绿色投资意向不高，节能减排意识不强。中部区域重化工业发展迅速占据主导地位，带来经济发展的同时也加大了资源环境的压力，产业绿色转型压力大。西部经济发展水平较低，产业发展仍以低端产业、低附加值产品生产为主，而低端产业发展往往与高污染、高消耗的低端生产技术与设备挂钩，使西部地区的绿色环保技术与创新能力较弱，不利于产业绿色转型升级。

第二，同质竞争与松散合作之间博弈凸显。沿江开发往往都是地方政府主导，基本上以省甚至是地级市行政区划为单位，行政色彩浓厚。沿江各地仍然存在着追求 GDP 的倾向，加上“分灶吃饭”的财政体制，“行政区经济”现象十分明显。目前从各省市出台的有关长江经济带发展的实施意见来看，更强调长江经济带战略实施给本地区发展带来的机遇，更强调如何以此为契机促进区域经济发展，在生态建设与环境治理、完善综合交通体系、产业转型升级、推进城镇化、扩大对外开放等方面，各省市往往共识多、协同少，商议多、行动少。加上现有协调机制缺乏相应激励约束机制，往往协调多、落实少。表现在经济社会发展上，资源同争市场同抢，狭路相逢互不相让，部分地方甚至以牺牲资源和环境为代价，搞政策“洼地”，进行恶性竞争。

7.3.2 长江经济带资源环境承载力

资源环境承载力是指在一定时间范围和区域范围内，在可持续发展前提下能够维持区域范围内资源结构和环境功能稳定效应不受影响，区域内资源环境系统能够有效承受人类社会经济活动的能力。资源环境承载能力是经济社会发展的刚性约束，对其评价是衡量绿色发展水平的重要前提，推进长江经济带绿色发展，既要充分考虑资源环境承载力，也要不断提高绿色承载力。

从总体上看，长江经济带城市资源环境承载力处于超载状态。2017 年长江经济带接近 30％的重要湖库处于富营养化状态，废水、化学需氧量排放量、氨氮排放量分别占全国的 43％、37％、43％，不少地区的资源环境承载力已经达到或接近上限。从空间格局上来看，长江经济带城市资源环境承载力呈现明显的“东高西低”特征，与经济发展水平呈现一致性的特征。如表 7-6，在长江经济带生态环境治理情况方面，其中上海和浙江一直稳居前两名，其次是重庆、湖北和江苏，江西和四川则长期位于最后两名。长三角城市群和长江中游城市群仍有一定承载空间，但由于长江经济带长江中上游经济欠发达地区城市环境承载力超载，以及社会经济发展水平相对薄弱，导致长江经济带城市资源环境承载力总体超载。从时间格局来看，近年来，长江经济带城市环境承载能力呈波动上升的趋势，但与国家战略目标所要求的承载力水平仍有一定差距。

7.3.3 长江经济带绿色低碳发展政府政策支撑力

绿色发展是兼顾发展质量与效率的发展，既不能为了发展而牺牲环境，也不能为了保护环境而降低发展的速度。长江经济带的绿色发展需要政府的支持与协调，政府政策的约束和实施力度对当地的绿色发展有着直接的影响。

(1) 长江经济带绿色发展政策

针对长江经济带备受资源环境约束趋紧、区域承载力下降等问题的困扰，党和国家接连出台了一系列的生态环境保护政策，如《长江经济带发展规划纲要》《长江经济带生态环境保护规划》《长江岸线保护和开发利用总体规划》等，反映了政府对长江经济带生态环境问题的高度重视，也表达了新时期推进国土空间高质量发展的转型诉求。2000 年至今，是长江经济带环保共治体系的完善时期。

近年来，中央财政通过明显提高转移支付系数、加计生态环境保护标准支出等方式，加大对重点生态功能区的资金投入。2018—2021 年，中央财政累计下达长江经济带省份重点生态功能区的转移支付 1 321 亿元，增强相关地区的基本公共服务保障能力；累计下达长江经济带省份的大气、水、土壤、污染防治资金 504 亿元，用于支持重点区域打赢蓝天保卫战；累计拨付资金 92 亿元，将重庆、芜湖等 21 个城市纳入城市黑臭水体治理示范政策支持的范围；累计下达长江经济带省份林业、草原转移支付资金 1 203 亿元，加强森林资源管护和湿地等生态保护工作；累计下达资金 183 亿元，支持长江经济带相关省份开展农业面源污染治理以及农村生活污水垃圾和黑臭水体治理，加快补齐农村生态环境建设短板。在中央有关部门以及地方共同努力下，长江生态保护修复攻坚战取得明显成效。2020 年长江流域的水质优良断面比例达到 96.7%，高于全国平均水平 13.3 个百分点。大熊猫、朱鹮、扬子鳄等濒危野生动植物种群数量稳中有升。

（2）长江经济带绿色低碳发展政策支撑存在不足

目前，针对长江经济带促进绿色低碳与经济相协调的高质量发展要求，尚未形成完善的法律法规与政策体系，不能对长江经济带绿色低碳发展进行有效的监管与引导，“黄金水道”作用的发挥和生态保护的巨大压力并存。政策支撑主要有如下几点不足：首先，没有建立稳定的预算投入科目和机制，中央和地方政府对绿色发展的投入仍存在不足，民间资本缺少参与绿色投资的激励。其次，绿色税收体系尚未完善，资源和环境类税种设置不全，尽管设置了一些相关的排污收费制度，但收费率过低导致一些企业没有足够的动力进行污染治理与环保技术的创新。最后，促进绿色低碳经济发展的社会融资机制不够健全，阻碍了长江经济带绿色低碳高质量发展的步伐。

7.4 绿色低碳发展建议

7.4.1 调整产业结构，构建绿色低碳产业体系

工业文明发展带来的粗放型经济增长方式，忽视了各产业之间的有机联系和社会经济系统与自然生态系统之间的平衡发展，使得经济获得增长的同时，生态环境遭到了不同程度的破坏。所以，在新的时代背景下要注重生产、生态和生活上的平衡发展。由表7-2到表7-9可知，我国长江经济带11个省市在生产、生活和生态方面发展并不平衡，综合指数高的地区分指数不一定高，且整体的绿色发展水平也有待提高。

经济增长的高速度、高效率也导致了高耗能、高污染、高成本，严重制约了国民经济的可持续发展。面对资源约束趋紧、环境污染严重、生态系统退化的严峻形势，为解决发展中的不平衡、不协调和不可持续，应该积极调整产业结构，构建绿色低碳产业体系。习近平总书记指出“实现‘双碳’目标是一场广泛而深刻的变革，也是一项长期任务，既要坚定不移，又要科学有序推进”，并强调“要先立后破，而不能够未立先破”。他还形象比喻“不能把手里吃饭的家伙先扔了，结果新的吃饭家伙还没拿到手，这不行”，明确“既要有一个绿色清洁的环境，也要保证我们的生产生活正常进行”。因此，推动长江经济带产业转型升级，改变以资源消耗和破坏环境为代价发展起来的以重工业为基础的经济结构，摒弃走粗放式增长的老路，更多依靠科技创新、管理创新、制度创新以及商业模式创新驱动，发展各种新兴产业，挖掘新的增长点，提高能源使用效

率，促进单位GDP能耗的下降和非化石能源消费的提高。要进一步优化产业结构，以绿色低碳技术创新和应用为重点，积极发展新能源汽车、先进核电、可再生能源、高效储能、智能电网及智慧能源等领域，推动产业向价值链高端发展；加强节能关键技术攻关，提升节能设备及其关键零部件开发能力，加快节能技术系统集成；支持先进适用环保技术装备研发和产业化，推动在生态建设和治理等领域的应用示范；推进汽车零部件、办公耗材、家用电器等再制造技术，促进废弃物资源综合利用。构建绿色低碳产业体系，成为实现绿色生产方式和生活方式以及增强经济增长的动力和可持续性的重要途径。除此之外，长江经济带各区域的产业绿色发展水平特色鲜明，因此，在进行产业转型升级的过程中需要错位发展和合理布局，转型升级的方向也应有所侧重。比如长江三角洲作为长江下游地区，经济发展水平高，科技实力雄厚，改革开放的时间早，应该成为高科技研发中心、金融贸易中心和高端产业的集聚地；长江中游地区是我国重要的工业基地，具有良好的装备制造基础，产业配套能力较强，且区位条件好，交通便捷，物流成本相对较低，可以将其打造成为我国的制造业中心；而上游地区虽然经济欠发达，但生态资源丰富，应该以资源条件为依托，加快科学发展，对资源进行深加工，延长产业链，增加产品的附加值。

7.4.2 优化能源结构，加快能源清洁低碳化进程

随着经济社会的发展、能源消费的增加以及城市化进程的加快，我国的碳排放量近年来快速上升。在新时代的背景下，碳排放带来的全球气候的变化已引起国际社会的广泛关注。长江经济带作为我国经济协调发展带和生态文明建设的先行示范带，是实现2030年碳达峰和2060年碳中和“双碳”目标的重点地区。

推动能源转型，构建清洁低碳、安全高效的能源体系。坚持清洁低碳导向，建设多元清洁的能源供应体系。推动实现能源清洁低碳、安全高效利用，需要明确能源转型方向，进一步加大能源转型力度，着力筑牢能源转型根基，切实推进能源转型落地见效。坚持节能优先，完善能源消费总量和强度双控制度。提升可再生能源利用比例，大力推动风电、光伏发电发展，因地制宜发展水能、地热能、海洋能、氢能、生物质能、光热发电。加快大容量储能技术研发推广，提升电网汇集和外送能力。增加农村清洁能源供应，推动农村发展生物质能。要把发展清洁低碳能源作为调整能源结构的主攻方向，坚持发展非化石能源与清洁高效利用化石能源并举，推进能源革命，着力推动能源高质量发展，建设清洁低碳、安全高效的现代能源体系，加快能源清洁低碳化进程，推动

绿色低碳发展迈上新台阶。

把提升能源科技水平作为能源转型发展的突破口,加快能源科技自主创新步伐,加强国家能源战略科技力量,发挥企业技术创新主体作用,推进产学研深度融合,形成能源科技创新上下游联动的一体化创新和全产业链协同技术发展模式。支持绿色技术创新,推进清洁生产,发展环保产业,推进重点行业和重要领域绿色化改造。形成清洁低碳、安全高效的能源体系,实现能源清洁低碳、安全高效利用,需要以先进的科学技术为支撑,加快传统能源技术装备升级换代,加强新兴能源技术装备自主创新,提升清洁低碳能源技术水平。近年来,大数据、云计算、区块链、人工智能等前沿技术日益融入能源产业,也重塑着能源业态。能源、电力与互联网、大数据相结合,正催生出能源物联网、节能的人工智能、综合能源服务业。推动能源系统与信息技术深度融合,将进一步拓展基于数据的能源服务,有力提高能源利用效率。

7.4.3 强化节能管理,推动循环经济发展

完善节能减排经济政策,发挥激励约束作用。深入推进能源价格改革,完善价格形成机制。加大差别电价、惩罚性电价和阶梯电价等政策的实施力度。对节能、新能源车船给予车船税减免优惠。加强节能减排宣传,营造良好社会氛围。强力推进节能减排降碳,制定发布重大节能、环保、资源循环利用等技术装备产业化工程实施方案。完善节能评估法规制度,从源头控制能耗增长。深入开展万家企业节能低碳行动,加快重点用能单位能耗在线监测系统建设。推动循环经济加快发展,制定发布年度循环经济推进计划。推进资源循环利用产业发展,推动农作物秸秆综合利用。加大环境综合治理,解决突出环境问题。

宣传节能理念,提高节能意识,营造节能氛围。节能减排、循环经济二者密不可分,发展循环经济,需要全社会的人都参与其中。用节能、环保的理念作为行动指导,加快发展的脚步。政府要加大力度宣传节能的理念,借助网络,通过短视频、新闻等手段,把节能的理念和含义传播出去,让人们自觉提高节能意识。在生产和生活中,把节能理念放在第一位,营造出良好的节能氛围,落实可持续发展战略思想。还要对大自然中煤炭、天然气能源的实际使用情况加以宣传,用清洁能源来代替不可再生能源,减少能源排放,减轻对环境的污染,实行可循环经济。

发布相关政策,引导发展循环经济。要想大力实施节能减排,发展循环经济,政府必须使用政策来推动企业发展脚步,只有建立起相关的法律法规,发

布有关政策，让企业的产业结构优化调整有制度可依，才能让节能减排的手段无遗漏地落实，保证长远发展。首先，制定政策，用政策约束企业的生产和经营管理，加强监督管理。对于违反政策、过量排放有害物质的企业，要严厉惩罚。其次，政府制定减排政策，推动企业升级进程，对使用清洁能源、科技创新较好的企业要予以奖励。企业要对节能减排的相关政策做出积极回应，在政策的指引下、市场的引导下，让企业朝着可持续、绿色发展、高效节能的方向不断前进。

7.4.4 发展先进技术，促进绿色低碳发展

进入21世纪，新一轮的科技革命和产业变革迅速发展。科技是第一生产力，不断地开发新技术并将其运用到生产、生态和生活中，将提高工作效率。鼓励企业运用智能技术开发新能源，提升能源利用效率，实现城市建设中智慧与绿色的完美融合。在全国大力推动节能减排，各地区积极完善和提高节能减排的技术水平，推动科技创新，加快实现各地区的绿色低碳发展。

由中国科学院主办的2021中关村论坛“碳达峰碳中和科技论坛”上，中国科学院院长侯建国指出，“实现‘双碳’目标需要经济社会发展的全面绿色转型，涉及能源结构、工业交通、生态建设等各领域，迫切需要发挥科技创新在其中的引领和支撑作用”。打好实现碳达峰、碳中和的“硬仗”，用足用好科技创新这个“关键变量”非常重要。依靠科技创新和技术进步，推进节能减排工作是应对经济全球化机遇和挑战的要求，也是实现“双碳”目标的必要途径。目前，生产要素全球化流动和配置成为经济全球化发展的重要特征。随着跨国资本的全球流动，石油、铁矿石、氧化铝等能源、资源世界市场业已形成，如果再不转变发展方式，仍然依靠“两高一低”的粗放发展路子，最终将为快速规模扩张付出巨大代价。随着各国人才流动性不断加强，跨国公司开始在全球布置研究与发展中心和基地，我们应抓住跨国公司研发中心加快向发展中国家转移的契机，加大科技创新和技术进步的投入，提升区域科技竞争力。依靠科技创新和技术进步，推进节能减排工作是我国经济发展方式转变的要求。随着传统生产要素对经济增长的边际贡献率递减，经济发展方式必须由要素驱动向创新驱动转变。

7.4.5 多方参与低碳社会建设，推动形成绿色低碳的生活方式

低碳社会是应对全球气候变化、有效降低碳排放的一种新的社会整体形态。低碳社会的实质是通过改变传统经济增长方式和生活方式，以尽量少的

能源资源消耗和二氧化碳排放，实现经济社会可持续发展和人与自然和谐相处。“双碳”目标已成为我国经济社会发展的硬性约束，必将对我国生产生活方式的绿色转型产生引领作用。倡导绿色低碳生活，坚持走绿色发展道路，是实现可持续发展的重要手段、途径和方式。近年来，中国政府、媒体、环保民间组织通过开展多项宣传活动、公益活动，普及和传播了低碳发展理念；企业通过加快技术创新，以绿色转型推动了低碳社会建设；公众通过积极参与各类节能低碳活动，形成了绿色生活方式和消费方式。低碳社会的构建是一项长期的系统工程，需要社会各个层面的配合和参与，政府、企业、公众等多方参与低碳社会建设是推动绿色生活方式形成的必然要求和动力。

政府、企业、公众需要形成合力，共同推动低碳社会建设。首先，政府要发挥主导作用。要加强对社会公众的教育与宣传引导，使公众在消费领域成为自觉减排、低碳出行、低碳生活的主体；通过制定相关政策、法律对传统企业的产业结构和生产方式进行引导和规划，为企业提供政策支持；要充分肯定社会组织在低碳社会构建中所起到的积极推动作用。其次，要加强新能源技术体系、交通技术体系、建筑节能技术体系建设，突破企业技术瓶颈，扩大企业节能减排的广度和深度。再次，要增强环保民间组织的专业性，同时社会要充分认识环保组织在低碳社会建设中发挥的作用，公众要积极参与环保民间组织的各项活动。最后，公众要积极参与低碳社会建设。一方面，公众要参与低碳相关法律、法规、发展规划、政策的制定，并积极监督低碳政策执行；另一方面，公众要参与低碳出行、低碳消费、低碳交易、低碳能源、绿色节能等各种宣传和引导活动，积极践行低碳生活。

新时代承载新使命，新使命呼唤新作为。各级公共机构要以“不驰于空想，不骛于虚声”的务实精神，以“不求近功，不安小就”的高瞻远瞩，以“不弃微末，不舍寸功”的厚积薄发，凭奋斗之桨、进取之帆、坚韧之力、踏实之风，推动构建绿色低碳发展新格局。

08

第八章

城市群协同联动推进长江经济带发展

《中华人民共和国国民经济和社会发展第十四个五年规划和2035年远景目标纲要》(简称《“十四五”规划纲要》)指出,要发展壮大城市群和都市圈,推动城市群一体化发展,全面形成“两横三纵”城镇化战略格局。在长江经济带地区,自西向东依次分布着成渝城市群、长江中游城市群和长三角城市群三大国家级城市群。成渝城市群,包括重庆、四川;长江中游城市群,包括湖北、江西、湖南;长三角城市群,包括上海、江苏、浙江、安徽。发展长江经济带已经成为国家重要战略之一,长三角、成渝、长江中游城市群发展相对成熟,在国家区域战略中的地位日益凸显,促进城市群协同联动从而推进长江经济带发展成为当前研究的重要内容。

8.1 推动产业分工协作,促进城市群经济协同发展

根据国务院批复的《成渝城市群发展规划》《长江中游城市群发展规划》《长江三角洲城市群发展规划》,三大城市群的规划范围共涉及长江经济带9个省(市)和73个地级及以上城市,总面积约71.4万平方公里,总人口约4.6亿人,2020年地区生产总值约34.5万亿元。三大城市群的发展水平不同,定位也不同。长三角城市群聚焦提升整体国际竞争力;长江中游城市群着力在资源优势互补、产业分工协作、城市互动合作上下功夫;成渝城市群则要充分发挥重庆、成都双引擎带动和支撑作用,提高一体化发展水平。

8.1.1 长江经济带城市群产业布局

从长江经济带的经济构成看,三大城市群是长江经济带的核心,是支撑长江经济带发展的重要平台。从三大城市群的产业发展布局看,长江经济带的产业布局存在明显差异,具体表现为:

第一,从制造业的区域布局和集聚效果看,三大城市群的布局呈“东部集聚、西部分散”的格局。长三角城市群制造业规模庞大,服务业发展势头迅猛,产业布局层次分明,长江中游城市群和成渝城市群的产业布局集中于一点,制约了城市群规模的扩大和质量的提升。在集聚程度方面,长三角城市群的制造业呈现“大集聚、小分散”的格局,即长三角城市群地区多数城市有处于比较优势地位的制造行业,这些城市组合在一起形成了大规模的长三角城市群制造集群,但长三角城市群的多数优势制造行业集群由两个或两个以上城市构成;长江中游城市群和成渝城市群的制造业则是“大分散、小集聚”的格局,即

绝大多数城市没有比较优势产业，两个城市群并没有较大规模的制造业基地，只是少数中心城市在某个行业具有一定的比较优势，形成在局部范围内具体行业的集聚。

第二，从制造业整体盈利能力看，三大城市群并没有显著差异，且多数城市有优势产业。长江中游城市群中心城市制造业盈利能力相对强于长三角城市群、成渝城市群，且长三角城市群内部各城市的制造业盈利能力存在明显的落差，中心城市盈利能力与长江中游城市群、成渝城市群盈利能力相当，但部分制造业基地（苏州、合肥）盈利能力明显弱于其他城市。

第三，从中心城市服务业结构看，各中心城市生产性服务业发展存在较大差别。长三角城市群在批发和零售业、交运仓储业、信息传输软件和信息技术服务业、金融业、租赁和商务服务业等生产性服务业方面具有突出优势。在长三角城市群内部，上海集聚了大量的生产性服务业，构成了上海辐射长三角城市群的基础。在长江中游和成渝城市群，重庆的批发和零售业、交运仓储业、住宿和餐饮业、租赁和商务服务业等生产性服务业领域具有比较优势，成都的信息传输软件和信息技术服务业领域具有比较优势。从三大城市群的产业布局来看，长江经济地带的产业布局在城市群内部与城市群之间均存在着严重的不均衡。多数中心城市具备比较优势产业，服务业则多集中于上海、南京、杭州等大型城市，多数非中心城市产业发展相对滞后。

8.1.2　城市群产业分工协作方式分析

长江经济带城市群及其子城市群之间存在着明显的产业梯度，产业转移和专业化分工迫在眉睫。

从城市群产业协作动力上看，长三角城市群产业协作动力主要是民间资本的推动，同时地方政府应市场需求，利用区域协作形成的规模经济和集聚效应，有效降低了基础设施和公共产品的投入成本，从而能够增加基础设施和公共产品供给，为市场机制的有效发挥提供了良好的地理环境空间，进一步促进了区际之间的产业协作，形成了较好的政府与市场良性互动机制。长江中游城市群的产业协作动力随着国家中部崛起、“一带一路”倡议的实施，经济发展势头迅猛，主要经济指标增速均快于东部发达地区。与此同时，长江中游城市群人文相亲、经济联系紧密、各类创新资源聚集、生态资源丰富，协同建设现代化经济体系具备良好的基础条件与发展潜力。成渝城市群产业协作动力与长三角城市群相似，但是和长三角城市群所不同的是，成渝两地区在地理和文化上同根同源，两地区之间产业协作的外部性问题较少，能较好地控制各城市子群的内部矛盾。因此，成渝城市群的产业协作只需要考虑自身内部的规模经济和集聚效应。

从产业分工模式上看，长三角城市群在产业层面已经形成显著的都市圈层分工合作模式。具体而言，以上海、南京、杭州为中心形成了三个大型都市圈，在都市圈内部大中小城市之间已经形成较为明显的产业分工，中心城市在生产性服务业上表现出显著的专业化特征，而周边中小城市则在制造业形成一定的规模，具有明显的专业化优势。从制造业看，以上海、南京、杭州为中心的都市圈表现出明显的产业转移和产业分工特征。在中心城市制造业规模和专业化水平降低的同时，周边城市制造业的专业化水平在持续提升。比如，区域中心城市南京的制造业集聚规模并不高，也没有形成明显的专业化，但是周边城市镇江、芜湖、铜陵和滁州不仅制造业的空间集聚度在提升，而且表现出明显的专业化特征。区域中心城市杭州2010年以来的制造业空间集聚规模略有下降，但是其他产业发展较快，尤其是与信息技术相关的生产性服务业，其周边的城市宁波、嘉兴、台州的制造业在地理集中规模降低的同时，专业化水平却在持续提高。生产性服务业不仅高度集中于上海、南京、杭州这三个第一梯队的大型城市，而且形成了显著的专业化优势，且具有各自的发展特征。

长江中游城市群是中国发展较早、基础较强的老牌工业重地之一。目前，该地区已形成了以钢铁、汽车、冶金、纺织等传统工业为基础，以电子信息、生物工程、新能源、现代服务业等高科技产业为支撑的完备工业体系，现代农业优势突出，制造业优势明显，高新技术优势凸显。从静态产业结构看，长江中游城市群的产业结构为“二三一”型，和全国产业结构保持一致。从动态的变化趋势看，长江中游城市群第二产业的比例提升较快，人均地区生产总值增长较快，但第三产业发展缓慢。整体来看，长江中游城市群的三次产业结构趋同度较高，这是自然地理、历史基础等客观因素和政策等主观因素共同作用的结果。三省地理区位相邻，资源禀赋相似，农业和工业生产发达，同处于工业化中期和城镇化加速发展阶段，同是我国加快工业化和城镇化的国家级重点开发区域，第二产业比重较高，第三产业落后于全国平均水平。但是，长江中游城市群的产业关联度较低，三省的主导产业表面上虽然实现了集群，内在关联却并不紧密，上下游产业配套和协作关系尚需加强协调，延伸产品价值链，最终形成紧密配套和成熟的关联行业。

2020年，成渝城市群地区生产总值6.8万亿元，占全国的6.7%，是我国西部地区经济实力最强的区域。随着产业结构不断优化，成渝城市群处于工业化中期阶段，2020年总体呈现出“二三一”的产业结构，核心城市服务功能有所提升。重庆和成都的中心城区的服务业发展迅速，重庆生产性服务业加快发展，金融业增加值占比提高到8.9%，旅游、会展、商贸等生活性服务业持续增长，跨境结算、服务外包等新兴服务业蓬勃发展；成都现代服务业功能不断提升，中部经济、物流枢纽、西部金融创新中心、旅游、文化创意等中心功能不断增强。部分外围城市制造业功能有所增强，外围城市凭借相对低廉的要素成本优势，制造业分工地位有所提升。但城市间产业分工和协作还不明显，缺乏错位发展与差异化竞争。很多城市将产值、利税高的钢铁、汽车、煤电、化工等列为产业发展的重点，造成雷同现象十分严重，导致低水平重复建设和产能过剩。川渝两地中央所属大企业、国有企业和国防科技企业数量众多，企业之间难以形成紧密的协作关系。城市发展较少重视发挥各自比较优势，没有建立互补、差异化的城际产业协作网络，除汽车、摩托车制造业和部分装备制造业外，其他产业呈现各个城市独立发展状态，没有形成产业规模和集群效应，制约了城市群产业整体竞争力的提高。

从产业分工协作上看，长江经济带城市群内的区域市场化的发育程度较低，区域一体化的市场体系尚未形成。一方面，完善的市场机制、统一的市场规则和市场化的行为规范都尚未建立；另一方面，长江上中下游地区尚处于不同的经济社会发展阶段，地区之间客观存在着的巨大经济落差致使上中下游地区之间缺乏共同的利益诉求，既不利于企业扩大经营规模和跨地区分工合作，也不利于区域统一的现代市场体系建设。此外，“行政区经济”依然制约着跨地区的产业合作和要素的自由流动。我国改革开放以来，国民经济持续快速发展的一个重要原因，就是始终坚持政府与市场两手抓的方针，充分发挥中央政府与地方政府尤其是省级政府发展经济的两个积极性，但同时也形成了众多按照行政管辖范围管控地区经济的“行政区经济”现象。同时，中心城市产业高度偏低，制约区域产业的分工合作与优化升级。由于长江经济带区域中心城市的产业高度普遍较高，致使其高端产业尤其是高端服务业的发育程度不高，只能过分依赖制造业的发展，既严重阻碍了中心城市能级的提升又严重挤压了周边城市中低端产业的提升空间，在区域层面上则难以形成高低错落的梯度式产业分工合作体系和分布格局。

8.1.3　产业协作推动城市群经济发展建议

(1) 推进城市群建设产业共同体

长江经济带城市群正逐步由竞争走向合作，开始形成分工与合作并存的差异化竞争格局。随着区域内统一要素市场和产品市场的建立及区域一体化进程的推进，原先相对封闭的产业集群必须要适应区域经济整体化发展的要求，通过地区间产业结构的转移和调整等方式，来实现整个区域产业位置的攀升和应对潜在市场冲击的目标。推动长江经济带城市群产业共同体建设，要着手打造具有世界影响力的产业集群和产业带。根据三大城市群现有的资源禀赋和产业发展状况，可以在电子信息、高端装备、汽车、家电和纺织服装等领域，通过引导相关产业集聚，形成与资源环境承载力相适应的产业空间布局，培育具有国际先进水平的产业集群和产业带。同时加强各城市群内部子群对话与交流，通过区域分工与合作机制的建立有效地避免区域产业的同质化竞争局面。要明确长江经济带各城市群在产业分工中的定位，充分发挥各自在分工中的职能和作用，避免因区域产业同质竞争导致低端和无效供给的出现。

(2) 健全城市群合作协同机制

长江经济带城市群需加强区域内部创新资源整合，加快形成科教资源共建共享的机制，推进人才联合培养和科技协同攻关。各级政府制定符合整个长江经济带城市群一体化发展的配套政策，打破城市间经济发展壁垒，加速城市间经济要素和经济活动的自由流动，促进城市间产业尤其是在第三产业和高新技术产业间的合作与交流，加快形成区域间要素充分流动的体制机制以充分释放各市场参与主体活力和提高经济活动的效率。

(3) 处理好政府与市场的关系

产业联动涉及的参与主体较多，形成了各种各样复杂的关系群，在诸多关系中，政府与市场的关系居于核心地位，发挥统帅作用。区域产业联动发展既需要市场作用的自由发挥，也需要政府的规则约束，从而形成区域产业良性竞争的发展格局。正确发挥政府与市场在区域产业联动发展中的作用，一是要打造“服务型”政府，放宽行政区经济的制约，以政府牵头，畅通区域间经济交流；二是要营造城市群内各地区间的良性市场竞争氛围，减少城市群内部的资源内耗，加强产业要素流通和经济资源的流动。

(4) 加强城市群技术创新合作

长江经济带城市群产业能级不高，在全球产业链中还处于中下游位置，为进一步增强产业联动效益和提高产业的核心竞争力，必须要加强区域间技术创新合作。共同开展技术创新联合攻关，建议三大城市群中心城市科技部门牵头，加强前沿技术联合攻关，协同布局科技创新重大项目，各地科技部门共同设立科技创新联合攻关计划项目。在此基础上共同建立一批技术创新合作平台，建议复制推广上海科技创新资源数据中心、长三角科技资源共享服务平台等的经验模式，强化现有平台的技术创新与服务功能，打通技术研发、转化应用的障碍。联合各地科技部门、技术转移中心、技术交易所等机构力量，促进技术创新资源、人才、资本等要素自由流动和高效配置。

8.2 提升资源共享程度，推进城市群社会融合发展

资源共享是城市群合作的基础。合作一般都要有共同基础，而共享资源的提供是不同利益主体合作的关键。城市群内所蕴含的不可分割的共享资源是合作信任关系建立的天然基础，如共享的环境资源、文化资源、产业集群、公共设施等，城市群内部的多元利益主体更容易相互信任，达成合作关系。

8.2.1 自然资源共享，实现生态共保

在"共抓大保护"背景下，三大城市群在生态修复和环境保护方面进一步巩固合作保护措施，以长三角城市群为例，该城市群近年来统筹协调长江、淮河、太湖流域和东南诸河综合治理体系，逐步形成了"一轴一核、一屏一带、三廊多点"水安全保障总体布局，系统解决水灾害、水资源、水生态和水环境问题。江浙沪三地政府在不打破原有行政区划的基础上，签署了太湖流域一体化生态保护、一体化生态环境综合治理、一体化示范区监测信息共享等合作协议，并设立了市、镇、村三级河长联合跨区域巡河机制，实现生态共建共享，推动长三角地区一体化高质量发展。发挥城市群的集群效应，关键在于城市间的紧密联系和协同互动。长江经济带城市群的建设与发展应以"创新、协调、绿色、开放、共享"五大发展理念为导向，着力开展生态环境保护合作，在防护林建设，水资源保护，水环境治理，清洁能源使用，耕地、林地、湿地资源保护，征地补偿标准，排污权和碳排放权交易等领域完善合作机制。

8.2.2 科技创新资源共享，实现科技共创

创新驱动的思路在开放、核心在科技，搞好创新驱动战略必定离不开科技研发的原生力和科技成果的转化力。长江经济带的核心城市正处于产业链高端化转型期，需要推进城市间的科技合作与交流，进一步深化科技服务业创新发展，为高新技术人才和高新企业提供发展的沃土。当前，三大城市群都已建立自己的科技资源共享平台，作为代表的长三角科技资源共享服务平台，运行一段时间以来，完成了长三角三省一市科技资源的数据接口对接，实现了长三角区域大科学装置、仪器设备、国家级实验室等科技创新资源的开放。在城市

群发展主导未来时空格局的新模式下，中国的经济版图正在悄然发生深刻变革，三大城市群要树立科技创新融合产业链发展的新态势，推动长江经济带城市群高度融合、高质量发展。

8.2.3 公共资源共享，实现服务共享

三大城市群通过不断加强区域合作，在公共资源共享方面已经有了一定的探索。长江中游省会城市牵头开展多项合作，在交通基础设施建设方面，各城市群在原有交通规划基础上，着力打造集铁路、公路、水路以及城市交通于一体的综合交通枢纽，构建以高速铁路、城际铁路、高速公路和长江黄金水道为主通道的多层次区域综合交通网络。同时在教育资源、医疗卫生等公共基础资源共享方面要进一步提高合作程度。按照计划，将加大干部、教师、急需紧缺人才等的交流培养合作力度，建立名师名校(园)长交流互访机制、教师培训资源共享机制，探索实行职称、工伤保险互认。在医疗卫生领域，将推进大型医院之间结对合作，探索城市之间医师多点执业机制，提高区域优质医疗资源利用率，共同提高医疗服务质量，共享无偿献血宣传、招募资源，建立异地用血报销机制。

提升长江经济带城市群的服务功能，需要构建公共资源共享机制。城市群的服务功能是经济功能的延伸和补充，公共资源共享是区域合作的重要方式，它有利于完善城市群一体化管理机制。构建公共资源共享机制应重点考虑以下三个方面的问题。首先，做好城市间的基础设施对接。为了实现福利最大化目标，城市群内部应对基础设施进行统一规划，加快道路交通、供水供电、供气供暖、污染处理等基础设施的对接，提升城市群发展的物质保障水平，实现要素的高效流动和居民生活便利化。其次，保证公共服务均衡化配置。科学地确定教育、医疗、卫生等公共服务机构的选址，防止公共资源过度向大城市集中，解决城乡公共服务资源配置失衡的问题，增强中小城市和小城镇的公共服务供给能力。最后，实现公共服务共享。打破享用公共服务的身份障碍和区域障碍，建立覆盖整个城市群及周边地区的公共服务一体化体系和信息平台，实现公共资源的共享共用，最大限度地发挥城市群的服务功能。

8.2.4 建立城市群资源共享平台

科技服务共享平台的搭建，有助于联合城市群中的主要城市合理进行产业布局，科技服务产业链，培育出具备高端竞争力的顶尖企业。如美国的硅谷，最初是军事基地，随后由学校出资搭建科技服务共享平台，逐渐形成产学研一体的高科技产业园区，吸引了风险投资者的进入，苹果公司的成功，进一

步带动了当地高新产业的发展。长江经济带城市群也需要政府从科研力量、市场结构、院校分布等角度,进行科技服务资源共享平台的搭建,培育出具备较强世界竞争力的核心企业。近年来,长江经济带三大城市群的科技资源共享服务平台陆续上线。处在长江上游的成渝城市群凭借国家重点研发计划、重点专项孵化的"成渝城市群综合科技服务平台",近年来累计集聚科技服务资源 10 万余条、科技服务提供商 420 余家、服务企业 1 800 余家,累计实现科技服务额 1.7 亿元以上,科技金融推动融资放款额 370 亿元以上。除了科技资源共享,该平台同时面向成渝地区双城经济圈产业发展需求进行科技服务探索。整合研发设计、检验检测、创业孵化、科技金融 4 类优势科技服务资源,开展面向典型产业的应用示范。武汉、长沙、合肥、南昌共同打造 4 省省会城市科技服务资源共享平台。该平台以 4 城市各自现有科技资源平台为基础,搭建互联互通的跨区域共享平台,形成 4 省省会城市科技合作的常态化工作平台和合作机制。分工上,长沙负责建主门户网站和科技服务机构共享子平台,合肥负责建大型仪器设备共享子平台,南昌负责建科技信息共享子平台,武汉负责建科技金融服务共享子平台。长三角科技资源共享服务平台由上海、江苏、浙江、安徽相关单位联合共建,作为长三角跨区域科技资源信息公开、服务共享、管理协同的平台。该平台围绕长三角产业与区域共性发展需求,集聚长三角科技"资源、服务、政策、成果";通过政府管理与市场运营的双轮驱动模式,促进跨区域科技资源的共享共用;成为长三角区域创新共同体建设的重要载体,国家跨区域科技创新共享共建的示范平台。

任何资源共享平台都是基于资源的开放所建立的,所有参与跨区域协同治理的多元主体都应在鼓励和激励下,主动开放更多资源以供共享,并有意识地通过共享平台整合区域内的优势资源。在跨区域治理中,利益各方需要让渡资源以便大家合作共事,通过共享资源平台,整合区域范围拥有的资源。例如,能源基础设施、交通基础设施、通信基础设施、公共服务基础设施等都是很好的资源共享平台。在当今互联网趋势下,共享平台更为广泛,其作用也显得更为重要。城市群区域经济融合或者一体化,其实质是在区域层面实现资源的有效配置,而区域资源的共享则是实现资源有效配置的关键。

8.2.5 构建资源共享机制,强化城市群融合动力

长江经济带城市群的资源共享在历史、地理、区域经济等方面有着天然的优势。现阶段,长江经济带城市群资源共享机制的构建需要补足地区间资源共享意愿,构建资源的流动路径,推动不同城市间优势互补,提升共享机制的

可持续性。因而需要构建长江经济带城市群资源共享的合作动力机制、资源共建共享机制、持续激励机制、协调统筹机制和控制管理机制。

（1）合作动力机制

长江经济带城市群资源的共享，首先应当构建起共享的动力机制，为跨市域合作提供驱动力，强化城市间资源共享的行为倾向。作为资源共享机制的基础，城市群间资源共享合作的动力具有较强可塑性和深厚的历史积淀，这种动力主要包括利益动力和资源动力。在利益动力方面，城市自身的发展和进步是其对资源需求的原动力，然而只有当行动主体认为通过合作机制实现目标的成本低于其他行动方式时，行动者才会倾向于采取合作共享的行为策略。所以，城市群共享机制的构建应当采取积极的引导性政策，通过利益获取方式的调整，增强主体城市的合作动力。在资源动力方面，由于城市之间具有资源的差异性和比较优势，城市具有需要资源优势互补的动力。通过资源共享，构建起利益共同体。城市群资源共享可获得和保持不同种类的互补资源，互补的资源不但可以获得规模经济、实现协同，而且可以用来发展新资源、新技术，并壮大竞争优势。同时，区域内各成员城市之间壁垒的消除，有利于资源的跨界流动，也就必然使资源在区域范围内更有效更合理的配置。因此，资源动力使城市优势互补，达到资源的合理配置。

（2）资源共建共享机制

长江经济带城市群资源共享机制的核心内容，是通过机制的构建打破城市间资源共享的壁垒和门槛，把区域性的垄断资源转变为城市间共享的开放性资源，同时推进共享资源的共同建设，从而实现城市间可持续的资源共享合作。区域性资源共享的充分实现有赖于如下两方面城市协同合作基础的实现：一是根据权利和义务原则，实现资源所有权和使用权的相对分离；二是依据高质量发展原则和互补原则，明确城市间资源共享的内容和方式，充分发挥城市资源在不同发展环节上的优势。此外，资源共享机制实现的前提条件是资源的充足生产和积累，那么推进资源的联合生产与开发、实现规模效应也就成为推进资源共享的理性选择。在这种意义上，城市群发展资源的共建将成为实现资源共享机制落地的关键。

（3）持续激励机制

长江经济带城市群资源共享机制作为一种长期性、战略性的制度安排，必须是可持续的，因而需要建立一种持续激励的机制来保障区域间资源共享的有序合作。城市群资源共享的激励机制是包括基于利益驱动的参与激励、基于制度约束的相容激励和基于观念认同的归属激励在内的复合机制。这种激励机制既能形成强大的内驱力，又能产生必要的外推力，这两种力量将个体理性导向集体理性，使得城市个体收益与区域整体利益相容。城市群资源共享的复合激励机制中利益驱动是资源共享的直接动力，制度约束是城市群资源共享的重要推力，观念认同是城市群资源共享的内在动力。通过城市自我认知和自我规范而强化城市的归属感和城市群区域的内聚性，推动城市间在资源开发共享方面的联合行动。培育城市群资源一体化理念，这是资源共享的心理基础，通过城市间的集体认同，增强政府间对开放资源共享的共识，以持续增加城市群资源共享的动力，为资源共享平台的运行提供可持续发展的向心力。

（4）协调统筹机制

城市群资源共享是一个系统工程，协调统筹机制为城市群资源共享机制的正常运行提供制度和机构保障，使得资源共享机制内部各子系统运行有序、相互协作。协调统筹机制的主要内容是要实现各大城市间的政府统筹，以及资源共享内容与地方发展的协调关系。长江经济带跨越 11 省市，上中下游城市发展程度不同，资源需求也不同，共享门槛高、难度大，提升统筹层次就成为推进资源共享机制建设的依托和基础，共享资源内容的协调要以城市发展为导向。资源共享主要目的之一是提升城市群社会融合程度，实现一体化发展。那么，长江经济带资源共享机制的内容应和城市群经济社会发展密切联系，加强地方发展规划对共享资源的建设。依据《长江三角洲城市群发展规划》《长江中游城市群发展规划》《成渝城市群发展规划》等现有文件，当前要特别加快科技资源共享机制建设，优先推进资源市场一体化。同时要根据发展规划注重鼓励城市多元发展和错位竞争，形成区域分工有序、相互协作、各具特色的城市集群发展格局，防止城市资源共享导致的产业同质化。

（5）控制管理机制

控制管理机制的功能设计是要实现城市群共享资源的全面质量管理，以及资源共享机制各建设阶段的战略管理。那么，控制管理机制的主要内容应包括对共享资源质量的控制和资源共享机制建设阶段的控制。城市群协同发展的路径和资源共享的实现以政府职能的调整作为控制管理手段。这是在多元利益主体尤其是地方政府专有资源与共享资源让渡与转化过程中实现的，需要根据资源不同特性进行资源管理上的调整，根据资源共享共建的演进路径，提出不同发展阶段资源利用的重点和资源转化整合的具体举措。政府职能作用需要根据资源关系进行动态调整，通过共享资源的提供来发挥政府对城市群的支持作用。在区域城市群形成发展的不同阶段，地方政府职能要根据集群发展的程度进行调整,即政府要根据城市群发展阶段实现资源共享质量的全过程控制管理。

8.3 建立利益协调机制,提升城市群一体化发展水平

8.3.1 城市群一体化发展面临的困境及问题

长江经济带城市群总体一体化发展水平还处于初级发展阶段,各城市群总体一体化发展差距较大,长三角城市群总体一体化发展水平相对较高,成渝城市群和长江中游城市群总体一体化发展水平次之。

(1) 区域发展不平衡

长江经济带横跨我国东中西部,流域内部差异大、区域发展不均衡是长江经济带的重要特征。长三角城市群作为发展指数最高的城市群,内部三省一市在协同治理、资源共享方面进行了一些有益探索,但由于省市间公共服务资源、能力与水平的差异,区域内公共服务对所有常住人口均等可及的不足,以及公共服务区域统筹受到体制的限制,现有的公共服务一体化、均等化尚难以满足现实需要。成渝城市群作为发展指数较低的城市群,发展不平衡的问题更加突出。

(2) 区域合力效应未形成

目前各个省市都有各自的五年发展规划,或更长跨度的中长期发展规划,但这些规划放在长江经济带整体发展中,都有各自为政、互不衔接等问题。要形成长江经济带整体发展的合力及区域协同的合力效应,亟待国家层面出台一个能够指导区域协同发展的中长期规划。长江经济带目前有长三角、长江中游和成渝城市群三大规划,而三大城市群内部的交通、产业等各个指标和规划如何衔接,还不明确。比如长三角尽管是一个大的城市群,实际上内部城市化非常鲜明。现在江苏倡导研究扬子江城市群,上海提出“1+6”大都市圈的构想,都属于新的概念,它们与过去国家规划的城市群和都市圈是什么关系,以及合肥都市圈和皖江城市带未来在新的发展态势中会如何演绎,这些都值得研究。

(3) 产业趋同突出

长江经济带各地产业雷同问题突出。区域间存在着产业同构、产能过剩,甚至低水平、低成本过度竞争的情形。政府招商的政绩导向,更加重此类倾

向。例如，上海有家电、汽车、钢铁等产业，长江沿线的城市南京、武汉、重庆也有类似的产业；上海也有手机、笔记本电脑等加工制造业，与重庆的产业布局也有雷同。由此引起的产业同质化竞争严重，经过测算，长三角地区、长江中游地区产业结构相似系数接近 1，而产业结构差异系数接近 0，说明产业相似度非常高。成渝地区产业同质化现象也很明显，主导产业基本上都集中在石油和天然气、电力蒸汽热水生产和供应、烟草加工、食品加工、黑色金属等产业上。各地方政府不注重结合本地的资源禀赋、劳动力、资本、技术等生产要素发展具有地方特色的优势产业，而是盲目追求短期内获得巨大收益的产业，结果导致重复投资、重复建设，产业结构趋同现象显著。这种产业同质化难以深入发展产业分工与协作，也不能形成良好的阶梯层次和产业链，反而加剧了竞争，造成恶性循环。

(4) 协同发展的利益协调机制不健全

协同发展的动力源于协作各方对利益的追求，地方利益也是地方政府所关注的重点领域。当前长江经济带各城市间利益协调机制仍不健全，涉及区域产业、生态、城乡等领域的各类深层次利益协调机制尚未建立。如为了实现城市群发达地区的社会经济长远持续发展所需要的生态服务功能，限制了欠发达地区对当地资源的开发利用，并且需要增加对生态工程的投入，从而恶化了区域之间的利益分配关系。

(5) 生态补偿机制不健全

目前长江经济带城市群生态补偿体制机制不完善，存在生态补偿范围、对象及标准不明确等问题，为生态补偿具体实施带来了障碍。补偿的资金问题，主要表现为单方面依靠财政转移支付以及相关的绿色基金，导致补偿力度不够，补偿客体不满意。财政转移支付体现的是由上级政府对下级政府进行补偿，城市群内区域与区域之间同等级的横向补偿基本处于空白状态。生态环境好的地区为城市群其他经济发达地区的生态环境建设作出了巨大的贡献，但是，由于生态补偿机制不完善，生态文明协同建设缺乏动力，难以达到协同的最佳状态。

8.3.2 建立利益协调机制是区域一体化的关键

为了加快建立和完善地方政府间的利益协调机制，各地区应提出具有法律约束力的统一规划和区域政策。各地区应从整个区域经济发展的全局出发，积极融入长江经济带一体化建设过程当中，消除各种地方保护主义现象。三大城市群内不少城市为了提高城市竞争力，在项目引进、人才引进等方面，存有过度竞争的现象。实现区域一体化的关键是要在发展的同时，形成一个协同发展的机制，避免过度竞争，使产业资源、创新资源以及城市服务资源等得到更好的配置，更好地发挥资源要素在当地的作用。区域一体化是一种发展的思路，具体的推进需依托载体建设，而载体是由项目承接的。建设载体需要有一种利益协调机制，这种互利共赢的机制，包括跨区域的产业政策、产业项目、创新资源等方面的利益协调，这种机制是区域一体化的关键所在。

想要真正意义上实现长江经济带城市群一体化发展，不应该只是靠中心城市带动周边城市的发展，而是一种双向互动。利益协调机制就是互动的通道。以长三角城市群为例，目前，上海、杭州、苏州、无锡等区域内相对发达的城市，都面临着人工成本、劳动成本上升的压力，也缺乏高端产业、新兴产业发展空间，希望通过一体化发展，获得产业转型升级、城市功能转型提升的空间，同时区域内也有不少城市有承接产业转移的能力和条件。双方都有需求，但因利益协调机制未能建立或不完善，不能形成双向互动、互利共赢的局面。建立全方位的城市群利益协调机制，可以从以下几个方面入手。

(1) 充分发挥政府作用

长江经济带 11 省市各级领导干部要打破以往区域竞争的陈旧观念，要用全局的、长远的眼光看待长江经济带的未来发展，要把长江经济带作为一个利益共同体来看待，构建多层次、多元化的长江经济带区域协调机制。该协调机制包括中央和省级政府之间的协调机制，省级政府及省市之间的协调机制，地市级政府及市县之间的协调机制等，具体协调内容可以包括投资项目的区域布局调整、投资资金的区域分配、专项转移支付的区域调整、产业的区域转移、共同市场的培育、生态利益的跨区域补偿等。区域协调机制可以通过建立专门的机构，制定共同的目标，出台相应的政策制度甚至法规来实现，通过区域协调机制加强整个长江经济带各类资金、技术要素、项目布局的空间统筹，强化 11 省市经济和生态的一体化联系，进而实现长江经济带一体化共同发展，形成长江经济共同体。

(2) 构建城市群利益共同体

城市群内部由于发展阶段、发展水平及行政归属不同，区域发展中各个利益主体的利益固化现象明显，导致发展落差大，协同效应低。构建共同的利益诉求，实现城市群利益共同体，是确保城市群一体化稳定、长期运行的重要基础。所谓利益共同体，是指城市群以一体化发展为目标，结成区域经济、文化等各方面协同发展的行动体，深化在交通基础设施、环保与相关产业、公共服务等诸多方面的合作。在协作的过程中，区域之间通过公平对等的协商来解决利益分配问题和具体合作方式问题，形成稳定、平等的长期合作关系。通过组成利益共同体，实现协同发展，利于资源整合和利益共享，可以在不同程度上满足城市群的发展需求。

（3）建立利益共同体利益分配与补偿机制

长江经济带城市群利益共同体的协同关键在于利益协同，如果出现利益分配不均的情况，势必会影响利益共同体内各成员的协同积极性。但城市群内部在主体功能定位及经济发展程度方面存在显而易见的差异，为了保证各区域在利益共同体内享受到公平的利益分配，最终实现各方共赢，必须要建立合理的利益分配与补偿机制，发挥市场主导和政府间协商补偿的作用。具体应包括城市群生态环境的多元横向补偿机制、资源输出地与输入地之间的利益补偿机制及财政补偿机制等，实现跨省级利益补偿，确保利益共同体内各方平等享受区域协同发展的红利。

（4）完善利益监督和解决机制

保障区际利益协调实施效果和预期结果的实现，需要建立明确的利益监督机制。利益监督机制是指社会运用利益杠杆对利益主体的求利行为予以必要的规范、约束与监督的管理体系，使利益主体的各种行为与社会利益发展的总目标相符合，以实现有序的利益秩序。利益监督机制可以通过价值观的树立、法律的制约、民主的监督等多种方式来形成。在区域发展现实中，由于各协调主体利益诉求不一致，因此，各利益主体在协议履行过程中常因预期的变化或意外事件采取不合作策略，从而导致区际利益协调纠纷甚至发生冲突，这就需要有利益解决机制，以妥善处理利益协调过程中产生的纠纷。利益解决机制应依照明确的原则和程序，公平、妥善地解决纠纷。

8.3.3 提升城市群一体化发展措施及建议

（1）推进基础设施一体化

现代化城市群建设，要以基础设施高效一体化为重点，推动一体化规划建设管理，畅通交通路径，优化机制，打造多功能一体化城市群交通网络。公路交通方面，通过增加城市间公路通道，密切城际公路联系，加快构建高速公路、国省干线、县乡公路等都市圈多层次公路网。打造一体化公路客运网络，完善充电桩、加气站、公交站场等布局，支持毗邻城市加开城际公交，加快推动近郊班线公交化。在此基础上，打造轨道上的城市群，统筹考虑城市群轨道交通网络布局，构建以轨道交通为骨干的通勤圈。探索都市圈中心城市轨道交通适当向周边城市延伸。统筹布局城市群城际铁路线路和站点，完善城际铁路网络规划，有序推进城际铁路建设，充分利用普速铁路和高速铁路等提供城际列车服务。推动中心城市、周边城市轨道交通衔接，加快实现便捷换乘，更好适应通勤需求。依靠交通网络的优化配置提升物流运行效率，推动物流资源优化配置。统筹布局货运场站、物流中心等，鼓励不同类型枢纽协同或合并建设，支持城市间合作共建物流枢纽。统筹市政和信息网络建设。强化城市群内市政基础设施协调布局，统筹市政基础设施规划建设。推动供水、供电、供气、供热、排水等各类市政管网合理衔接，鼓励规模化市场化运营。完善城市群信息网络一体化布局，推进第五代移动通信和新一代信息基础设施布局。

（2）推进城乡一体化发展

构筑功能一体、空间融合的城乡体系。培育区域性生产、贸易、高端服务、交通运输、创新、旅游等特色职能，形成以区域中心城市为核心、功能节点城市为纽带、乡村地域为支撑的一体化城乡体系。以市域空间为整体推进规划和建设，严格划定城镇开发边界、永久基本农田保护红线和生态保护红线，统筹城镇建设、基础设施布局、农田保护、产业集聚、村落分布、生态涵养，推进农村一、二、三产业融合发展。强化特大镇对城乡体系的支撑作用。要加快推进特大镇行政管理体制改革，开展特大镇功能设置试点和设市模式改革创新试点，在降低行政成本和提升行政效率的基础上不断拓展特大镇功能，充分发挥城市群内数量众多的特大镇作为区域生产网络重要节点的作用。

（3）提高金融市场一体化程度

在城市群范围积极推广自贸试验区金融改革可复制试点经验，加快推进金融信息、支付清算、票据流通、信用体系、外汇管理一体化，提升金融服务实体经济能力。强化金融监管合作和风险联防联控，合力打击区域内非法集资，建立金融风险联合处置机制。做实信用合作机制，推动征信体系互联互通。

（4）推动资源市场一体化

推动资源市场一体化可采取如下措施：创新和完善城市群人口服务和管理制度，加快实施户籍制度改革和居住证制度，统筹推进本地人口和外来人口市民化，加快消除城乡区域间户籍壁垒，促进人口有序流动、合理分布和社会融合；统筹规划、联合共建一批重要资源储备基地，完善安全风险防范机制；健全跨区域资源基础设施网络共享机制，鼓励第三方公平使用，提高网络资源配置效率；推进城市群数据信息交易，促进数据信息基础设施互联互通，建立安全可信、公正透明的隐私保护与定价交易规则，推动数据信息交易有序开展。

（5）建立基本公共服务一体化发展机制

以都市圈公共服务均衡普惠、整体提升为导向，统筹推动基本公共服务、社会保障、社会治理一体化发展，持续提高共建共享水平。教育资源共享方面，加快完善现代教育体系，全面提高教育质量，推进多种形式的教育合作，率先实现教育现代化；加快基本公共教育均衡发展，加强教师队伍特别是乡村教师队伍建设，推进城乡义务教育公办学校标准化建设；完善现代职业教育体系，加强职业教育基础能力建设，推进职业教育产教融合；率先推行高等教育改革创新试点，提升大学创新人才培养能力，推进世界一流大学和一流学科建设。医疗卫生方面，鼓励都市圈内开展多层次多模式合作办医，开展远程医疗和医护人员异地交流，支持中心城市三级医院异地设置分支机构；推动病历跨地区、跨机构互通共享，推动医疗检验检查结果跨地区、跨机构互认；推进并完善重大疾病联防联控和应对突发公共卫生事件联动机制，构建共同应对突发公共卫生事件的机制，建立应急物资跨省调配机制和重大灾害事件紧急医疗救援联动机制。社会保障方面，建设涵盖各类社会保障信息的统一平台，加强都市圈异地居住退休人员养老保险信息交换，推广通过公安信息比对进行社会保险待遇资格认证模式，加快推进城市群内养老保险关系转移接续；鼓励联建或跨市共建养老服务设施；加快推进省际医疗保险合作，实现退休异地安置人员就医医疗费用联网实时结算；健全工伤保险合作机制；探索在享受基本社会服务方面率先打破户籍限制，并建立相应的财政支出统筹分担机制。

（6）强化生态环境绿色一体化

生态环境绿色一体化以推动都市圈生态环境协同共治、源头防治为重点，强化生态网络共建和环境联防联治，在一体化发展中实现生态环境质量同步提升，共建美丽城市群；建立生态环境协同共治机制；加快生态环境监测网络一体化建设，协商建立都市圈大气污染、流域水污染、土壤污染、噪声污染综合防治和利益协调机制；探索生态保护性开发模式，建立生态产品价值实现机制、市场化生态补偿机制。

09

第九章

环境保护和经济建设协调发展

9.1 绘制生态环境绿色底图,建立全流域生态环境综合体

9.1.1 流域生态环境资源监测评估,推进"生态复兴"

为适应新时代生态文明建设的战略需求,应当坚定不移贯彻新发展理念,充分发挥生态环境保护对产业结构优化升级和发展方式绿色转型的倒逼作用,做好生态环保新基建顶层设计,推进"绿色复兴",打造绿色发展新动能,建立全流域生态环境综合体,以生态环境高水平保护推动长江经济带高质量发展。

贯彻新发展理念,需将绿色发展要求融入设计、生产、流通和消费等各领域,严守生态保护红线,推动建立和完善绿色发展标准体系,形成绿色生产方式。一是坚持"绿水青山就是金山银山",坚定不移推进供给侧结构性改革,加快转换发展动能,推动高质量发展不断迈出新步伐,努力将生态优势转化为经济优势、发展优势。二是组织开展现行标准梳理和评估,加快推进生态环境保护标准制定工作,加强标准的风险防范功能,增强标准在排污许可和环境保护税等应用中的协调性,强化企业全过程环境监管。三是完善绿色设计、绿色制造、绿色流通标准,打造绿色设计平台,培育可复制、易推广的绿色工厂、绿色工业园区、绿色供应链。四是共商共建共享"一带一路"绿色发展标准,支持、引导和鼓励钢铁、石化、建材、有色金属等行业绿色化改造,深入推进工业、建筑、交通等领域低碳转型,在铁路、电力、汽车、通信、新能源、钢铁、交通、建筑等行业树立一批优质绿色品牌,为全球环境治理和绿色发展贡献中国力量。五是实施差别化绿色产业发展政策,科学划定岸线功能分区边界,严格分区管理和用途管制,严控在中上游沿岸地区新建石油化工和煤化工项目。统筹协调长江流域上游、中游以及下游的产业发展政策,严控下游高污染、高排放企业向上游转移,做好化解产能过剩和淘汰落后产能企业职工安置工作。加快创新驱动促进产业转型升级,化解过剩产能,发展战略性新兴产业。

9.1.2 发挥绿色试点示范作用,建立绿色生产生活方式

长江经济带绿色发展试点走在全国前列,多地结合自身资源和禀赋特点,探索出生态优先发展新路子,为绿水青山转化为金山银山提供有益经验。在上海崇明,以规划管控守住生态空间,通过严控建设用地规模、人口数量、建筑

高度，实现了“鸟进人退”；在江西九江，以化工园区“五化改造”破解化工围江难题；在湖北武汉，以科教资源优势助推创新发展；浙江丽水将生态价值核算列入各县（市、区）综合考核指标体系，深入推进生态产品价值实现机制试点。长江经济带作为我国生态优先战略发展的主战场、国内国际双循环的主动脉、经济高质量发展的生力军，对推动区域协调发展、建设现代化经济体系、实现共同富裕具有重要的带动和示范作用。要积极总结已有的成功经验，加强交流互通，“择其善者而从之”，长江大保护是新时代重要的国家战略，长江经济带应当拓展思维，不能固守过去的陈旧制度，学习借鉴周边省市的先进示范成果，提升各自的综合治理和发展能力。

加快工业化绿色化进程，完善绿色教育体系，进一步促进科技创新、产业高级化、国际合作和金融支持等成为推动长江经济带绿色发展的重要力量。长江经济带要大力弥补工业化中的绿色化不足，增强绿色科技创新能力，并注重环境治理和循环发展，以此加快产业优化与升级步伐；要引入西方先进的绿色文化与绿色发展理念，将绿色发展教育纳入学校教育体系，建立绿色发展教育制度，重视服务于绿色发展相关人才的引进与培养，推动教育成为绿色发展的重要促进力量。在此基础上，积极发展第三产业，更加重视科技投入，发挥绿色金融的作用，推动绿色发展国际合作，共同推进长江经济带绿色发展。其中，长江经济带下游地区城市要继续发挥其在科技创新和绿色金融的优势，大力弥补国际合作中绿色化的不足；中游地区城市更要重视产业高级化和科技创新在绿色发展中的作用，进一步引进国外先进绿色发展技术和管理经验，发挥绿色金融的作用；上游地区则要进一步加大科技创新力度，积极发展第三产业，推动产业循环发展和绿色发展，加快对内、对外双向开放，改善绿色金融的不足等。要发挥下游地区中心城市的辐射和带动作用，加强不同区域之间关于先进绿色经济发展模式、发展经验、发展技术的交流与合作，促进各地区优势互补和共同发展，通过相互学习和借鉴共促长江经济带绿色发展。

9.1.3 多主体协同共治，建立全流域治理体系

长江经济带作为流域经济，涉及水、路、港、岸、产、城等多个方面，要运用系统论的方法，正确把握自身发展和协同发展的关系。一是以生态学为基础，遵循生态系统内在机理和规律，充分考虑不同地区地理气候等自然条件、资源禀赋、生态区位等多要素特点，针对不同的生态修复问题，采用不同的技术、方法，科学布局生态保护修复重大工程。以水资源承载力为约束条件，做到“以水定绿、以水定林、量水而行”，同时要摒弃以往“重乔木轻灌草”“任何条件都应

长满植被”的陈旧和不科学观念，宜林则林、宜灌则灌、宜草则草、宜田则田、宜湿则湿、宜荒则荒、宜沙则沙。二是要以提高生态效益和提供更多生态产品为目标，构建生态系统健康诊断理论体系。综合运用物种法、结构功能指标法、生态系统失调综合征诊断法、生态系统健康风险评估法、生态脆弱性和稳定性评价法、生态功能评价法等生态系统健康诊断方法，构建综合评价指标体系，开展生态系统健康诊断，并在此基础上开展分区、分类治理。三是建设智慧流域，精准感知流域降水量、河道水位、供水量、排水量、水沙含量、植被覆盖度、土壤墒情、土地利用方式、滑坡、泥石流、石漠化、湖泊面积、水质、草地面积等流域相关信息，并对数据进行智能采集、传输、共享，通过数学模型分析，做到智能分析、智能决策，实现生态环境科学保护、修复。四是构建农田复合生态系统和海绵城市体系，提升水资源利用效率和氮磷资源化利用效率，减少入江污染负荷，修复生态系统。加强江湖连通，提升长江生态质量和稳定性，统筹推进山水林田湖草沙系统治理的终极目标，建立全流域水岸协调、陆海统筹、社会共治的综合协调管理体系。

环境治理是一个系统工程，需要多方主体的参与。政府、企业和居民等参与主体在长江经济带环境治理问题上应加强沟通互动，发挥全社会的力量实现生态环境改善，既要求政府在资源使用和环境污染管理中发挥正式环境规制作用，也需要社会公众通过谈判、协商等形式自发完成环境治理的非正式环境规制。政府、市场和社会协同共治、形成合力，建立起上下联动、数管齐下的生态环境治理格局，明确自身责任，把握好角色定位，形成多层次、差异性、均权式的长江流域生态管理模式，改变政府统领全局的地位，强调其他主体在生态环境治理中的重要影响。破除基于行政区划刚性约束的行政区域管理体制，完善河长制、湖长制组织体系，加强流域内水生态环境保护修复联合防治、联合执法。从整体性、系统性出发，统筹人口分布、经济分布和资源环境承载能力，加强统筹协同治理，构建统筹协调全主体、全流域的区域合作关系。适当将经济带发展转向以环境建设为引领的发展模式，加快构建环境友好型的经济体系，完善各地区内的环境保护规章制度和地区间的协同管控治理举措，提升环境指标在区域发展过程中的硬约束力。

一是各级党委政府要切实当好环境治理的“领头雁”，实行生态环境保护党政同责、一岗双责。要贯彻执行党中央、国务院各项决策部署，组织落实目标任务、政策措施，加大资金投入，统筹做好监管执法、市场规范、资金安排、宣传教育等工作。要制定符合实际、体现特色的目标，完善生态文明建设目标评价考核体系，促进开展环境治理。二是转变政府职能，深入推进“放管服”改革，打破壁垒，充分利用多元主体在资源配置中的能动性，激发各类主体潜在治理能力。各级政府要依法实行排污许可管理制度，加强企业环境治理责任制度建设，督促企业压实责任。企业自身也要认清绿色发展的必然性和重要性，主动承担起环境治理的主体责任，推进生产服务绿色化，优化原料投入，大力开展技术创新，提供资源节约、环境友好的产品和服务。重点排污企业要安装使用监测设备并确保正常运行。排污企业应通过企业网站等途径依法公开主要污染物名称、排放方式、执行标准以及污染防治设施建设和运行情况，并对信息真实性负责。三是借助自愿性环境协议，完善公众参与机制。一方面，各级政府要加大环境公益广告宣传力度，强化民众的环保意识，鼓励社会民众参与环境治理。广大社会民众要自觉提高环保素养，履行环境保护责任，逐步转变落后的生活风俗习惯，积极开展垃圾分类，践行绿色生活方式，倡导绿色出行、绿色消费。另一方面，开放制度化的公民参与渠道，通过座谈会、听证会等制度化方式充分了解民意和诉求，并反映在政策制定中。完善和修订现有的法律法规，提高政府立法工作的公众参与程度，确保公众的知情权、参与权、表达权和监督权等基本权利，督促地方政府严格、高效执法。

用“互联网＋”和大数据赋能全流域大治理，加快全流域治理多元主体共建共治的制度化、信息化、网络化建设，实现从政府单一主体管控向多元主体协同治理的转变，提升全流域治理的包容性、参与性、协作性和系统性。充分利用大数据、云计算等技术，建立长江流域环境大数据平台，实现环境数据全域共建共享，为长江经济带环境协同治理提供智慧服务，提高长江经济带各省市之间的环境联动水平。省级发展和改革委员会可以作为项目审批部门，在立项环节对绿色环保项目进行统筹谋划，同时加强项目库建设，让各级各部门能够通过项目库信息系统对本地区本部门管理的项目进行实时全面了解。推进系统治理，确保清水入江，将保护修复长江生态环境摆在压倒性位置，实行水生态修复、水污染治理、水资源保护、水安全保障“四水共治”。

9.2　全面推进生态环境督察，统筹联动推进水岸协调发展

9.2.1　协同流域和区域监管，构建互补互动互助式监管体制

将长江经济带作为一个整体，深刻理解“生命共同体”理论，将山水林田湖

草沙当作一个相生相息、复杂有机的生态系统来看待，实现其整体绿色协调发展。要加强各区域的合作，完善长江流域的环境承载力预警机制，打破行政区划和部门分割，形成上中下游统一调度的管理体系，实现全流域综合协调治理。协同长江流域与区域生态环境监管，共同化解全流域生态保护的问题。长江要想实现全流域生态环境大保护监管，就要处理好流域监管与区域监管之间的关系。

一是长江流域的生态环境监管必须把流域监管机构的统筹、协调、指导作用和区域生态环境部门的主体责任协同起来、贯通起来，共同化解全流域生态保护的问题，促进全流域生态环境向好的境况同步改善。二是长江流域生态环境监管机构可以通过编制长江全流域的整体规划实现对长江流域的统筹协调，还可以通过监管和执法实现对流域沿线地方党委政府和生态环境部门流域生态环境保护责任的传导和压实。流域监管机构与区域监管要积极开展全流域区域联动执法，以流域监管机构为“主心骨”，建立全流域生态监管工作机制，落实流域与区域之间监管执法信息的互通互报，在信息互动的同时，流域与区域还可实现信息互查，确保监管信息的准确性和完整性。三是在夯实流域监管的同时兼顾区域监管，区域监管服从于流域监管，进一步厘清流域监管机构与区域性涉江主管部门之间的关系，构建流域与区域“同监管、共命运”的互补互动互助式监管体制。

9.2.2 明确生态环境责任，建立智慧治水环境执法监督机制

要改革完善生态环境治理体系，一是将资源消耗、环境损害、生态效益等体现生态文明建设状况的指标纳入经济社会发展考核指标，建立规范统一的指标体系框架，在全社会形成绿色政治、绿色行政以及绿色治理的文化氛围，完善绿色协同治理体系。二是配合中央生态环保督察，健全完善生态环境资源产权和用途管制制度，加强环境审计建设，对政府部门应用于环保的资金以及环保活动的效果实行离任审计，完善党政领导干部生态环境损害责任终身追究制度，加强对重大污染事故的问责制度，对于出现问题的地区实行一票否决制，增强地方政府的执行压力，确保各项环保规划落到实处。三是以中央生态环境保护督察制度为依托开展省级生态环保督察。坚持问题导向，针对各省市长江生态保护问题，因地制宜，例行督察与专项督察相结合，建立健全条块结合、各司其职、权责明确、保障有力、权威高效的各省级生态环保督察制度，紧盯问题，压实责任，全力推动问题整改到位。四是积极回应群众关切，切实解决群众反映突出的生态环境问题，全力抓好转办问题整改，做到件件有着

落，事事有回应。强化举一反三，以点带面推动问题得到系统整改，坚持边督边改、立行立改、真改实改，实事求是、不走形式，严防表面整改、虚假整改、敷衍整改和“一刀切”等突出问题。完善水生态环境突出问题发现和推动解决机制，采取分析预警、调度通报、独立调查、跟踪督办等措施，推进长江水生态环境质量持续改善。

要建立智慧治水环境执法监督机制，一是科学合理配置水资源，严控河湖水资源开发强度，保障河湖基本生态用水，切实保护河流生态环境。建立水资源超采预警监测机制，对水土资源和环境容量超载区域及时亮红灯，及时改政策、改标准、提门槛，促进发展方式、产业结构及布局的调整优化。建立长效生态用水保障机制，进一步促进水电站绿色发展，推动水资源科学、合理、有序开发和可持续利用。二是建立区域间互联互通的环境监测网络与联合执法机制，加快推进生态保护红线监管平台建设，推动水专项等研究成果转化，深化驻点城市把脉问诊，定量化、精细化提出突出问题解决方案。为实现区域生态环境统一监测、环境信息共享以及突发事件应急响应合作提供技术支撑。三是坚持以绿色发展为定位，统筹建立长江流域的保护规划制度，生态安全保障制度，上下游、左右岸污染防治协同治理制度以及资源可持续利用等法律制度，制定专项治理规划。加固保护长江流域的法律防护网，为长江流域的生态环境治理做出法治保障，平稳推进长江流域生态环境保护工作。四是加大联合环境执法监督力度，依托大数据平台，进一步完善河湖长制，联合推动长江流域智慧治水，综合运用视频监控、GPS定位等信息技术，实现环境执法监督长江生态数据和应用管理规范化、长江生态治理透明化，提高长江治水能力现代化水平。

9.2.3 坚持水岸共治和协调发展，实现全流域高质量发展

探索编制河流综合治理专项规划，并纳入长江经济带总体规划中来，将产业布局、人口集聚、市政设施配套与河流的承载能力、自我净化能力相统筹、相适应。一是紧抓“污染在河里，根子在岸上”的理念。以治水为突破口，以水岸共治为思路推进治水工作，紧紧把握污染源控制这个关键点，开展全流域系统治理。加强源头管控，加快推进落后产能淘汰、低小散企业整治、农业面源治理等工作，推动形成水功能区纳污总量与陆域排污单位相对应的总量控制制度。对城镇居民小区、农村生活污水、工业园区、“六小行业”开展截污纳管、雨污分流工程建设，严控各类污染源。二是构建完整的水岸生态防护林网络体系。针对长江沿岸滩地土壤属性和利用情况复杂的问题，造林绿化规划与国

土规划、城市规划、湿地保护规划、基本农田保护规划、血防规划等相衔接，协调造林绿化与林业血防建设、长江防洪防浪林建设、湿地资源保育及生物多样性保护的关系，统筹推进长江绿色生态廊道建设。坚持绿化、美化、文化“三化”结合，绿地、林地、湿地“三地”同建，经济效益、生态效益、景观效益“三效”兼顾，林草美、田园美、岸线美“三美”叠加。三是应当充分发挥水岸空间的多元价值和“边缘效应”，强化各级水岸及其固边用地、景观风貌的整体策划和一体发展，塑造各具特色、功能多元的水岸空间，引导水岸空间精品化建设。结合各级水体的功能定位，依托水系构建“河道、公园、休闲、商业”一体化空间，将水系防护治理与公园绿地、文化设施、公共中心有机结合，形成多样化的滨水活动系统，创造富有特色的城市空间和风貌景观。四是关注低活力协调度滨水空间在水岸转型过程中社会关系冲突的调解，采用包容性规划的态度，鼓励滨水空间现状用地类型为农田的产权所有者种植兼具经济性和观赏性的作物，以保障并提升其生态价值。

在长江经济带生态系统治理中，要在统筹规划的基础上把握重点难点问题，集中力量克服关键问题。长江污染源主要包括固体生活垃圾、油污水、生活污水、危化品洗舱水、事故引起的污染等。党中央高度重视长江沿江“化工围江”的突出问题。长期以来，长江沿岸重化工业高密度布局，是我国重化工产业的集聚区，污染物排放基数大，根据环境统计数据（2016 年），废水、化学需氧量、氨氮排放量分别为全国的 43%、37%、43%，化工污染成为导致长江经济带环境污染日趋严重的主要原因之一。近年来，部分省市在解决“化工围江”问题中取得了一定成效，如宜昌市沿江 134 家化工企业“关改搬转”任务基本完成，精细化工占化工产业比重提高到 36.2%。但目前该重点突出问题仍然有很多难点有待突破，长江经济带各级政府和化工企业应认真实施长江保护修复攻坚战，坚决淘汰沿江一公里落后产能，提升流域新环境标准和管控要求，推进长江经济带化工企业升级和结构调整，为“十四五”长江经济带高质量协调发展打下坚实基础。应当进一步完善长江沿岸危化品行业治理体系，提高危化品行业治理能力，从排污源头开始，进行大规模的企业清查，对造成严重环境污染的企业处以罚金或责令关停，并健全化工企业搬迁管理机制，开展相应场地环境调查与备案，对于积极配合与创新治理的企业给予一定的补贴和宣传。此外，要将“小磷矿企”的关停治理和“小水电”的清理作为当前的重点任务，尽快实现长江经济带在生态上的“止血疗伤”。沿江化工企业要充分认识长江保护与发展的重要意义，贯彻落实《中华人民共和国长江保护法》，把化工企业自身发展自觉融入长江经济带绿色发展的历史潮流。此外，要重点注意的突出问题还包括城镇污水垃圾处理、工业污染治理、农业面源污染治理、船舶污染治理、尾矿库污染治理等工程，并依据不同区域问题严重程度进行分而治之，例如长江上游地区企业对长江流域整体污染影响范围较大，应当首先进行整改，根据具体问题采取符合实际的处理措施。

9.3 统筹环境经济联动发展，提升环境经济平衡发展能力

9.3.1 优化区域产业布局，提升整体社会经济生态效益

区域经济发展往往以当地支柱性产业为依托，但过度建设的重化工等企业所进行的生产活动会对环境生态产生负面影响。长江经济带产业发展应当严格控制和限制钢铁、水泥等建筑材料，以及炼焦、制药、农药等产业的生产规模，降低落后产能在产业结构中的占比，着力促进高新技术产业与轻型制造业部门及行业发展。要坚守绿色低碳发展底线，努力打造化工产业绿色制造体系，沿江化工企业应树立资源节约循环利用的理念，加快自主创新步伐，加快绿色清洁工艺技术应用和智慧工厂建设，不断“强长板补短板”。除化工产业外，长江经济带沿线的农药生产企业在规模和产能上都占据行业的半壁江山。为实现农药使用量负增长，保证农产品安全，需要提升农药利用率，这就需要大力发展绿色农药，推进绿色防控，进一步提高绿色农药的使用比例。一方面，要加大天然产物资源的开发利用力度，研制植物源和微生物源农药及其衍生化农药、生物(性)信息素产品等。另一方面，加大研发高效低风险小分子绿色农药力度，系统进行农药生物活性的评价工作，扎实开展农药对环境生态风险影响和农药残留的评价等工作，推动绿色兴农、质量兴农。在管理制度上，可以建立产业准入负面清单，腾退高耗能、高污染企业，不断提升产业配套协作紧密度，扩展绿色循环产业链，用精深加工推动产业发展，加速产业提质升级。

长江经济带园区发展要严格遵循各类工业发展规律，提升沿江化工园区科学发展水平，着重清理沿江与主要支流上的大量小型开发区、工业园区，对不符合环境标准又没有生存活力的园区实行“关停并转”。沿江化工园区要认真总结我国化工园区发展的成功经验，积极学习借鉴国内外先进化工园区管理的新模式、新特点。园区建设的典型如上海化学工业区，该园区是我国第一个以开发区机制和模式建设的大型石油化工产业基地，经过20余年的超常规

发展，现已成为全国集聚国际知名跨国化企最多、循环经济水平最先进、产业能级最高端、安全环保管理最严格的国家级石油化工专业经济技术开发区。借鉴南京江北新材料科技园在“十四五”时期的规划，园区发展可以从三个方面着手，一是以“去产能、补短板”为核心，以“调结构、促升级”为主线，不断推进供给侧结构性改革；二是大力实施创新驱动和绿色可持续发展战略，积极培育战略性新兴产业，推动产业结构、产品结构、布局结构不断优化；三是按照“重质轻量”原则，着力提升园区的综合竞争力和可持续发展能力。

9.3.2 建立生态产品实现机制，推进生态产业化和产业生态化

长江拥有独特的生态系统，是我国重要的生态宝库，长江经济带在推动生态产品价值实现方面的积极探索更具规模效应和可持续性，必须扛起探索生态产品价值实现路径的历史责任，充分发挥生态资源存量优势，协同推进高质量发展和高水平保护。长江经济带应从五个方面发展，在全国率先建立完善生态产品价值实现机制，使绿水青山“底色”更亮，金山银山“成色”更足。具体包括：其一，必须坚持“绿水青山就是金山银山”理念，研究制定出台《长江经济带建立健全生态产品价值实现机制的实施方案》，进一步明确总体要求和基本思路；其二，构建调查监督与评估机制，摸清“生态家底”、建立“生态账本”，为绿水青山贴上“价值标签”，让GEP(生态系统生产总值)进规划、进决策、进项目、进交易、进检测、进考核；其三，加快构建经营开发与市场交易机制，鼓励下游发达地区与中上游欠发达但生态良好地区开展合作，着力形成区域间生态产品交易市场，鼓励各地积极培育具有地方特色的生态产品品牌；其四，持续完善流域生态补偿机制，重点推动补偿方式从“输血型”补偿为主向“造血型”补偿为主转变；其五，加快构建推进和保障机制，加大绿色金融支持力度，完善绿色发展财政奖补机制，支持打造一批生态产品价值实现机制示范基地和“两山银行”“湿地银行”“森林银行”等金融服务中心。相关部门可以与高等院校及科研机构进行合作，加强对生态产品价值实现机制改革创新研究，选择一批试点地区，围绕生态产品价值核算、供需精准对接、可持续经营开发、保护补偿、评估考核等方面开展生态产品价值实现探索，着力打造一批示范基地。应当规划并严格管制自然生态资源的消耗限额，通过科学的资源价值评估，合理利用自然资源，同时要以科技赋能，以绿色创新支撑生态产业化和产业生态化。

9.3.3 统筹环境治理和经济发展,提升环保综合水平

把生态保护与经济发展视为辩证统一的关系,不再让其成为“两难”悖论,而成为达到高质量发展的统一路径。其核心内涵包括三个方面:一是依据资源禀赋和发展条件,实现空间上的“各得其所”,让最应保护的地方保护、最应发展的地方发展,达到综合效益的整体提升;二是充分回应人民群众对高品质空间的需求,通过自然资源的资产化管理,实现国有自然资源资产的保值升值,让绿水青山产生生态、经济、社会的综合效益;三是在生态环境的“危”中发现经济发展的“机”,抓住生态环境需求可能形成的供给市场,形成新的增长点,凝聚利益共同体。这需要摒弃传统的以要素投入和投资拉动的单一经济增量发展模式,进而转向以创新驱动、消费拉动、投资效率提升、产业升级为主的多维度经济发展模式,构建绿色产业体系和空间格局,引导形成绿色生产方式和生活方式,努力实现生态美与产业绿深度融合、好生态与好生活相辅相成、生态理念与治理效能有机统一。要运用数字技术和新技术革命带来的机遇全心全意谋发展,提升长江经济带发展质量,实现东中西、大中小城市平衡协调发展,巩固拓展“共抓大保护”成果,使长江经济带成为我国守护好青山绿水的“生态带”。

从整体思维看,不仅要把长江全流域环境问题看作整体问题,也要把环境治理各部分工作看作整体工作,对长江流域环境的管理与保护,要统筹水资源保护、河湖岸线管理、水污染防治、水环境治理、水环境生态恢复、环保政策落实等多方面。要协调沿线地区尤其是中上游各省市的工业结构与能源结构,促进产品、要素资源自由流动,使得下游先进的生产技术和管理经验能够向中上游扩散转移,形成沿海省市与内陆省市之间相互支持、良性互动的新局面。近年来,长江经济带“大开发”仍在继续,能源与重化工产业发展势头强劲,长江干线港口的吞吐量大幅度增加,一些环境治理行动和工程进展较慢。长江黄金水道运转是一项整体工程,针对中上游航道梗阻问题,应着力构建高效的集疏运系统,增大高等级航道的比重,从而充分发挥长江航运潜能,对干流上中下游水路货运量进行必要控制,逐步改变运量结构,限制水泥、沙石乃至煤炭等长距离运输。同时在综合治理时,要避免污染物转移,不能把长江面源污染物转移到其他地区。可通过控源截污、河道整治等措施系统推进,聚焦重点,因地制宜。控源截污,要从源头控制污水向水体排放,有效减少入河污染负荷;开发减污材料,包括含铁基质的生物材料、膜技术等。要开展长江经济带清洁流域建设,全面实行水环境质量目标管理和跨界断面清洁水体交接制

度。持续实施水安全保障、自然生态保育与修复、重大灾害防御、环境生态风险防范等长江经济带绿色生态保障工程。把长江经济带整个流域作为一个完整系统，强化源头治理、综合治理、系统治理，摒弃以牺牲和破坏环境为代价的粗放发展方式，方能推动长江经济带实现质量变革、效率变革、动力变革。

9.4 完善生态环境治理体系，推动环境和经济协调发展

随着城镇化和工业化进程的加快，长江流域污染问题逐渐凸显，环保压力骤然增大，生态环境治理刻不容缓。为解决长江经济带污染治理难题，国家有关部门出台了《长江经济带生态环境保护规划》《关于建立健全长江经济带生态补偿和保护长效机制的指导意见》等一系列的法律法规和政策文件。目前，长江经济带环境治理已取得一定成效，建立了大气和水污染防治协作机制，多项环境治理改革走在全国前列，如“河长制”的实施、“新安江模式”的推广，但生态环境治理体系还未完善，长江经济带当前正处于环境问题高发期和环境意识升级期的叠加状态。生态环境是关系党的使命宗旨的重大政治问题，也是关系民生的重大社会问题，必须把生态环境治理和自然恢复放在压倒性位置，未来长江经济带在发展过程中需要正确树立长远发展、可持续发展和整体发展的科学理念，不断完善生态环境治理体系，促进长江经济带协调可持续发展，把长江经济带建设成为我国生态文明建设的先行示范带、创新驱动带、协调发展带，全面贯彻落实“共抓大保护”精神，实现生态效益和经济效益和谐统一。

9.4.1 推动资源利用方式转型升级，全面节约资源

节约资源，是中国国情基础中的基础，是实现可持续发展的根本要求，是人类在开发利用自然资源过程中的深刻经验，也是生态文明建设的源头，是中华民族子子孙孙持续生存发展的根本。国际国内过去多年的发展经验告诉我们，如果不根据实际情况，不为子孙后代的发展考虑，在现阶段过度开发和使用资源，拥有再多的资源储备也总有耗竭的一天；如果不加强生态保护，忽视已存在甚至还在继续加重的环境污染问题，未来地球将会承担过重的生态压力，自然生物和人类的生存环境将会进一步恶化，历史上“先污染，后治理”的情形又将重蹈覆辙。中国地大物博，有着丰富的矿产资源，但长久以来，由于

我国具有人口基数大的特点，人均自然资源始终面临较少甚至紧缺的情况，这对经济社会的发展提出了重大的挑战。应当科学规划并严格管理各类资源的消耗上限，以资源开发利用规划、区域发展规划等为依据，以单位产值资源消耗强度管控为基础，实施资源消耗总量和强度"双控"，建立分阶段、分种类的指标分解落实机制，保证政策落地、落细、落实，发挥资源管控对于消费结构调整的引导作用。在国土开发适宜性以及对资源环境承载力正确评价的基础上优化资源开发布局，确定生态、农业、城镇功能区布局，要通过提高资源的利用效率推动经济高质量增长。新时代的空间规划、城乡建设、国民消费、"美丽中国"、"生态城市"及大量的具体政策和措施的实施、重大工程的建设、相关技术的推广应用，都要大力节约、集约利用资源，推动资源利用方式的根本转变，大幅降低能源、矿产资源以及淡水、土地等资源的消耗强度，完善最严格的耕地保护、水资源管理和能耗管理制度。

9.4.2 完善生态补偿制度，建立多元化综合治理体系

生态补偿制度的构建原理就是将经济手段和行政手段相结合，实现生态环境这一具有特殊性的公共产品的使用者及消费者之间的平衡，从而有效避免生态保护中的"公地悲剧"问题。因此，生态补偿制度是跨区域环境协同治理的关键，更是环境治理补偿制度的核心。要完善环境损害赔偿和生态保护补偿融合制度，成立长江经济带发展协调委员会，建立利益相关方共同协商决策的流域综合管理制度，统筹流域综合规划编制和空间开发一体化管控，践行长江流域生态补偿制度具体可以从清晰界定生态补偿的主体和客体、科学制定生态补偿标准、形成多元生态补偿方式三个方面发力。长江上游地区是一个十分特殊的地域空间，既是我国重要的生态屏障区，又是少有的资源富集区；既关系国家的生态安全，又关系国家的经济安全。中国仍是发展中国家，需要保持经济增长稳定以解决各类民生社会问题，这导致部分地方政府对于高排污企业拉动经济发展和就业增长的模式具有依赖性，使得绿色创新发展之路更加曲折，为提升地方对于环境治理的动力，应采取相应的环保立法、生态补偿管控、环保约谈等具有一定强制性约束力的政策，这将有助于地方政府打破传统的路径依赖，探索高质量发展的新模式。

健全中央统筹、地方主体、纵横协同、市场参与、有效激励、绩效问责的多元化生态补偿综合治理制度框架，增强绿色发展动力。从长江生态环境系统性保护全局出发，推动区域合作与利益协调。一是推进流域生态补偿立法，出台《生态补偿条例》，促进生态补偿法治化、多元化和常态化；探索建立政府引

导、市场化运作的横向生态补偿基金，将生态补偿制度与自然资源资产审计、自然资源资产负债表等国家其他相关制度衔接起来，健全“纵向横向结合、直接间接互补”的多样性补偿制度。二是鼓励受益地区与生态保护地区、流域下游与上游通过资金补偿、对口协作、产业转移、人才培训、共建园区等方式建立横向补偿关系；从流域水环境系统性保护全局出发，推动上中下游区域合作与利益协调，定期就长江经济带跨省域生态补偿问题展开磋商与谈判，明确省际的权利边界。三是对于各省际跨域地区的生态补偿问题，明确统一的生态补偿标准、分层分级的补偿形式和多元化补偿方式。充分考虑各地实际发展情况以及被补偿者的自身特征，采用灵活弹性的补偿标准，使补偿资金的效用得到最大功能发挥；充分借助第三方保护机构对生态补偿的效益纠纷进行协调，实现在公平、公正、公开标准基础上对补偿客体进行转移支付；积极构建中央、地方、社会三位一体的环保资金筹集机制，在上级政府拨款的政策支持、地方政府与受益主体承担相结合的基础上，积极吸引社会资本，构建多元筹集资金的互动衔接机制，提升全流域治理制度的适应性、凝聚性、自主性和包容性。四是建立多元化流域环境保护投融资机制。除加大中央财政、地方财政、国债资金对环境保护的投入力度之外，还应该通过建立环境保护基金、发行环境保护彩票、引入社会投资等方式扩大环境保护的投资来源。加快改革完善流域公共治理体系，构建“共同抓好大保护，协同推进大治理”的长效机制，最终形成区域共赢的可持续发展态势。

9.4.3 完善生态环境治理法律法规，推动环境和经济协同发展

2020 年 12 月 26 日，十三届全国人大常委会第二十四次会议表决通过《长江保护法》，此法自 2021 年 3 月 1 日施行，从根本上夯实了长江大保护的制度保障。《长江保护法》的制定和实施是将习近平总书记关于长江保护的重要指示和党中央对于长江经济带绿色发展战略部署以法律形式予以贯彻落实的最有效措施，是我国首部以国家法律的形式为特定流域制定的法律，是我国生态环境法体系建设的标志性成果。一是坚持生态优先、绿色发展的战略定位。《长江保护法》首先是一部生态环境的保护法，实施中要始终把保护和修复生态环境摆在压倒性位置，依法严格规范各类开发、建设活动；《长江保护法》也是一部绿色发展的促进法，要全面落实法律规定，把握好生态环境保护和经济发展辩证统一关系。二是全面履行法定职责，在法治轨道上推进长江保护重点工作。要严格执行《长江保护法》的各项规定，用法律破解制约长江保护的

热点、难点、痛点问题。三是坚持系统观念，增强长江保护的系统性、整体性、协同性。要依法建立长江流域协调机制，统一指导、监督长江保护工作。四是严格执法监督问责，切实增强法律的刚性和权威性，让胆敢挑战法律权威、破坏长江生态环境者付出沉重代价。五是加快推进相关立法修法工作，确保法律制度规范严密、衔接有序、协调统一。六是加强对法律的宣传教育普及，推动全社会增强法治意识和生态文明观念。

要继续学习贯彻习近平总书记关于长江经济带发展的重要指示精神，完善生态环境保护法规制度体系，以法律红线守住生态底线，为环境治理工作提供法律依据和法治保障。以环保立法保护生态环境，产生的社会效应涉及广泛，会促使地方政府、企业和公众之间形成持续的良性互动关系，并且相关法律体系的进一步完善，有利于扫除环境污染的制度性障碍，鼓励更多的人加入环境保护，环保意识逐渐深入人心，将对环境污染治理产生长效的内生动力。

10

第十章

科技创新驱动社会经济发展

10.1　提升企业科技创新能力，培育创新性领军企业

10.1.1　激励企业增加科技创新投入

建立以政府投入为引导，企业投入为主体，其他融资方式为有效补充的科技创新投入新体系，同时大力发展风险投资市场、股票上市和发行债券等途径，多种科技创新资本投入创新开发。首先，以机制保障的形式优化科技经费投入，加大地方财政向科技支出倾斜的同时逐步提高所投入的科技资金中R&D经费所占有的比重，使得研发强度赶上世界科技强国平均水平；同时，财政科技拨款用于支持民营企业科技创新的比重也要不断提升，使民营企业同国有企业、高等院校、科研机构平等参与竞争。对于有能力但资金不够的企业，政府应当给予资金支持，帮助企业建立研发机构，激发创新创业活力。其次，强化政府创新资金导向作用，在推进高新技术产业化过程中，政府资金的主导地位让位于市场，尝试发挥政府资金的引导作用，利用经济杠杆提高资本运作效率，充分发挥激励效应与示范性功能，为产品升级、难点攻坚及转化成果集聚更多资金。最后，增加政府采购量，并积极引导政府采购向民营企业科技创新成果倾斜，逐步改变政府采购中的所有制和规模偏好，在招标过程中，允许民营企业参与公平竞争。通过灵活实施政府采购政策，建立政府采购专项资金，利用产品采购这种需求拉动式扶持手段，激励科技创新型企业的创新活动，推动高新技术产业的发展，最终提高区域创新竞争力或保持技术领先地位。

调整和优化投入结构，重视优化科研资金的投向。在基础研究、尖端科技、社会公益研究方面要给予特别重视，例如要进一步增加公益性科研机构的人均事业费，能源、环境保护、国防安全领域的科技投入比例也要加大。同时强化和规范科技经费的使用和管理，建立公平、公开、公正的科研成果年报、审批和评审制度，加强经费有效利用，为各类创新主体公平竞争提供保障，以公平促进科技创新能力的提高。具体而言，通过运用财税政策，激励企业增加科技投入，重点支持和鼓励大中型企业、集团和上市公司在总产值中提取规定数量的费用，集中用于前沿性重大科技问题开发研究的投入；不断修改和完善地方政府的税收优惠政策，扩大税收优惠范围，使税收优惠政策可以惠及更多的中小微民营企业和未获得省级及以上荣誉的科技创新人员，成为真正意义上

的普惠性政策；要增强税收政策的减免力度，特别是针对科技型民营企业的技术转让所得等提高起征点或者适度降低税率，加强对高新技术之外的民营企业科研经费加计扣除、职工教育经费扣除优惠等。在国家财税政策范围内支持企业的科研开发，要鼓励工业企业增加对产品、技术、工艺创新的资金、人力投入，完善已有的税收优惠政策，不单以企业专利申请量、拥有量为评判标准，还要看企业研发产出质量、成果转化情况，促使企业愿意将资金投入长期的研发中，对研发投入达到一定规模，并且有较高质量产出的企业给予奖励、补贴或者税费减免。

10.1.2 建立企业科技创新的政策与金融支持机制

完善科技评价奖励体制，形成激励创新正确导向。一方面，立足自主创新内涵，强化科技奖励政策的全面性。由激励创新型企业发展的政府行为可知，当前对创新型企业的科技奖励政策以项目和自主知识产权为考核与评价的焦点，而未将创新管理、创新绩效指标纳入科技奖励评价标准之内，这可能会导致科技奖励政策激励效用的片面性，降低科技奖励政策效用，也不利于引导创新型企业全面创新发展。因此，实现合理、科学的科技奖励政策，应以自主创新内涵为导向，将研发能力、自主知识产权、创新绩效及创新管理作为整体性考核指标，注重企业创新过程中的战略规划、知识产权管理体系、新产品利润增长率等情况。另一方面，科技奖励政策应实现适时适度的绩效追踪，辅之以多次奖励，以强化创新型企业创新发展动力。当前，对于创新型企业科技奖励政策偏向一次性激励，即在授予企业一次奖励之后不再对该企业的创新发展进行考核奖励。这种科技奖励政策对于优秀的创新型企业而言激励不足，尚不能为优秀创新型企业提供发展动力。因此，要改变一次性科技奖励政策的规定，通过对受奖励企业的创新追踪考评，对在自主知识产权、科技成果转化、社会经济效益以及创新管理有重大突破的、进步的创新型企业进行再次奖励；同时，创新科技奖励方式可以分阶段、分步骤进行，对于阶段性创新发展进行奖励后，依创新发展情况进行后续奖励。

完善金融支持机制，增加企业科技创新的资金支持。通过金融创新加大对区域科技创新的支持力度，特别是对中小高新技术企业创新的金融支持，不断拓宽投融资渠道，放宽科技型企业的融资条件，鼓励社会资本投资，吸引民间资本参股，形成多元化科技投融资体系。首先，政府可以采取多种手段大力发展多层次资本市场，通过发展主板市场以增加对大型企业的资金支持，通过发展创业板市场以增加对中小微企业的资金支持。其次，提升商业银行对企业科技创新的贷款能力，可以通过变革商业银行的考核标准、风控体系和放贷模式，增加其与民营企业的匹配程度，降低民营企业贷款成本；建设信息交流平台，增加商业银行和民营企业之间的相互了解，使其信贷交易向更加透明化方向发展；大力发展科技银行，为科技创新提供专业金融服务，降低民营企业科技创新贷款难度。再次，完善科技创新保险政策，做到扩大科技保险覆盖面、提高科技保险投保率和增加科技保险赔偿额，充分发挥科技保险分担民营企业科技创新风险的作用。最后，构建双向开放型金融体制，充分利用国内国外两种资源。在健全审慎管理机制、保障国家金融安全的前提下，推动金融体系的双向开放是顺应经济发展的必然要求，有利于促进国内国际两种资源的有效流动、深度融合。

10.1.3 培育创新型科技领军企业

创新型科技领军企业是指具有明确的科技创新战略及完善的组织体系，科技创新投入水平高，在关键共性技术、前沿引领技术和颠覆性技术方面取得明显优势，能够引领和带动产业链上下游企业、有效组织产学研力量实现融通创新发展，并在产业标准、发明专利、自主品牌等方面居于同行业领先地位的创新型企业。培育一批创新型科技领军企业要从以下几个方面入手。

一是要着重推动科技领军企业牵头整合集聚创新资源，打造由科技领军企业牵头、高校院所支撑、多元主体高效协同的高能级创新联合体。一方面平衡好短期功利目标、长期科学目标与市场竞争优势获取的关系，实现从基础研究、原始性创新突破到产业化应用和价值实现，再到反馈带动基础研究突破的“创新闭环”和加速创新。另一方面，构建跨领域、大协作、高强度的创新基地，提升产业共性关键技术研发、科技成果转化及产业化商业化、科技资源共享服务能力，在加速提高我国产业基础能力和产业链供应链安全稳定上发挥更大作用。尤其是要引导和支持科技领军企业推进跨行业、跨领域的关键共性技术开发和资源整合，从而与国家实验室、高水平研究型大学、国家科研机构和区域综合型国家科学中心等战略科技力量形成有效整合，联合实现关键零部件、高端材料和高端软件与行业应用生态等方面的突破和持续创新，带动所在产业创新能力的持续升级与跃迁，并通过知识溢出和市场化成果转化应用机制，带动技术相关产业的产业链创新能力的提升与创新竞争力的跃迁。

二是要鼓励科技领军企业牵头探索企业主导型的科技创新模式。要着重提高科技领军企业在技术创新体系中的主体地位和主导作用，发挥企业出题者作用，构建以企业为中心，高校、科研院所围绕企业开展科研活动，以企业为主导推动创新发展的新模式，促进科技领军企业成为重大科技方向的提出者和科技成果的应用者，引导高校院所围绕企业和产业创新面临的重大技术难题进行技术攻关。政府采取措施，集中优势资源加大扶持力度，把一批市场前景好、成长性强、处于产业链关键位置的领军企业打造成为国内乃至世界的行业领军企业。充分发挥创新型领军企业和科技型中小企业的创新生力军作用，培育一大批敢当、能当高水平科技自立自强使命的科技领军企业“预备队”，牵引形成国有企业和民营企业共生共创，大企业与中小企业高效协同发展的新生态，提高科技成果转移转化成效，为建设面向未来的科技创新强国、实现高水平科技自立自强和参与全球科技竞争与治理提供持久的动力源。

三是要充分发挥中央企业等国有企业在培育科技领军企业中的优势作用和核心使命担当。国有企业，特别是中央企业大多数处于事关国家安全和国民经济命脉的关键行业和重要领域，同时肩负着推进科技自立自强、振兴实体经济和履行国家政治使命的多重角色，是党和国家事业发展的重要政治基础、物质基础和系统支撑。以创新型中央企业和龙头国企为基础，联合一流研究型高校院所打造面向关键核心技术、未来前沿技术和颠覆性技术的创新平台和高水平创新联合体，为实现大中小企业、国有和民营企业融通创新提供持续的平台和应用场景支撑，并全面提高科技成果转移转化成效，为持续推进战略高技术领域突破和高端产业、未来产业创新竞争力提升提供高效强大的平台支撑；瞄准事关国家科技安全和经济安全的空白但战略必争领域培育一批科技领军企业，加快突破“卡脖子”问题的同时，在未来世界科技竞争中积极占先和“卡位”，赢得主动权，塑造更多先发优势。

10.2　完善科技人才引进机制，培育科技创新领军人才

10.2.1　强化科技创新人才培育体制

加大教育经费投入力度，确保教育经费稳定增长，提高财政性教育经费在GDP中的比重。近年来，通过不断增加教育投资总额，预算内教育经费占比不断增大，以政府为主的多渠道投入结构已有雏形，但国家财政性教育经费占GDP比重仍然较低，仅相当于世界平均水平的一半，落后于发达国家。因而迫

切需要建立与财政体制相适应的教育财政制度，加大投资力度，提高财政性教育经费在 GDP 中的比重，合理调整教育经费投入结构，强化各省市政府机构对教育投入的责任意识，确保教育经费的稳定增长。同时要鼓励并引导社会资金力量介入教育投资，构建多元化经费筹资体系。

坚持推进教育体制改革，大力培养创新思维。大力推进素质教育，鼓励教育工作者把学生全面素质尤其是创造性思维的培养放在首要位置；通过大力普及科学知识和科学精神，提高学生基本科学素质，使学生敢于突破陈规、旧俗，敢于对传统和权威提出质疑，锐意进取；坚持加快培养多层次、多领域的创新型人才。培养和优先选拔拥有创新思维的领导者，做创新示范，起榜样作用，同时为创新型人才提供充分发挥才能、实现价值的空间，推进创新团队建设；坚持科学素养与人文精神培养相结合，不仅要培养基础研究人才，还要培养工程化应用型人才；坚持引入优胜劣汰的淘汰机制，实行宽进严出的制度，淡化文凭的作用，真正为素质教育和创新教育的顺利实施创造宽松的环境；鼓励多主体联合培养研究生，让各地高校之间共建合作网络，推动长江经济带各地间的人才流动和人才要素集聚，促成长江经济带共建共治共享人才培养、人才使用政策和机制的建立；改革和完善高校和科研机构的人事制度，加快科研人员“铁饭碗”工作模式变革，逐步推广人事聘用制和岗位竞争、末位淘汰制，将定员定岗、绩效工资作为个人薪资构成，并与个人所产出的科研成果质量相联系，避免“学而优则仕”的官本位倾向，建立好激励科技创新的人才评价机制，鼓励科研人员创新。

重视职业教育和技能培训，着重开发高技能人才。① 强化政府责任。各级政府要重视区域内高等职业教育的发展，增加教育经费中职业教育所占比重，协助高职教育院校找准特色，明确自身定位，改善机构办学条件，提供办学政策性保障，确保优势教学资源能够在各校间形成共享机制。② 推进高职院校教学改革。高职院校要明确办学理念，在专业、课程设置方面要突出应用性、实践性特点，增加技术含量和实践环节，与企业、产业和市场需求紧密联合。③ 加强高职院校师资队伍建设。一方面，鼓励高职院校教师进入企业实践，将企业最新技术研发成果融入课堂实际教学中；另一方面，鼓励企业高水平技能人才进入高职院校担任客座教师，校企合作，为学生亲身讲解并解决技术应用中会遇到的实际问题。④ 加大企业员工职业技能培训。政府要重视对企业员工职业技能培训的政策扶持，积极完善职业技能方面的社会培训体系。

10.2.2 优化科技创新人才引进机制

拓宽人才引进渠道，扩大人才引进范围。① 拓宽人才引进渠道。加大政府对引进人才的扶持力度，除了对创新型人才给予资金资助，日常补贴，解决落户、配偶工作和子女上学等问题，更要加大对其工作期间创新科研成果转化的扶持力度，放宽对科研成果转化的制度约束，加大保护知识产权；增设引进人才的专门中介机构，加强与国内外知名专业人才中介机构的合作，采取委托招聘、业务对接等多种形式的合作方式，利用其优势资源，共同致力于高层次创新创业人才的引进工作；鼓励非政府组织建设，可以通过建立民间研究所、创业基金会和创业投资论坛等民间组织，促进创新创业信息交流，鼓励创新技术和信息的传播，促进创新创业人才交流；鼓励企业引进和培养创新型人才，允许企业以智力支出作为技术开发费用投入，允许企业把引才、育才投入列入经营成本，减轻企业聘请创新型、紧缺型人才的负担。② 扩大人才引进范围。吸引留学人员从业创业，建立留学人员档案跟踪系统，积极向其提供科研项目的更新信息、创业优惠政策等，吸引留学人员就业创业，鼓励留学人员带回来新项目、新科技，积极实施留学人才创业计划；通过聘请国外专家定期讲学，采用借用、租用的方式对科技创新企业进行指导和员工培训，采用多种形式扩大引进海外创新型人才来工作和服务，或者通过与国外企业、科研机构及高校的项目合作，采用人才交流的方式引进海外人才来游学、工作和服务。③ 重点引进重点产业、重点项目相关人才。在总体扩大人才引进数量的同时，要做到重点引进支柱产业、重点领域、重点行业的急需型创新人才及项目。可以制订更为具体的人才计划等，扩大人才计划扶持对象的同时更具针对性地重点引进高新科技创新人才、生物科技创新人才、新能源汽车技术类人才；重点引进带资金、带技术适合现阶段经济发展需求的项目；重点引进掌握核心技术，拥有自主知识产权和发明专利，且技术成果达到国际先进或国内领先水平，产品具有较好的市场前景和产业化潜力的项目和人才等。根据产业行业各自特征需求，分门别类地给予专项资金支持、场地场所支持、担保融资贷款、风险投资和专家咨询指导等配套服务。

建立多元化的激励机制。建立多元化人才奖励体系，应完善以政府奖励为导向、行业奖励为基础、用人单位奖励为主体、社会力量奖励为补充的创新型人才奖励体系。① 政府。对于创新型人才尤其是国际化的、高层次的、炙手可热的创新型人才的工资待遇应参照其在国外的工资情况，从优确定，并随本人职务和工作情况的变动作相应调整，对作出重大贡献的创新团队和个人，给予必要的荣誉奖励并通过媒体宣传，表彰其先进事迹；根据引进人才的性质和工作方式分别解决落户问题，对于有落户要求、重点引进、长期合作的紧缺型人才可优先落户，营造良好的工作条件和创业环境能激发引进人才的创造力，切实落实好引进人才配偶的工作、引进人才的子女入托入学、医疗服务乃至文化生活等方面；建设更优质、配套服务更全面的科技园区能够为国外专家和回国的留学人员提供发挥其创造才能的大舞台。② 用人单位。建立科学的人才管理制度要以引进和留住人才为导向、以发挥人才作用为目的，优化企业人才管理制度；可通过给予员工一定的薪资、住房、汽车等物质奖励，或者运用职位晋升等方法，为其建立科研人员职业发展通道，促进科技创新人才健康发展，还可以转变创新激励方式，完善成果转化、收益分配、股权激励等机制，对于有科技成果的人员，鼓励其创业，将其个人利益有机融合到企业中来；建立多层次多类别科研绩效评价机制，把企业自主创新作为大型企业主要负责人考核主要指标，尤其是要把企业技术创新投入和创新能力建设作为责任人考核的重要内容之一。

10.2.3 构建科技创新领军人才战略

科技领军人才是建设创新型国家、增强我国国际竞争力十分重要的人才资源。

坚持高端引领，实施领军人才战略。把高层次科技创新人才培养与开发作为科技创新的先导和创新型城市建设的关键引擎，放在科技工作的优先位置，积极推进人才培养国际化、人才资本市场化战略和人才资源开发一体化战略，以培育科技企业家和创新型领军企业为重点，打造开放度高、融合度高、集聚度高、贡献度高的科技人才高地。

制定培养规划，明确分类培养目标。遵循创新型产业发展规律和人才成长的规律，制定高端科技创新人才开发路线图，以提高核心技术自主创新能力为培养目标，全面实施科技企业家人才、科技领军人才、高级工程技术研发人才、创新型企业青年后备人才等分类培养素质提升工程，开发创新潜能、优化智力结构、拓展思维视野，提升领军人才战略思维能力、创新决策能力、组织协调能力与科研管理能力。

整合教育资源，加大人才培养投入。充分认识引进培养人才的投入是收益最大的投入，以全球视野加强科技教育国际战略布局，积极借助国际机构、跨国公司和国内外重点大学，利用其优质教育资源、智力资源、国际科技合作交流平台和高端人才培训机构为优势产业培养国际化科技人才。进一步优化财政科技投入结构与支持方向，增加科技项目中的人才开发经费，完善重大科技专项的资金保障机制，通过组建发展产业技术创新战略联盟，整合集成优质创新资源，“政产学研用”深度结合，实施院士工作站和博士后科研工作站的专项资助计划，组织、人事、科技、教育、财政等多部门联合建立和扶持高端人才培养基地建设，强化企业技术创新和人才培养投入的主体作用，促进项目、人才和基地建设的深度结合。

加强载体建设，构筑创新实践平台，加快高新技术产业开发区、科技创新园区、大学科技城、创新型领军企业和科技企业孵化器建设，积极鼓励实行科技资源共建共享，依托国家重点实验室、省级以上工程技术研发中心与企业技术中心，发挥科研机构、创新实践基地和高校学科交叉综合优势，鼓励扶持产学研合作共建研发平台，加强技术转移、互相聘用和人才智力的柔性流动，鼓励知识产权优势企业设立创新岗位，特聘行业著名专家和高级管理专家进入企业工作。

完善管理制度，强化激励保障机制。根据不同岗位不同人才的特点，完善技术集成和协同创新的科技创新运行机制、岗位聘用流动管理和知识产权保护制度，强化企业股权和分红激励制度，健全高级专家退休资助奖励和社会保障制度，并采取信任、责任、情感、荣誉、目标、行为和榜样激励等各种方式，激发动机、鼓励行为、加大动力、开发潜力，最大限度地调动和保护科技创新人才的积极性、自主性和创造性。

加强创新服务，营造人才生态环境。科学布局各类创新基地和服务平台，通过科技创新对标行动，营造促进各创新主体互动和创新要素流动的创新创业环境；建立健全网络化、社会化科技创新支撑服务体系，发挥政府、企业和社会组织技术公共服务功能，营造充分发挥人才作用和人才柔性管理的人才服务环境；全面实施《中华人民共和国科学技术进步法》，以激励自主创新的财税政策、政府采购政策、科技金融政策为重点，加大政策落实力度，营造尊重知识、尊重人才、尊重创造的人才政策环境；加强创新文化建设，搭建科技领军人才城际联谊交流平台，营造人才活力激情迸发、人才荣誉褒扬宣传的人文环境。

10.3 促进科技创新与实体经济融合，推动区域经济高质量发展

10.3.1 建立科技成果转化优惠政策支持机制

科技成果能否转化为现实生产力，已成为衡量一个国家和地区科技创新能力及科技发展水平的重要标志。因此，为保证科技成果能够成功转化并形成产业化，必须对成果转化的整体机制进行完善。长江经济带各地区应转换思路，遵循"研究开发—成果转化—生产制造—市场推广"价值实现路径，可以结合自身资源优势，立足上游、中游、下游的功能地位，参与分工合作，提高科技创新成果应用效率，最终实现长江经济带区域高科技产业的快速发展。

建立市场主导型产学研合作机制。一般而言，科技创新成果的研发活动大致由各大高校及科研院所和科技型企业的内部研发部门两大主体参与。前者立足于学术理论前沿，离市场相对较远，但创新能力突出，后者以市场需求为导向，贴近消费者，但研发能力有限。事实上，上述二者并非相互分离，高校、科研院所与科技型企业可以发挥各自优势，通力合作，在市场需求与创新点之间寻求平衡，研发出既满足市场需求，又具有创新性的科技创新成果。建立市场主导型产学研合作机制，使其与市场需求导向紧密连接，通过市场机制连接和协调产学研相关各方的利益，突破产学研合作的体制瓶颈，加快形成企业、高校、科研机构以参与资本和预计利益为捆绑媒介的战略团队，使产学研合作机制更加紧密，协助人才、知识和资本三方实现完美融合，进一步增强三方合作驱动力，加快科技与教育、经济的协同发展步伐，最大限度地体现出三方的自身特点和优势所在，减少创新参与者独自开展科技创新活动时遇到市场较大风险的可能性。

完善企业投资融资机制。吸引社会资本参与成果转化，资金要素是企业及时转化创新成果的根本前提，同时也是科技创新成功的关键要素。企业既要考虑生存，更要重视发展，因而需要处理好眼前利益和长远利益的取舍，确保企业进行研发所需的资金得到充足供给。建立多元化的企业投融资机制能够有效地吸引社会资金参与研发创新和成果转化。目前企业的投融资渠道主要是自筹、政府投入和商业贷款。投融资渠道还需要不断拓宽，以保障创新资金的充足供给。在未来投融资机制的逐步建立过程中，政府要尤其注重发挥

引导作用，逐步从投入推动型转向引导推动型，充分加大对金融资本逐利性的引导。

允许科研人员在岗或离岗创业，或者到企业兼职，通过从事科技成果转化、技术攻关等活动，用科技成果转化成生产力，助推城市经济发展。一是支持和鼓励科研人员兼职创新、在职创办企业，在保质保量完成本职工作的基础上，其人事关系所在单位各项福利待遇不受影响，并可与兼职或所创办企业职工同等享有获取报酬、奖金、股权激励的权利；二是支持和鼓励科研人员离岗创办企业，科研人员离岗创办企业需经事业单位批准，期限不超过3年，期满后创办企业尚未实现盈利的可以申请延长1次，延长期限不超过3年；三是支持和鼓励事业单位选派科研人员到企业工作或者参与项目合作，理顺选派人员的人事管理，充分调动选派人员的积极性、主动性、创造性；四是支持和鼓励事业单位设置创新岗位和流动岗位，健全创新岗位设置和选人用人办法，优化创新岗位科研人员管理，动态管理流动岗位。

进一步加大授权力度，促进科技成果转化。进一步加大国家设立的中央级研究开发机构、高等院校科技成果转化有关国有资产管理授权力度，落实创新驱动发展战略，促进科技成果转移转化，支持科技创新。一是加大授权力度、简化管理程序。加大授权力度、简化管理程序为高校进行科技成果转化的管理和模式创新探索开拓了施展空间，中央级研究开发机构、高等院校自主决定科技成果转让、许可或者作价投资，无须报主管部门和财政部审批或备案。二是优化评估管理，明确收益归属。明确收益分配为高校能够系统性全链条推动科技成果转化提供了创新动力，科技成果转化获得的收入全部留归单位，纳入单位预算。三是落实主体责任，加强监督管理。在加大授权同时加强监督管理，则对高校在内部规范管理和制度化建设方面提出了更高要求，明确主体责任，加强对科技成果转化的监督，谨防串通作弊、暗箱操作等违规舞弊行为。四是鼓励地方探索，支持改革创新。鼓励地方开拓创新，探索符合科技成果国有资产特点的管理模式，充分发挥国有资产在科技成果转移转化中的支撑作用，支持地方促进科技成果转移转化。

10.3.2 完善科技成果转化服务载体建设

进一步加快科技成果转化服务载体建设步伐。要充分发挥现有公共服务平台作用，进一步完善关键技术研发、共性技术推广、产品检测、成果转化等功能，提高平台公共服务能力。要积极探索平台建设新模式，进一步整合企业、高校等社会资源，合作共建高水平公共服务平台，切实服务好地方特色产业。

政府要加大创建技术市场、高新技术园区、产业集群等形式的力度，促使科技成果顺利实现市场化。要积极鼓励企业间、产学研间设立技术创新联盟，政府支持自主创新的资金适当向技术联盟倾斜，特别是对关键和前沿技术的支持。要加大对重点企业、龙头企业和骨干企业的扶持力度，确立这些企业在产学研中的主导作用，促进其向创新主体转变。鼓励它们承担起国家研发任务，主持或参与重大科技攻关。同时，还要重视扶持创新型中小企业，鼓励企业间的兼并重组，鼓励企业做大做强，增强企业实力，以便更好地实现多方合作科技创新的良性循环，提高合作成功率和科研成果的转化率。

企业作为科技创新成果推向市场的有效载体，要直接参与包括选题、出资、研究在内的全部活动，与科研机构、高等院校紧密合作，共享合作方之间的资源，优势互补，风险共担，帮助机构、高校的科技成果实现产业化，实现科技创新的上游与下游的对接与耦合，保证研发活动始终与市场需求紧密结合，缩短技术创新周期，使科技成果顺利转化，提高技术创新成功率，最终获得科技创新成果的市场经济价值。进一步改进企业核心管理人员和技术人员的薪酬制度，使其与长期创新收益建立联系，有效激励企业核心人员的创新意识和动力。其中，高校院所还包括国外研发机构，须加强与国外科研院所的研发合作，整合国内外资源，从而增强企业自身创新成果转化能力。

高校、科研院所等企事业单位探索科研设施与仪器设备面向社会开放共享的市场化运行机制。加快推进科研设施与仪器设备向高校、科研院所、企业、社会研发组织等社会用户开放，提供开放、共享的研究实验环境，最大限度地整合现有设备设施，集约科技资源，渐进构成全国范围的共享型网络，为各省市企业和科技人员提供科技创新活动所需的先进实验设备和仪器。科研机构和高等院校要将成果应用价值、转化效益等指标加入研究人员评价标准中。构建面向市场、企业的人员评价体系，鼓励研究人员提高科研成果水平和质量，积极与企业合作创新。

加强技术中介组织力量。技术转移中介组织提供科技评估、创新决策及管理咨询等配套服务，扮演必要的行业中间人、管理者和协调者的角色，成为各主体间有效合作的关键纽带。通过加强技术中介组织的力量，利用技术中介部门交流和交换技术与创新信息，不断把科研机构和高等院校的创新成果推广给企业与市场，然后把企业与市场需求反馈到研发单位，加速技术流动与促进创新成果的发明。同时，推动科研机构、高等院校与企业间知识和技术成果的扩散与流动，促进创新主体之间的相互联系和良性互动，为知识和技术的供方和买方之间实现有效对接，为创新成果及时转化并最终成功走向产业化创造条件。协助技术中介组织提供服务支持。国家要从政策体系、法律制度、平台设施和人力资源等方面协助技术中介组织为科技型企业提供硬件和软件服务支持，鼓励他们不断积极改进与提高服务水平，满足创新主体的实际需求，降低从事科技创新的小企业和企业家的创业风险。

10.3.3 支持科技创新与实体经济融合

实体经济的转型升级，势必要依靠科技创新；科技创新成果的转化，也离不开现代化产业体系的支持。科技创新与实体经济发展是一个并行的、互嵌的过程，其路径支持有共性化的要求。结合上述对二者协同发展的机理分析与量化测度，政府部门应考虑从营商环境、产权保护、金融改革等角度入手，加强二者的互动与协作，提升其协同发展水平，从而推动经济社会发展方式的整体转型升级。具体对策建议如下：

第一，各地应树立良好的营商环境，推动新业态下高新企业的发展。具体来讲，一是延展科研技术服务业产业链条，以科技企业、科研院所、服务机构为节点建立创新网络链，加强科研技术服务业在不同主体、不同部门间的产业联动；二是完善科研技术服务业园区建设，打造科研技术服务业集群，重点培植科研技术服务业示范性机构；三是降低创新中介组织的准入门槛，下放自主研究和科研经费使用权限，鼓励科研机构向自主创新自负盈亏的应用型企业转型，制定并落实保护知识产权的相关政策；四是尝试建立跨产业链的长江经济带科研技术服务业战略联盟，优化行业布局，合理配置跨产业、跨省市科技服务资源，从而形成区域间协同效应。此外，可通过组织工作坊、研讨会、路演等形式，激活科研技术服务业集聚区内各主体的有效沟通与合作；也可使科研技术服务业集聚区内各主体更加灵活地参与科技大市场，提供更能满足市场需求的科学研究服务。

第二，对知识产权进行合理适度的保护。一方面，强化知识产权保护是我国知识产权法律制度发展的关键趋势，也是创新驱动发展的必然要求。要建立健全更加有效的长江经济带知识产权保护体系，可根据各地科技创新活动的发展诉求，合理适度地制定知识产权保护相关法律政策。完善我国知识产权立法，与科技创新发展进程保持同步，不断提高我国知识产权保护水平，以应对更加多变的社会发展、国际环境，应对新形势下不断出现的知识产权新问题，切实满足保护知识产权权利人与产业发展的新需求。另外，从微观层面入手，加快新修知识产权法律适用细则的落地，优化知识产权纠纷解决机制，可将目前的纠纷解决负担通过仲裁、调解、网络平台机制等路径进行分流。另一方面，加强知识产权保护，不仅是维护国内外企业合法权益的迫切需要，更是推动经济高质量发展的内在要求。要让知识产权创造者和拥有者能真正享受到知识产权，尤其是发明专利能带给他们的权益。例如，可以在长江经济带全面推行知识产权债券融资制度，应出台具体的知识产权价值评估、创新引导基金为其进行担保或贴息的指导意见及办法。

第三，深化支持实体经济发展的金融创新能力。金融体系与实体经济是共存共荣、不可分割的有机整体，二者之间任何形式的分离和对立都会阻碍彼此的正常发展。要从根本上解决目前存在的金融与实体经济失调的难题，关键在于金融体系创新应立足于实体经济融资需求，要始终以服务实体经济为宗旨，紧紧围绕供给侧改革这条主线，优化金融体系结构、提高有效金融供给，如通过“大力发展中小银行，构建差异化、层次化的银行机构体系，优化信贷资金投向，助推产业结构转型升级，完善金融供给方式，支持实体经济去杠杆、降成本”等方式促进实体经济发展。通过金融创新产品和金融创新技术开发供给更多服务于实体经济的优质资产，降低实体经济的运行成本，进一步提高科技创新融资的速度，推动融资项目的多样化发展。通过金融创新加大对区域科技创新的支持力度，特别是对中小高新技术企业创新的金融支持，不断拓宽投融资渠道，放宽科技型企业的融资条件，鼓励社会资本投资，吸引民间资本参股，形成多元化科技投融资体系。

参考文献

[1] 马世骏,王如松.社会-经济-自然复合生态系统[J].生态学报,1984,4(1):1-9.

[2] 孟庆松,韩文秀.复合系统协调度模型研究[J].天津大学学报,2000,33(4):444-446.

[3] 李海东,王帅,刘阳.基于灰色关联理论和距离协同模型的区域协同发展评价方法及实证[J].系统工程理论与实践,2014,34(7):1749-1755.

[4] 李雪松,龙湘雪,齐晓旭.长江经济带城市经济-社会-环境耦合协调发展的动态演化与分析[J].长江流域资源与环境,2019,28(3):505-516.

[5] 宋洁.黄河流域人口-经济-环境系统耦合协调度的评价[J].统计与决策,2021,37(4):185-188.

[6] 谈佳洁,刘士林.长江经济带三大城市群经济产业比较研究[J].山东大学学报(哲学社会科学版),2018(1):138-146.

[7] 蒋媛媛,蔡泉.长江流域三大城市群城市专业化格局演进[J].上海经济,2021(2):25-41.

[8] 高国力,贾若祥,张燕,等.长三角更高质量一体化发展的新要求及上海的抓手[J].科学发展,2019(10):59-62.

[9] 晁静,赵新正,李同昇,等.长江经济带三大城市群经济差异演变及影响因素——基于多源灯光数据的比较研究[J].经济地理,2019,39(5):92-100.

[10] 徐长乐,徐廷廷,孟越男.长江经济带产业分工合作现状、问题及发展对策[J].长江流域资源与环境,2015,24(10):1633-1638.

[11] 刘媛,胡忆东.长江中游城市群产业研究进展及其发展趋势[J].城市发展研究,2016,23(10):21-26.

[12] 畅向辉.长江中游城市群产业分工协作一体化探索[D].武汉:华中科技大学,2015.

[13] 徐亚婷.基于区域协调发展的长江中游城市群产业分工研究[D].呼和浩特:内蒙古师范大学,2020.

[14] 肖金成,汪阳红,张燕,等.成渝城市群空间布局与产业发展研究[J].全球化,2019(8):30-48+134.

[15] 叶连广.长江经济带城市群产业联动与一体化发展研究[D].成都:西华大学,2021.

[16] 曾刚,曹贤忠,王丰龙.长江经济带城市协同发展格局及其优化策略初探[J].中国科学院院刊,2020,35(8):951-959.

[17] 于光妍,周正.城市群产业分工、结构升级与经济增长[J].技术经济与管理研究,2021(11):116-120.

[18] 谢露露,孙海霞.长三角城市群协同发展机制的演变[J].上海经济,2021(5):39-61.
[19] 王玉海,宋逸群.共享与共治:中国城市群协同治理体系建构[J].开发研究,2017(6):1-6.
[20] 赵志营,李盛竹,李倩.中国公共资源城乡共享、网络化与城镇化的耦合协调发展研究[J].调研世界,2021(6):3-11.
[21] 吴丽丽,徐充.中国城乡公共资源均衡配置的制度探析[J].北方论丛,2014(2):143-147.
[22] 雍黎.成渝地区共搭服务平台 科技服务资源共享不再难[N].科技日报,2021-10-19(02).
[23] 靳景玉.城市联盟的合作动力机制研究[D].成都:西南交通大学,2006.
[24] 程俊杰,陈柳.长江经济带产业发展的结构协调与要素协同[J].改革,2021(3):79-93.
[25] 王玉明.论城市群环境治理合作复合激励机制的构建[J].广东行政学院学报,2017,29(5):25-31.
[26] 保建云.发达地区间区域一体化发展面临的问题与地方利益协调分析——以长江三角洲和珠江三角洲为例[J].商业经济与管理,2007,192(10):58-63+80.
[27] 侯小菲.长江经济带一体化发展面临的挑战与应对策略[J].区域经济评论,2015(5):48-55.
[28] 雷新军.完善利益协调机制:长三角区域一体化发展的关键[J].中国发展,2019,19(6):42-45.
[29] 杨志安,郭矜,李鹏.沈阳经济区同城化、一体化的利益协调机制研究[J].辽宁大学学报(哲学社会科学版),2013,41(1):82-88.
[30] 郁鹏.京津冀城市群利益协调与互动合作机制研究[J].经济论坛,2017(6):14-19.
[31] 黄言,宗会明,杜瑜,等.交通网络建设与成渝城市群一体化发展——基于交通设施网络和需求网络的分析[J].长江流域资源与环境,2020,29(10):2156-2166.
[32] 程玉鸿,田野.大珠三角城市群一体化演进状况评估[J].城市问题,2016(12):19-25.
[33] 朱翔.《长江中游城市群一体化模式选择与机制研究》评介[J].地理学报,2021,76(7):1576.
[34] 孙红梅,姚书淇.长三角城市群一体化协同发展的空间实证研究——以财政水平差异分析为支撑[J].城市发展研究,2020,27(8):25-30+34.
[35] 李海生,傅泽强,孙启宏,等.关于加强生态环境保护 打造绿色发展新动能的几点思考[J].环境保护,2020,48(15):33-38.
[36] 彭艳玲,郭子豪,王玉."十四五"云南生态文明建设主要路径研究[J].生态经济,2021,37(6):205-208.
[37] 刘波,黄勤,杨理珍.高质量发展背景下长江经济带"人-水-地"系统耦合协调效应评价[J].软科学,2021,35(5):27-34+42.
[38] 王建民,仇定三,蒋倩颖,等.长江经济带工业绿色发展效率测量与提升路径研究

[J]. 科技管理研究,2019,39(12):46-52.
[39] 钱建利,杨斌,张贺,等. 基于立体综合观测的湿地资源观测指标体系构建[J]. 资源科学,2020,42(10):1921-1931.
[40] 王树义,赵小姣. 长江流域生态环境协商共治模式初探[J]. 中国人口·资源与环境,2019,29(8):31-39.
[41] 梁敏,曹洪军,陈泽文. 环境规制、环境责任与企业绿色技术创新[J]. 企业经济,2021,40(11):15-23.
[42] 李海生,王丽婧,张泽乾,等. 长江生态环境协同治理的理论思考与实践[J]. 环境工程技术学报,2021,11(3):409-417.
[43] 武健,曹丽霞,黄琪华,等. "互联网+"背景下再生资源产业协同创新三方演化博弈研究[J]. 中国软科学,2021(12):175-186.
[44] 李波,于水. 基于区块链的跨域环境合作治理研究[J]. 中国环境管理,2021,13(4):51-56.
[45] 李云生,王浩,王昕竑,等. 长江流域生态环境治理的瓶颈及对策分析[J]. 环境科学研究,2020,33(5):1262-1267.
[46] 沙焕伟,徐莹莹,朱源. 生态环境保护督察中环境影响评价与排污许可领域的问题与对策研究[J]. 环境保护,2020,48(22):59-61.
[47] 成长春,刘峻源,殷洁. "十四五"时期全面推进长江经济带协调性均衡发展的思考[J]. 区域经济评论,2021(4):49-53.
[48] 季永兴,韩非非,施震余,等. 长三角一体化示范区水生态环境治理思考[J]. 水资源保护,2021,37(1):103-109.
[49] 廖志丹,付琳,吴齐. 贯彻习近平生态文明思想与法治思想的立法实践——《长江保护法》解读[J]. 人民长江,2021,52(4):41-46.
[50] 向云波,王圣云,邓楚雄. 长江经济带化工产业绿色发展效率的空间分异及驱动因素[J]. 经济地理,2021,41(4):108-117.
[51] 鄂璠. 沿江企业的绿色行动[J]. 小康,2021(15):47-51.
[52] 李东周,丁青松,陈传武,等. 探索流域性绿色发展新模式共商共议长江保护发展大计——2021 长江经济带绿色发展高峰论坛观点集萃[J]. 中国石油和化工,2021(5):18-25.
[53] 崔海洋,卓雯君,虞虎,等. 基于三阶段 DEA 模型的农业生产效率及其时空特征研究——以长江经济带为例[J]. 中国生态农业学报(中英文),2021,29(7):1243-1252.
[54] 舒成,朱沛阳,许波. 江西省绿色发展水平测度与空间分异分析[J]. 经济地理,2021,41(6):180-186.
[55] 杨保军. 以"五大发展理念"推动长江经济带高质量发展[J]. 先锋,2019(9):14-17.
[56] 赵狄娜. 共舞长江经济带[J]. 小康,2021(15):26-29.

[57] 黄可. 滇池典型入湖河流污染治理现状评估及后续治理技术方案构建[D]. 上海:上海交通大学,2016.
[58] 陈涛. 环境治理的社会学研究:进程、议题与前瞻[J]. 河海大学学报(哲学社会科学版),2020,22(1):53-62+107.
[59] 刘秉镰,边杨,周密,等. 中国区域经济发展 70 年回顾及未来展望[J]. 中国工业经济,2019(9):24-41.
[60] 彭昕杰,成金华,方传棣. 基于"三线一单"的长江经济带经济-资源-环境协调发展研究[J]. 中国人口·资源与环境,2021,31(5):163-173.
[61] 张玉麟,谢琰,胡婷婷,等. 生态文明示范区建设背景下的环境保护制度优化路径研究[J]. 宜宾学院学报,2021,21(10):104-109.
[62] 靳诚,陆玉麒. 我国生态产品价值实现研究的回顾与展望[J]. 经济地理,2021,41(10):207-213.
[63] 汪永福,毕金平. 跨省流域生态补偿的区域合作法治化[J]. 浙江社会科学,2021(3):66-73+158.
[64] 司林波,聂晓云,孟卫东. 跨域生态环境协同治理困境成因及路径选择[J]. 生态经济,2018,34(1):171-175.
[65] 肖融. 我国流域保护立法的价值表达与功能建构——以《长江保护法》为分析对象[J]. 长江流域资源与环境,2021,30(12):3017-3028.
[66] 赵宇,姚星宇. 经济新常态视域下创新人才培育机制的对策研究[J]. 经济研究导刊,2021(25):126-128.
[67] 尹西明,陈劲,刘畅. 科技领军企业:定义、分类评价与促进对策[J]. 创新科技,2021,21(6):1-8.
[68] 陈劲. 推动科技领军企业的建设与发展[J]. 清华管理评论,2021(5):1.
[69] 杜颖. 加强知识产权保护,促进创新驱动发展[J]. 中国经济评论,2021(4):86-89.
[70] 万程成. 我国科技创新与实体经济协同发展评价研究[J]. 技术经济与管理研究,2020(11):20-25.
[71] 农春仕. 加快人力资源与实体经济协同构建现代产业体系[J]. 现代经济探讨,2020(8):95-100.
[72] 刘昊. 金融支持长江经济带高质量协同发展:从现实需求到精准供给[J]. 经济研究参考,2020(11):64-75.
[73] 毛诗棋,王玉,黄茗. 广州工业企业科技创新能力评估与发展对策研究[J]. 科技管理研究,2020,40(11):52-58.
[74] 孙卫. 促进科技创新与实体经济协同发展[J]. 中国科技论坛,2020(6):5-7.
[75] 余义勇,杨忠. 如何有效发挥领军企业的创新链功能——基于新巴斯德象限的协同创新视角[J]. 南开管理评论,2020,23(2):4-15.

[76] 薛莹,胡坚. 金融科技助推经济高质量发展:理论逻辑、实践基础与路径选择[J]. 改革,2020(3):53-62.

[77] 郑志来. 严监管背景下金融供给侧改革、经济高质量发展的逻辑与路径选择[J]. 现代经济探讨,2020(2):17-24.

[78] 王君,郭玲玲. 实体经济与金融良性互动的影响因素及建议[J]. 经济纵横,2019(9):121-128.

[79] 佟玲. 以科技创新引领实体经济转型升级[J]. 人民论坛,2019(24):100-101.

[80] 黄涛,李浩民. 金融供给侧结构性改革:重点任务与路径选择[J]. 改革,2019(6):73-83.

后记

本书包括长江经济带高质量发展现状、综合评价和发展情况三个部分。现状部分对长江经济带社会经济高质量发展、科技创新高质量发展以及绿色低碳高质量发展现状及问题分别进行了阐述和探讨。综合评价部分分别从社会经济协同高质量发展、科技创新高质量发展和绿色低碳高质量发展三个方面对长江经济带各省市进行综合评价，其中社会经济协同高质量发展评价包括社会子系统有序度、经济子系统有序度和复合系统协同度；科技创新高质量发展评价包括科技资源、科技创新环境、科技创新产出、科技创新经济绩效和科技创新社会绩效等方面；绿色低碳高质量发展评价分别从绿色低碳生产、绿色生态环境和绿色美好生活三个方面进行评价。发展情况部分包括城市群协同联动发展、环境保护和经济建设协调发展、科技创新驱动社会经济发展三个方面。从推动产业分工协作、提升资源共享程度和建立利益协调机制方面提出推动长江经济带“三大城市群”协同联动发展，以城市群协同推动长江经济带一体化发展，从而提升长江经济带整体协同发展能力。从绘制生态环境底图、全面推进生态环境督察和统筹环境经济联动发展角度探讨推动环境保护和经济协调发展。从提升企业科技创新能力、完善科技人才引进机制、促进科技创新与实体经济融合出发，探讨科技创新企业的发展途径、科技创新人才的培育方式以及科技产品价值实现路径，以科技创新推动区域社会经济的高质量发展。

本书由长江保护与绿色发展研究院、江苏长江保护与高质量发展研究基地组织编写。感谢在本书的具体编写过程中付出辛勤劳动的各位专家学者，包括陈军飞、史安娜、刘永进、杨恺钧、邓梦华、李远航、凌丹丹、张学友、石裕琦、陈玥、陆瑶、姚婷婷、王伟、段婷婷、王文轩、曹安琪、曹胜兰、贺恬恬、程煜淞、贾燚珍和车雅静等。在本书编写过程中，坚持以问题为导向，从学术角度深入分析长江经济带高质量发展的挑战和趋势，确保内容的前瞻性、实用性和易读性。本书的编纂参阅了众多文献、统计资料和调研成果。鉴于资料繁多且来源多样，在此我们向所有文献资料提供者及有关机构表示感谢。同时，书中观点仅代表作者个人看法，如有不足之处，敬请读者不吝赐教。我们期望通过本书的出版，激发公众对长江问题的关注，促进更多人投身于长江保护与研究领域，共同推动长江经济带向高质量发展迈进。